감수 조경하

현재 강남 두앤목한의원 원장으로 재임 중이다. 원광
대학교 한의학과를 졸업하고 경희대학교에서 한의학
박사를 취득했다. 이건목원리한방병원 진료과장으로
일하며 도침괴 원리침 시술을 맡았다. 대한두침의학회
학술교육이사로 활동했으며 두침 입문서인 도침요법
의 저자이다. 윤상훈 원장과 함께 수 편의 SCI 논문과
KCI 논문을 발표했으며, 수년간 경희대학교 학부생에
게 도침요법을 강의했다.

치료율을 높이려는 임상의의 마음
매출을 올리고 싶은 개원의의 마음
치료의 근거를 찾고 싶은 연구자의 마음
도침치료를 하면서 임상의로 개원의로 연구자로 살아온 십여 년,
이 모든 것을 책에 담기 위해 최선을 다했습니다.

🏷 임상의의 마음을 담았습니다.

호전되어가는 환자들에게서 직업의 기쁨을 얻고, 쉽게 낫지 않는 환자분들을 대할 때면
더욱 에너지가 소모되어 기운이 빠지는 것이 어쩔 수 없는 임상의의 운명이라고 생각합니
다. 임상 초기, 잘 낫지 않는 환자들을 연속으로 진료하다 보면 기운이 빠지는 일이 많았습니
다. '책 대로, 배운 대로 했는데 왜 안 나을까?' 정말 고민했습니다. 어떻게 해야 환자들이
좋아질까 수없이 공부했습니다.

왜 공부한 대로 했는데 잘 낫지 않을까? 공부했던 책들에 틀린 내용은 없었습니다. 하지만
다소 불친절하다는 인상을 많이 받았습니다. 근골격 질환에서 진단명이 같더라도, 치료포
인트와 자극량은 모두 다릅니다. 그리고 근골격계 치료에서 치료와 함께 중요한 것은 환자
티칭입니다. 아무리 치료를 잘해도 환자가 무리하고 멋대로 운동을 하면 좋아질 수가 없습
니다. 그 당시 책들에는 그런 것들이 세세히 나오지 않았습니다. '진단은 어떻게 하고 어디
에 침 치료하면 된다.'는 식의 단편적인 내용만 제시했습니다. 제가 정말 치료하면서 알고
싶은 정보는 따로 논문에서 찾아보아야 했습니다.

이 책을 쓰면서 세세한 내용을 채우기 위해 최선을 다했습니다. 최대한 자세하게 치료 부위와 자입 방법을 세세히 설명하려고 했고, 같은 진단이라도 환자의 상태에 따라 치료가 달라져야 함을 앞 파트 총론에서 강조했습니다. 그리고 모든 질환에 제가 실제 한의원에서 환자들에게 말씀드리는 티칭법을 그대로 제시해 실전에서 사용할 수 있는 환자 티칭을 넣었습니다. 좋은 운동법도 너무 어려우면 환자가 하기 어렵습니다. 도침책이지만, 도침만으로 환자를 호전시킬 수 없습니다. '진단-치료-환자교육'이 삼박자가 고루 이뤄질 수 있도록 책을 만들었습니다.

🏷 개원의의 마음을 담았습니다.

임상은 예술이지만, 병원은 사업입니다. 아무리 좋은 치료라도 정작 환자가 늘지 않으면 배워도 소용없습니다. 이론적으로 좋은 책이고 임상적으로 좋은 말이지만 실전에서 환자를 끌고 갈 수 없다면 말 그대로 이론일 따름입니다. 저는 2019년 말 강남구의 한의원을 양수하였는데, 그때의 한의원은 적자에 환자가 하루 10명도 안되는 시기도 있었습니다. 개원 직후 코로나가 발생해 어려움이 있었지만, 도침과 통증치료를 꾸준히 하여 현재 2년이 지난 지금 같은 자리와 같은 간판에서 환자수와 매출 모두 3배 정도로 키워냈습니다. 힘든 과정을 거쳤기에 환자를 한 분 한 분 늘리는 어려움과 소중함을 누구보다 잘 알고 있습니다.

안정적인 진료와 매출 상승을 위해서는 무엇보다 안전하고 효과적인 치료가 중요합니다. 효과가 좋다라노 너무 낑하게 치료히 는 것은 위험이 큽니다. 100명을 잘 치료해도 1명이 부작용이 생긴다면 그 때 원장이 입는 스트레스와 피해는 100명을 치료해서 얻은 이익을 크게 넘습니다. 하지만 너무 약하게 치료하면 효과가 없기 마련입니다. 안전하면서 효과적인 적당한 자극량을 처음부터 알기는 어렵습니다. 그래서 이 책을 통해 도침의 자극량과 자

극 횟수를 모두 꼼꼼히 정리하였습니다. 제가 이제까지 10년이 넘는 기간 동안 큰 사고없이 환자들을 잘 치료하고 병원을 키워왔던 노하우는 첫째도 안전, 둘째도 안전을 중시한 '최소침습 도침치료'를 시행했기 때문입니다. 이제 그 노하우를 여러분과 나누겠습니다.

그리고 아무리 치료를 잘해도 환자를 끌고 가지 못하면 쓸모가 없어집니다. 환자는 절대 그냥 오지 않습니다. 초진 때 정확히 치료계획을 제시해야 합니다. 하지만 진단이 되었다 하더라도 치료기간을 예측하는 것은 간단치 않은 영역입니다. 진단명이 같아도 환자 상태나 조직이 손상된 정도, 환자의 생활 패턴에 따라 치료가 얼마나 걸릴지는 천차만별이기 때문입니다.

"얼마나 치료해야 낫나요?" 이 질문에 대답하려면 수많은 경험을 쌓아야 합니다. 물론 혼자 쌓으실 수 있지만 시간이 정말 오래 걸립니다. 제 책에서는 기존 연구와 저의 경험을 담아 질환들의 평균적인 치료기간을 제시하였습니다. 이 책에서 제시한 기준에서 환자가 반복적인 노동을 하거나 나이가 많다면 치료기간이 더 길어질 것이고, 푹 쉬고 치료를 열심히 받는다면 기간은 보다 짧아질 것입니다. 제 책을 기준으로 치료 기간을 제시하고, 환자 상태에 따라 가감한다면 환자를 더 쉽게 끌고 갈 수 있으실 겁니다.

🏷 연구자의 마음을 담았습니다.

연차가 많이 쌓인 요즘에는 근골격계 통증 환자들을 진료하며 한의학의 뛰어난 효과를 몸소 느끼고 있습니다. 매일 진료에서 침과 도침을 통해 통증이 사라지는 것은 하루에도 수없이 확인합니다. 하지만 임상 경험이 없던 과거에는 고민이 많았습니다. 환자가 좋아지면 왜 좋아지는지, 호전이 없으면 왜 호전이 없는지 속 시원하게 알 수가 없었습니다. 과거 제가 공부할 때는 책에 정확한 치료 원리에 대한 설명이 없었기 때문에, 환자가 왜 낫고 안 낫

는지를 명확히 알 수가 없었습니다. 제대로 질환을 치료하기 위해서는 치료 원리가 명확해야 합니다. 원리가 단순하면 환자가 왜 좋아지고 안 좋아지는지 명확히 알 수 있습니다. 그리고 원리를 깨우치면 다른 근골격 질환에도 얼마든지 응용이 가능합니다. 제가 긴 기간 동안 논문을 탐독하고 도침에 대한 연구를 수행한 이유는 바로 이 치료 원리에 대한 갈망 때문이었습니다.

도침의 치료 원리는 명확합니다. (1) 조직 염증 환경 개선과 조직 압통 완화, (2) 절개를 통한 신경 압박 완화, (3) 근긴장 완화 및 관절낭 유착 완화, (4) 혈액순환 개선과 조직의 회복, 재생입니다. 꼭 이 책에 나온 질환이 아니더라도, 질환의 병리와 도침의 치료 원리를 이해하면 얼마든지 활용이 가능합니다. 총론 파트의 치료 원리 설명을 위해 이제까지 발표된 도침 논문들을 열심히 설명하였고, 크게 4가지로 도침의 치료 원리를 정리하였습니다. 원리가 명확히 이해돼야 정확히 치료할 수 있습니다. 이 책이 여러분의 치료와 임상에 조금이라도 도움이 되길 바랍니다.

이 책은 저 혼자라면 절대 쓸 수 없었습니다. 직접 난치성 근골격환자들을 치료하며 도침 치료의 효과와 한의학의 치료효과를 몸소 보여주신 은사님인 이건목 병원장님, 은사님 밑에서 함께 도침을 공부하며 한의사로서의 삶뿐만 아니라 인생을 살아가는 올바른 지혜를 알려주신 저의 롤 모델 조경하 선배님, 연구를 알려주시고 수많은 도침 연구를 함께하며 많은 프로젝트를 이끌어 주신 임정태 교수님, 순수한 한의학 발전에 대한 마음으로 본인의 커리어에도 도움이 크게 안되는 도침 연구를 수없이 도와주신 권찬영 교수님, 항상 열정적으로 시는 모습으로 교훈을 주시고, 아무짓도 모르는 저에게 논문쓰는 법을 알려주신 윤영희 교수님께 다시 한번 감사의 말씀을 드립니다. 그리고 힘께 진료하고 공부하며 이 책을 완성하는 데 직접 도와준 권병조 원장님께 감사합니다.

| 목 차

| 목 차

01 | 총론

1 도침의 기원과 정의

1-1. 한국에서 도침의 기원과 정의

도침의 기원

도침술(陶鍼術, ceramic acupuncture therapy)은 현재 대한민국 의료보험 체계에서 요양급여항목에 해당됩니다. 한의의료행위분류에 따른 도침술의 행위 정의는 "12경락상 혈위 및 기타 혈위에 자기편 혹은 도기편 및 칼(刀) 모양의 침을 침구로 하여 천자, 사혈을 통해 피부표층(경피), 경근, 경맥의 사기를 몰아내고 관련 질환을 치료하는 행위"로 되어있습니다. 도침은 석침, 골침과 함께 선사시대에 최초로 발견되었으며, 이러한 고대의 침은 자입을 위한 '침(鍼)'과 절개를 위한 '폄(砭)'의 형태로 발전하였습니다. 절개를 위해 도자기침을 사용한 문헌은《본초강목(本草纲目)》에도 등장합니다.

과거에는 석침을 사용했고, 지금은 도자기를 사용합니다. 지금 도자기 침으로 병을 치료하는 것은, 석침을 썼던 것과 똑같은 것입니다. ("盖古者以石为针, 季世以针代石, 今人又以瓷针刺病, 亦砭之遗意也."『本草纲目』)

이후 폄(砭)은 구침 중 피침(鈹鍼)과 봉침(鋒鍼)의 형태로 나뉘였으며, 1979년 중국의 주한장에 의해 도구적인 현대화가 이뤄지며 피침과 봉침이 침도(鍼刀)요법으로 발전하였습니다. 현재 건강보험에 등재된 도침술은 광의의 개념으로, 시대상에 따라 그

도구가 도자기 조각, 피침, 봉침, 도침 등으로 변화되어 왔지만, 그 개념은 이러한 도구를 사용하여 경피, 경근, 경맥을 절개하여 각종 질환을 치료하는 시술을 모두 포함하는 것으로 볼 수 있습니다.[1] 결론적으로 침도(針刀)는 도침요법을 시행하는 도구 중 하나라고 볼 수 있습니다. 현재는 현대화된 침도라는 도구로 도침요법이 주로 시행되지만, 향후엔 여러 도구들로 도침요법이 시행될 수 있을 것이라 기대합니다.

→ 도침의 정의와 영문표기

도침요법은 침 끝에 칼모양의 도구가 결합된 침 도구를 사용한 침술 요법입니다. 그래서 피침이나 봉침, 침도와 같이 여러 도구를 사용한 치료법이 모두 포함된다고 볼 수 있습니다. 그래서 영문명 또한 여러 명칭이 혼재되어 쓰였습니다.

도침요법 논문에 사용된 영문명
acupotome, acupotomlogy, acupotomy, needle knife, needle scalpel, miniscalpel acupuncture, miniscalpel needle, stiletto needle, sword like needle

주로 사용되는 용어	비고
acupotomy	Mesh term에 등재되어 가장 많이 사용
needle-knife	수술용 칼과의 혼동으로 현재 중국 골상과 등을 제외하면 사용하지 않습니다.
miniscalpel needle (acupuncture)	한국에서 종종 사용

이 중 주로 많이 사용되는 영문용어는 acupotomy, needle knife, miniscalpel needle 입니다. Acupotomy는 중국의 주한장이 '침도'를 뜻하는 용어로 acupuncture와 ectomy가 결합된 형태입니다. 새롭게 만든 고유한 용어이기 때문에 뜻은 명확하지만 처음 보는 사람은 뜻을 직관적으로 알기 어렵습니다. Needle-knife는 바늘을 뜻하는 needle과 칼을 뜻하는 knife가 결합되어 직관적으로 그 도구를 연상할 수 있으며, 영어권과 중국어권에서 모두 높은 빈도로 사용된다는 장점이 있습니다. 하지만

내시경을 이용해 용종 등을 절개하는 내과적 수술도구의 용어와 일치하여, 논문 검색 시 한의학적인 도침치료가 아닌 수술요법 등이 검색되는 경우가 87.26%로, 그 용어 사용의 통일성이 낮아 용어에 대한 일반적인 합의를 이끌어내기에는 어려움이 있을 것으로 여겨집니다. Miniscalpel needle (miniscalpel acupuncture)은 한때 한국과 중국에서 종종 사용되었으나, 2019년 이후에는 acupotomy가 Mesh term에 등재되어, acupotomy가 주로 사용되어 있습니다. Acupotomy가 대체적으로 가장 많이 쓰이지만, 아직도 needle-knife나 miniscalpel needle (miniscalpel acupuncture)로 출판되는 연구가 있으니 체계적 문헌고찰을 할 때 검색어에 참고하면 좋습니다.[2]

1-2. 현재 도침의 구조

→ 다용되는 도침의 구조 및 규격

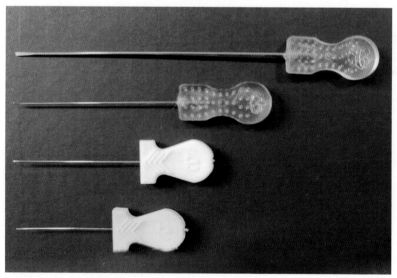

🏷 그림 1-2-1. 국내 시판되는 도침
위에서부터 1.0 mm × 80 mm 동방, 0.5 mm × 50 mm 동방, 0.5 mm × 40 mm 우전, 0.4 mm × 30 mm 우전

현대에서 멸균되어 1회용으로 제작되는 도침은 크게 손잡이에 해당하는 침병, 길게 몸통을 형성하는 침체와 끝의 칼날 부분에 속하는 침첨으로 구성됩니다. 도침의 규격에 따른 주요 시술 부위는 아래와 같습니다.

규격(너비×길이, mm)	주요 시술 부위
0.4 × 30	사지 및 척추 표층부 근육 및 인대, 힘줄에 사용되며 최소자극 도침치료 시 가장 다용, 얕은 조직에서의 신경포착(가이온스 터널, 사각근에 의한 흉곽출구 증후군 등)
0.5 × 40	인체 표층 조직에서 보다 강한 자극이 필요할 때 사용, 50 mm와 비교할 때 길이가 짧아 조작에 용이, 반면 심부조직 치료에는 애매함
0.5 × 50	요추 및 경추 후관절 및 척추 다열근, 비교적 심부조직에서의 신경포착
1.0 × 80	요추부 및 둔부 심부조직(횡돌간, 이상근증후군) 등 치료 시 사용, 유착이나 긴장이 심하여 강한 절개가 필요할 때 사용(대퇴근막장근 단축 등)

→ 도침과 니들의 침첨 비교

🔲 그림 1-2-2. 도침과 니들의 침첨

위부터 26 G 니들, 0.5 mm × 50 mm 도침

도침과 니들은 그 구조가 다릅니다. 니들은 매우 연마가 잘 되어 있는 창과 같은 형태로, 조직은 물론 혈관에 구멍을 뚫어 혈관내에 약물을 주입하는 용도입니다. 반면 도침은 날이 칼과 같이 1자로 되어 있어, 특정 방향으로 조직을 절개할 수는 있지만, 혈관이나 신경 조직에 구멍을 내기 어려운 구조입니다. 즉 도침의 날을 혈관이나 신경의 방향과 일치하게만 자입하면 신경과 혈관을 손상시키기 어려운 구조이며, 그림 1-2-2와 같이 니들에 비해 끝이 둔탁해 신경과 혈관의 손상 확률이 적습니다.[3]

	니들	도침
공통점	국소 조직에 파괴, 출혈 유도	
차이점	원형으로 날카로워 인체 조직을 뚫는 데 유리 *천천히 자입해도 쉽게 절피	직선 칼날형태로 절개에 유리 신경 손상이 니들에 비해 적음 *빠르게 자입하지 않으면 절피 안 됨

참고문헌

1. 윤상훈, 정신영, 권찬영, 조희근, 김영일. 한국 내 도침술의 정의와 용어 표준화를 위한 제안. 대한한의학회지 2018;39:13-28.

2. Yoon SH, Kim YS, Jo HG. Kwon CY. Current Usage of Terminologies Related to Acupotomy: A Literature Research and Standardization Suggestion. Chin J Integr Med 2019;25:147-50.

3. Chao M, Wu S, Yan T. The effect of miniscalpel-needle versus steroid injection for trigger thumb release. J Hand Surg Eur Vol 2009;34:522-5.

2 도침의 적응증과 치료 기전

2-1. 도침의 효과와 안전에 관한 overview

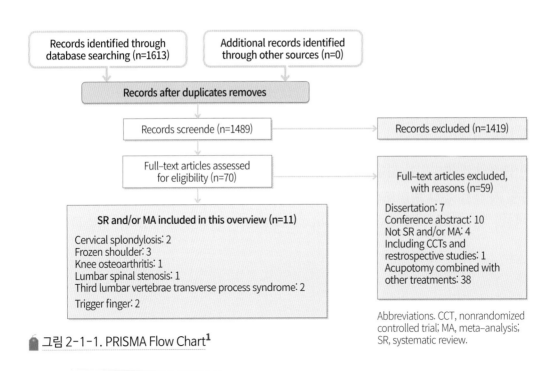

Records identified through database searching (n=1613)

Additional records identified through other sources (n=0)

Records after duplicates removes

Records screende (n=1489)

Records excluded (n=1419)

Full-text articles assessed for eligibility (n=70)

Full-text articles excluded, with reasons (n=59)

Dissertation: 7
Conference abstract: 10
Not SR and/or MA: 4
Including CCTs and restrospective studies: 1
Acupotomy combined with other treatments: 38

SR and/or MA included in this overview (n=11)

Cervical splondylosis: 2
Frozen shoulder: 3
Knee osteoarthritis: 1
Lumbar spinal stenosis: 1
Third lumbar vertebrae transverse process syndrome: 2
Trigger finger: 2

Abbreviations. CCT, nonrandomized controlled trial; MA, meta-analysis; SR, systematic review.

🔖 그림 2-1-1. PRISMA Flow Chart[1]

분석에 포함된 두침치료 SR논문(도침 이외에 다른 치료를 병행한 연구는 제외)

경추증 2편, 유착성관절낭염 3편, 무릎 관절염 1편, 요추 척추관 협착증 1편, 만성요통 1편, 탄발지 2편

본 연구를 통해 도침치료는 주로 퇴행성 근골격계 질환에 가장 많이 사용됨을 알 수 있습니다.

2-2. 도침의 치료 기전 고찰

1) 조직 염증 환경 개선과 압통 완화

2) 절개를 통한 신경 압박 완화

3) 근긴장 완화 및 관절낭 유착 완화

4) 혈액순환 개선과 조직의 회복, 재생

    도침의 치료 원리를 정리하면 크게 위 네 가지 범주로 나눌 수 있습니다. 가장 흔한 질환인 근육통이나 근막통증증후군의 경우 압통점에 도침을 직접 자입하면 조직의 염증환경을 개선하고 압통을 완화하는 작용을 합니다. 수근관 증후군이나 흉곽출구증후군의 경우 신경을 포착하는 근육이나 기타 연부조직을 절개하는 데 사용되어 신경 압박을 완화하는 효과가 있다고 볼 수 있습니다.

    만성 통증 질환에서 경직된 근육을 이완시켜 관절의 가동범위를 늘리는 목표를 위해 사용될 수 있으며, 오십견이나 손가락 관절낭 유착같이 유착된 관절낭을 절개해 역시 관절의 가동범위를 늘릴수도 있습니다. 마지막으로 테니스 엘보우 같은 질환에서는 출혈 자극을 통해 병리조직이 정상적인 조직으로 재생될 수 있게 촉진하는 작용이 있습니다. 이러한 도침의 치료 원리를 이제까지 밝혀진 연구를 통해 알아보겠습니다.

→ 조직 염증 환경 개선과 압통 완화

근막통증증후군에서 다양한 침의 효과를 분석한 네트워크 메타분석연구에 의하면, 도침은 압통점을 제거하는 데 가장 뛰어난 효과를 보였습니다.[2]
도침치료 전후 조직의 변화를 연구한 동물실험에서 도침치료 이후 염증 수치가 감소하고, 통증 역치가 정상수준으로 돌아옴을 보고하였습니다.[3]

임상에서 가장 많이 활용하는 도침치료 방법 중 하나는 근육의 압통점에 대한 직접적인 자극입니다. 과긴장이나 과사용으로 나타난 근육의 미세손상이 일어나고, 해당부위에 염증반응이 생겨 근조직에 반흔이나 유착이 발생합니다. 이런 반흔과 유착이 압통점으로 나타나게 됩니다. 위 연구들에서 보이듯 도침치료는 압통점의 병리적 환경을 개선시켜 압통점과 증상을 완화시키는 효과가 있습니다. 임상에서도 압통점 중심으로 치료해 주시면 비교적 무난하게 치료 효과를 얻을 수 있습니다. 무엇보다 침이나 기타 자극에도 반응하지 않는 오래된 압통점에는 도침치료를 꼭 활용해 볼 만합니다. 다음 연구들을 통해 도침의 압통점 개선효과의 원리를 더욱 세밀하게 알아보겠습니다.

(2016. Li)

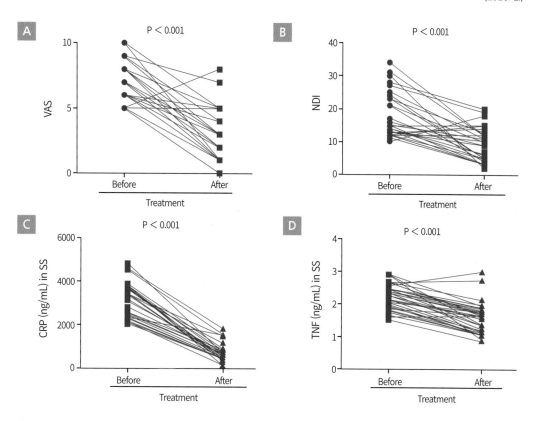

그림 2-2-1. 작업관련성 목, 어깨 근골격질환에서 도침치료 전후의 VAS(A), NDI(B) 및 혈청 CRP(C) 및 TNF(D) 수치 변화

2016 Shuming Li 등은 31명의 목, 어깨통증 환자와 28명의 건강한 환자를 대상으로 통증 환자에 대해 도침치료 전후 통증에 대한 점수(visual analog scale, VAS)와 목 강애짐수(neck disability index, NDI), CRP (C-reactive protein), TNF (tumor necrosis factor) 수치를 조사한 연구를 진행하였습니다. 치료 전, 목, 어깨통증 환자들의 CRP, TNF 수치가 모두 높았으며, 통증의 정도와 CRP 수치는 상관관계가 있었습니다. 도침치료 후, 통증과 CRP, TNF와 같은 염증수치 모두 정상수준으로 낮아졌습니다(그림 2-2-1).[4]

(2020. Li)

근막통증증후군 생성 쥐 모델(32마리)을 정상군, 모델군, 도침치료군, 리도카인 주사치료군 4개 군으로 비교

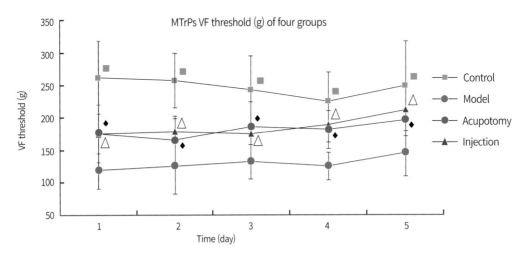

그림 2-2-2. 4개 군[정상군(control), 모델군, 도침치료군, 주사치료 군]에서의 치료 전후 역치 변화. 도침치료군과 주사치료군 모두 통계보다 유의미하게 모델군보다 역치를 올리며 호전되나, 두 군 간의 통계적으로 유의한 차이는 없음

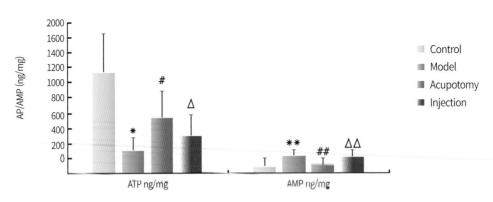

그림 2-2-3. 도침치료 이후 ATP레벨이 높아졌으며, 리도카인 주사치료에 비해 확연히 높아짐. AMP수치가 저하된 것으로 볼 때 혈액순환 개선을 통해 근육 내 에너지 대사를 원활히 한 것으로 보임

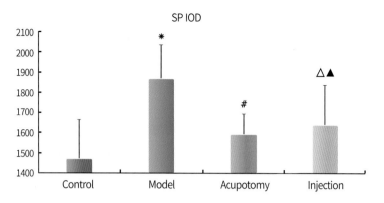

SP IOD

🗝️ 그림 2-2-4. 염증 및 통증 유발물질 중 하나인 SP의 조직 내 잔류량이 도침치료 이후 모델군에 비해 낮아졌으며, 리도카인 주사치료에 비해서도 낮아짐

근막통증증후군 쥐를 대상으로 진행한 본 연구는, 도침치료가 통증 역치값을 어떻게 올리는지에 대한 기전을 밝히기 위해 진행됐습니다. 주사치료와 도침치료 모두 역치를 유의미하게 개선시켰습니다(두 군 간의 차이는 없었습니다). 다만 그림 2-2-3처럼 도침치료에서 ATP가 정상군 다음으로 가장 높게 나타나고, ATP의 분해 산물인 AMP 수치가 정상군 다음으로 낮게 나온 것으로 볼 때, 도침치료가 혈액순환을 크게 개선시켰다고 짐작할 수 있습니다. 마지막으로 그림 2-2-4에서 보듯 염증 유발인 SP (substance P)의 농도도 도침치료에서 가장 낮게 나온 것으로 보아, 도침의 압통 개선 효과가 뛰어난 것을 알 수 있습니다.

말초감작(Peripheral sensitization)의 발생 기전[6]

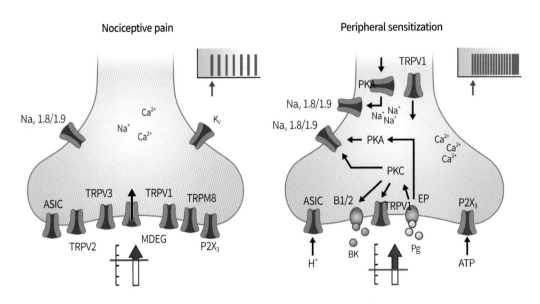

🔖 그림 2-2-5. 좌측은 정상적인 신경 말단에서의 통증 인식 과정, 우측은 염증상태로 민감해진 신경 말단에서 통증 인식 과정. 정상적인 조직에서는 역치가 높고 자극 발생 시 빈도수가 낮은 것을 확인할 수 있다. 우측처럼 BK (bradykinin)이나 PG (prostaglandin)으로 신경 말단이 민감해지면 역치가 낮아지고 통증신호의 빈도가 증가하는 것을 알 수 있다.

염증 물질 등으로 신경말단을 흥분시키는 내분비 물질이 축적되면, 압박이나 정상적인 근육운동, 약간의 허혈에도 신경말단이 자극되어 통증을 느낍니다. 이러한 과정을 통해 급성 염증에서 심한 압통이 나타나게 됩니다. 예를 들어 다쳐서 부종이 형성된 부위나 점액낭에 염증이 차 있는 등 염증이 있는 곳을 누르면 통증이 느껴지게 됩니다. 이렇게 염증이 형성된 곳에 압통을 느끼는 것을 말초감작이라고 합니다.

중추감작(Central sensitization)의 발생 기전[7]

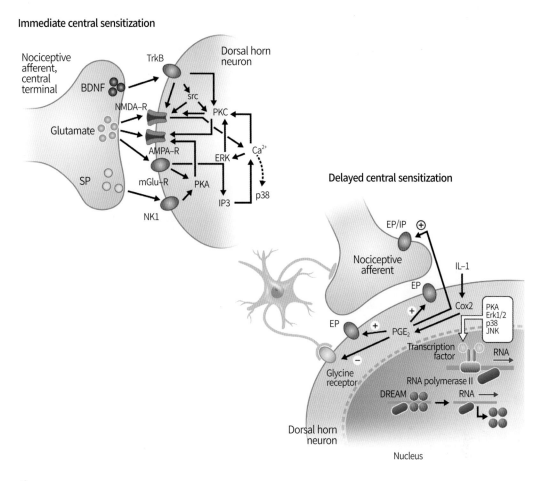

그림 2-2-6. 중추 신경 레벨에서 통증의 감작 과정. 좌상단은 신경전달 물질들로 인해 통증을 더 예민하게 수용할 수 있게 바뀌어가는 과정을 도식화한 그림이며, 우하단은 장기간의 통증으로 RNA전사 과정 자체가 변해 통증을 민감하게 수용하는 신경분절로 변화하는 과정을 보여준다.

통증신호가 중추신경계에 지속적으로 전달되면, Spinal and medullar level 뉴런의 형태 변화가 나타나고, 이로 인해 만성통증, 통각과민(spontaneous pain and hyperalgesia)이 나타닙니다. 통증이 오래 지속되면, 말초부위에 염증이 없어진다 하더라도, 척수에 변화가 생겨 통증을 더 과민하게 느낍니다. 이것이 바로 만성통증에서의 중추감작입니다. 이렇기 때문에 통증은 빠르게 없애줘야 합니다.

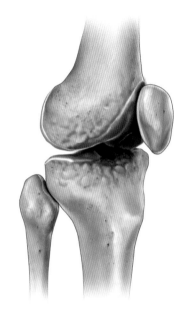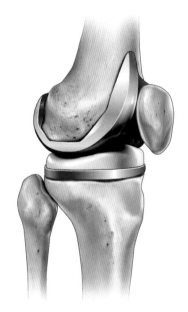

2008년, 스웨덴의 **Lundblad H** 등 69명의 무릎 인공관절 수술 환자를 대상: 수술 전후 통증과 통증 역치를 비교	
18개월 후에도 계속되는 통증과 관계가 깊은 요인	18개월 후에도 계속되는 통증과 관계가 없는 요인
수술 전 휴식 시 통증 정도(VAS) 낮은 통증 역치(low pain threshold)	수술 전 활동 시 통증 정도(VAS) 나이, 통증 기간, KL glade (X-ray)
연구 결과, 수술 전 통증이 심하고 통증 역치가 낮은 환자일수록 수술 후에도 큰 통증을 호소하였으며, 이것은 central sensitisation mechanism이 반영된 것으로 생각됩니다.	

　　결국 봉승은 눈에 보이는 조직 자체의 변화도 중요하지만, 통증을 더 크게 잘 느끼는 사람과 그렇지 않은 사람을 구분해야 합니다. 통증을 크게 느끼는 사람은 수술을 해도 호전이 되지 않을 수 있습니다. 이런 경우 관절 구조적인 접근보다는, 통증컨트롤의 관점에서 약물이나 침치료를 시행해야 합니다.

→ 절개를 통한 신경 압박 완화

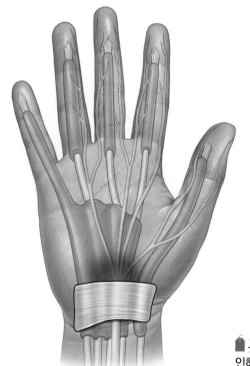

🏷️ 그림 2-2-7. 손목 터널 내에서 건의 부종으로 인해 신경이 압박되는 모습

> 도침은 납작한 칼 모양의 침도구로, 그 자체로 신경의 포착을 일으키는 retinaculum 이나 섬유 조직 등을 절개하기에 유리합니다. 대표적으로 도침을 이용한 수근관 증후군 치료 효과 등이 보고되었으며[9], 요추 신경근 주변의 조직을 이완시켜 요추 추간판 탈출증 증상을 개선시킨 연구 등이 보고되었습니다.[10]

도침은 납작한 칼날이 있기 때문에, 미세한 절개가 가능하여 신경포착증후군 치료에 아주 유용합니다. 도침의 날을 이용해 횡수근인대와 같이 각종 신경을 압박하는 구조물을 절개하여 비교적 즉각적인 효과를 얻을 수 있습니다. 인대 이외에 근육조직에 대한 도침치료 이후 근육이 이완되어 압박을 풀어줄 수 있습니다.

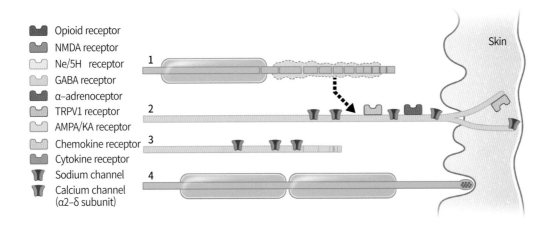

Opioid receptor
NMDA receptor
Ne/5H receptor
GABA receptor
α–adrenoceptor
TRPV1 receptor
AMPA/KA receptor
Chemokine receptor
Cytokine receptor
Sodium channel
Calcium channel (α2-δ subunit)

Skin

그림 2-2-8. 신경된 손상에서 발생한 염증물질이 주변 신경에 수용체를 과다하게 생성시키는 과정

Symtom	Mechanisms	Cause
spontaneous pain (shooting)	ectopic impulse generation, oscillations in dorsal root ganglion	sodium channels
spontaneous pain (ongoing)	inflammation within nerves cytokine release	cytokines
heat allodynia	reduced activation threshold to: heat	TRPV1 receptor
cold allodynia	reduced activation threshold to: cold	TRPM8 receptor

　　신경 손상 시 nerve growth factor가 분비되며, 이것은 손상 당한 신경과 그 주위 신경에 수용체를 과다 생성(triggering channel and receptor expression)하게 합니다. 이로 인해 신경의 역치가 낮아지고 과흥분하게 됩니다. 그리고 이때 과형성된 수용체의 종류에 따라 시림이나 화끈거림, 저림 등의 증상이 나타납니다. 즉 저림, 시림, 화끈거림, 개미가 기어가는 이상감각 등은 신경병증으로 보시고 동일하게 치료하면 됩니다.

→ 근긴장 완화 및 관절낭 유착 완화

도침을 통한 근긴장 완화가 경추증 완화에 도움이 될 수 있음을 보고[12]
근긴장 개선과 더불어 유착된 관절낭의 직접적인 절개를 통한 어깨의 유착성 관절낭염 치료효과가 보고[13]

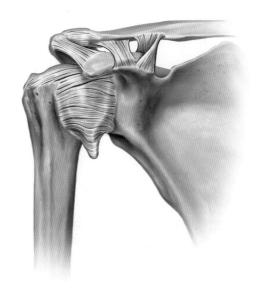 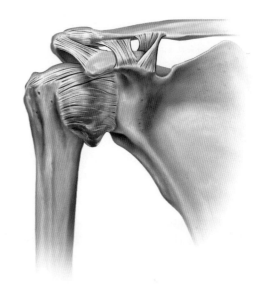

Normal Joint
Cross Section

Adhesive Capsulitis
Frozen Shoulder

그림 2-2-9. 정상관절낭 조직과 유착된 관절낭 조직

　　도침의 칼날로 유착된 관절낭 주변의 조직을 미세 절개해 관절의 가동범위를 개선할 수 있습니다. 임상 경험상 관절이 작고 유착범위가 작은 손가락 관절이나 경요추 후관절 같은 경우 개선이 매우 잘 되나, 무릎과 어깨와 같이 큰 관절에 광범위한 유착이 있을 경우는 치료 기간이 다소 오래 걸립니다. 단 관절낭의 유착이 아니라 근육의 긴장으로 관절의 가동범위가 저하된 경우, 해당 근육만 풀어줘도 가동범위가 아주 크게 증가합니다. 대표적으로 유착성 관절낭염 해동기에, 도침을 통해 경직된 어깨 주변의 근육을 이완시키면 어깨의 가동범위가 증가하는 것이 있습니다.

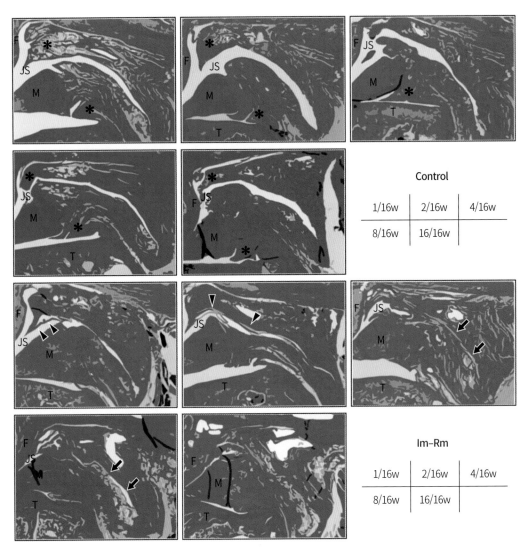

Control		
1/16w	2/16w	4/16w
8/16w	16/16w	

Im-Rm		
1/16w	2/16w	4/16w
8/16w	16/16w	

🔖 그림 2-2-10. 정상관절낭 조직과 고정 치료를 받은 관절낭 조직. 대조군(A, B, C, D, E)과 고정치료 (F, G, H, I, J)의 후방 관절낭 변화, 대조군은 16주의 시간이 지나도 관절낭 공간(joint space, JS)이 유지되 나, 고정치료군은 관절낭 공간에 유착이 되는 것을 관찰할 수 있습니다.

Im-Rm: Immobilized-remobilized, F: Femur, T: Tibia, M: Meniscus, JS: Joint space.

관절에 운동범위를 감소시키는 요인은 여러 가지가 있습니다. 뇌출혈을 비롯한 운동신경장애로 나타나는 근육의 긴장에 의해 발생하는 관절강직, 연골 손상 등으로 인한 강직, 듀피트렌 구축 등에 의한 관절 운동범위 감소 등 여러 원인이 있지만, 가장 흔한 원인은 장시간의 고정으로 인한 근육과 관절낭의 수축입니다.

예를 들어 4주 정도 무릎에 cast 고정을 하면 무릎이 잘 굽혀지지 않는 것이 이에 해당한다고 볼 수 있습니다.

이러한 고정에서 관절의 강직에 기여하는 요인은 근육요소와 관절요소 두 가지가 있으며, 2주 이하의 고정 시에는 주로 근육이 수축되어 근육을 이완시키는 치료를 통해 쉽게 관절의 강직이 좋아지지만, 4주 이상 관절을 고정시킬 경우 관절낭 자체가 수축되고 유착되어 일반적인 치료로는 잘 호전되지 않습니다.[15,16]

꼭 cast를 하는 경우뿐만 아니라, 통증이나 질환으로 관절의 ROM이 저하된 상황이 장기간 지속된 경우, 근육과 관절낭의 단축이 발생할 수 있습니다. 이러한 경우 도침치료를 통해 관절낭의 유착과 비후를 제거해야 빠른 관절 가동범위의 개선이 나타납니다.

2주 이내의 관절 고정	4주 이상의 관절 고정
myogenic components	articular structures (joint capsules)
reversible	irreversible

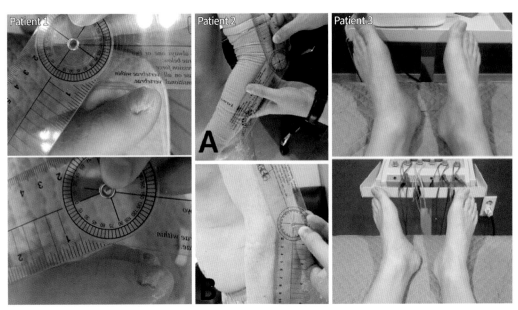

🔍 그림 2-2-11. 도침치료 후 관절 강직 변화. 좌측 환자 1: 발가락 관절의 최대 신전 각도가 120도에서 150도로 개선. 중간 환자 2: 주관절의 최대 신전 범위가 120도에서 155도로 개선. 우측 환자 3: 우측 발목이 5도 족저굴된 상태에서 중립상태로 개선

Patient	Age	Sex	Diagnosis	Months After Stroke
1	65	F	Rt. intracerebral hemorrhage	104
2	57	M	Both. cerebral infarction	54
3	58	M	Lt. intracerebral hemorrhage	21

　본 증례는 저자가 직접 치료한 증례로, 뇌졸중 후 발생한 관절 강직에 대해 도침치료를 시행해 관절의 가동범위를 개선한 케이스를 보고한 연구입니다. 뇌졸중 후 관절 강직은 중추신경계의 손상으로 인해 속발한 관절과 연조직의 구축입니다. 그래서 도침치료만 해도 움직이지 않으면 다시 유착이 재발하기 때문에, 꾸준한 운동과 재활치료를 함께 시행하여 뇌졸중 후 강직을 호전시킨 증례입니다.

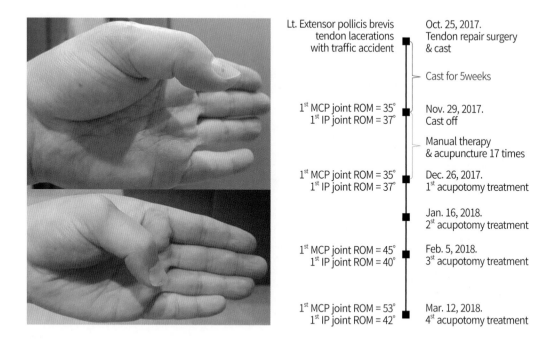

Lt. Extensor pollicis brevis tendon lacerations with traffic accident | Oct. 25, 2017. Tendon repair surgery & cast

Cast for 5weeks

1st MCP joint ROM = 35°
1st IP joint ROM = 37° | Nov. 29, 2017. Cast off

Manual therapy & acupuncture 17 times

1st MCP joint ROM = 35°
1st IP joint ROM = 37° | Dec. 26, 2017. 1st acupotomy treatment

Jan. 16, 2018. 2st acupotomy treatment

1st MCP joint ROM = 45°
1st IP joint ROM = 40° | Feb. 5, 2018. 3st acupotomy treatment

1st MCP joint ROM = 53°
1st IP joint ROM = 42° | Mar. 12, 2018. 4st acupotomy treatment

그림 2-2-12. 손가락 힘줄 재건 수술 후 5주간 고정치료로 인해 엄지손가락 관절의 강직이 일어난 환자에게 도침치료를 시행하여 관절의 가동범위가 개선된 모습. 전후 그림(좌)과 환자 경과의 timeline(우)

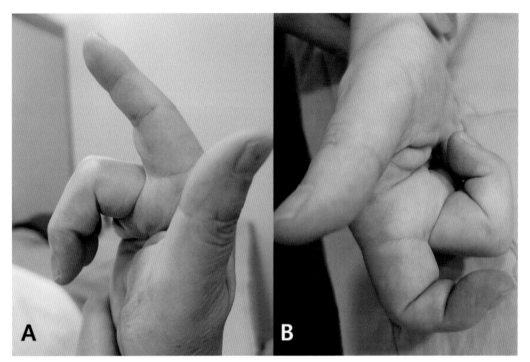

🔒 그림 2-2-13. 2019년 11월 해외여행 중 손가락 다친 이후 3번째 손가락의 강직이 지속된 환자. 정형외과 1개월간 고정치료한 이후 물리치료, 침치료하였으나 강직 지속되어 본원을 내원하였습니다. (A) 2020.5.29. 본원 첫 내원 당시, 3번째 손가락이 손바닥에 닿지 못합니다. (B) 2020.8.18. 도침치료 이후 증상 호전되어 손가락이 완전히 굴곡되는 것을 확인할 수 있습니다.

위 그림의 두 증례 역시 저자가 직접 치료하여 보고한 케이스입니다. 손가락 관절은 4주 이상 고정을 하면 강직이 잘 나타납니다. 무릎이나 어깨에 비해 손가락의 고정 후 재활은 잘 이뤄지지 않아, 관절이 굳은 채로 살아가는 분들이 많습니다. 이런 경우 관절낭의 유착과 근육의 긴장만 풀어주면 거의 100%에 가깝게 회복이 될 수 있습니다.

→ 혈액순환 개선과 조직의 회복, 재생

요추 횡돌기에 인위적인 염증반응을 일으킨 쥐 모델에서 조직검사 결과 도침치료 군은 아무런 치료를 하지 않은 모델군에 비해 신경교질반흔(glial scar), 근육조직의 염증, 백혈구 침투가 감소된 것을 확인하였습니다.[19]

도침은 자극을 통해 혈류 순환을 촉진하고, 그를 통해 손상된 조직이 자가 회복할 수 있게 합니다.

도침뿐만 아니라 침치료, 니들링 같은 자극이 혈액순환을 촉진해 조직을 재생시킨다는 연구는 많이 보고되었습니다.[20,21] 굳이 도침뿐만 아니라 이러한 출혈 자극을 일으킬 수 있는 모든 도구는 치료가 가능하나, 중요한 것은 그 자극량이 다르다는 점입니다. 침이 가장 적은 자극량이라면 두꺼운 도침이 가장 자극량이 강합니다. 니들은 굵기에 따라 다르겠지만 28게이지 니들 기준으로 할때 그 침과 도침 중간에 위치합니다. 무조건 강한 게 좋고 약한 게 나쁘지 않습니다. 임상적으로 가장 중요한 것은 딱 환자의 증상에 맞는 적당한 자극량입니다. 너무 약하면 치료효과가 떨어지고, 너무 강하면 부작용이 생깁니다. 또한 도침은 니들과 다르게 칼 끝이 납작하기 때문에 근육결이나 힘줄의 방향과 맞게 조절하여 조직의 손상을 최소화할 수 있습니다.

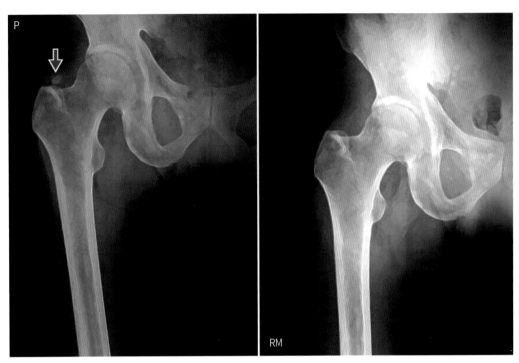

🔖 그림 2-2-14. 오른쪽 중둔근(화살표)에 칼슘 침착이 있는 그림(좌측)과 석회 침착이 없는 동일한 부위의 그림(우측)

약 1년간 지속된 중둔근 석회성 건염 환자에 대해 도침으로 석회부위를 자극하여 그 부위에 혈액순환이 활발해지면서 석회가 사라지고, 건이 회복된 케이스가 보고되었습니다.[22]

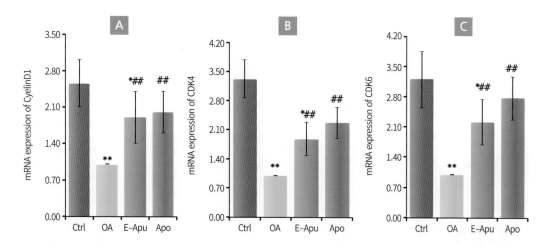

🔖 그림 2-2-15. 정상군(Ctrl), 관절염 모델군(OA), 도침치료 군(Apo), 전침치료 군(E-Apu)에서 치료 후 CyclinD1, CDK4, CDK6 mRNA 수치 비교

무릎 관절염 토끼 모델에서, 도침치료 후 관절연골 재생에 관련된 mRNA와 단백질 [cell cycle regulators CyclinD1 (cell cycle protein D1), CDK4 (cyclin–dependent kinase 4) and CDK6 (cyclin–dependent kinase 6)]의 활성화가 전침에 비해 통계적으로 유의미하게 증가하는 것이 관찰되었습니다.[23]

도침치료는 FAK–PI3K signaling pathways를 활성화시켜 관절 연골의 재생에 관여하는 것으로 보입니다.[24]

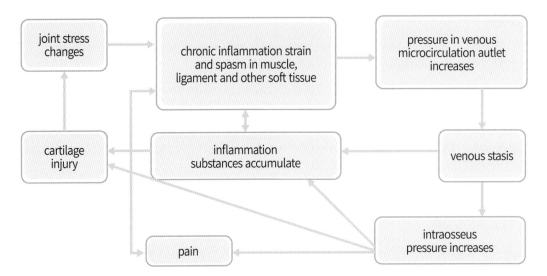

🔖 그림 2-2-16. 관절염이 악화되는 과정을 보여주는 모식도. 인대의 염좌나 근육의 긴장과 같은 연조직의 손상이 염증을 일으키고 정맥 순환을 방해하며, 이로 인해 관절 내압이 증가하며 통증과 연골손상을 일으킵니다. 이러한 연골손상은 관절의 역학을 변형시켜 추가적인 연조직의 손상을 일으키므로 이 악순환의 고리를 끊는 것이 가장 중요합니다.

도침치료는 정맥울혈(venous stasis), 관절 내압(intraosseous pressure)을 개선하여 관절연골의 파괴를 감소하는 것으로 보이며, 동물실험에서 관절 연골의 퇴행(degeneration in the cartilage)과 혈관내피생성인자(vascular endothelial growth factor, VEGF)의 발현을 히알루론산 주사에 비해 효과적으로 감소시키는 것으로 측정되었으며, 조직학적으로도 연골의 퇴행화가 적었습니다.[25]

참고문헌

📖 1. Kwon CY, Yoon SH, Lee BR. Clinical effectiveness and safety of acupotomy: an overview of systematic reviews. Complement Ther Clin Pract 2019;36:142-52.

📖 2. Li X, Wang R, Xing X, Shi X, Tian J, Zhang J, et al. Acupuncture for myofascial pain syndrome: a network meta-analysis of 33 randomized controlled trials. Pain Physician 2017;20:E883-902.

📖 3. Yu JN, Guo CQ, Hu B, Liu NG, Sun HM, Xu H, et al. Effects of acupuncture knife on inflammatory factors and pain in third lumbar vertebrae transverse process syndrome model rats. Evid Based Complement Alternat Med 2014;2014:892406.

📖 4. LI S, Shen T, Liang Y, Bai B, Zhang Y, et al. Miniscalpel-needle treatment is effective for work-related neck and shoulder musculoskeletal disorders. Evid Based Complement Alternat Med 2016;2016:5760240.

📖 5. Zhang Y, Du NY, Chen C, Wang T, Wang LJ, Shi XL, et al. Acupotomy alleviates energy crisis at rat myofascial trigger points. Evid Based Complement Alternat Med 2020;2020:5129562.

📖 6. Scholz, J, Woolf, CJ. Can we conquer pain? Nat Neurosci 2002;5:1062-7.

📖 7. Mense S. The pathogenesis of muscle pain. Curr Pain Headache Rep 2003;7:419-25.

📖 8. Lundblad H, Kreicbergs A, Jansson KA. Prediction of persistent pain after total knee replacement for osteoarthritis. J Bone Joint Surg Br 2008;90:166-71.

📖 9. Zhang S, Wang F, Ke S, Lin C, Liu C, Xin W, et al. The effectiveness of ultrasound-guided steroid injection combined with miniscalpel-needle release in the treatment of carpal tunnel syndrome vs. steroid injection alone: a randomized controlled study. Biomed Res Int 2019;2019:9498656.

📖 10. Jeong JK, Kim E, Yoon KS, Jeon JH, Kim YI, Lee H, et al. Acupotomy versus manual acupuncture for the treatment of back and/or leg pain in patients with lumbar disc herniation: a multicenter, randomized, controlled, assessor-blinded clinical trial. J Pain Res 2020;13:677-87.

📖 11. Baron R, Binder A, Wasner G. Neuropathic pain: diagnosis, pathophysiological mechanisms, and treatment. Lancet Neurol 2010;9:807-19.

📖 12. Liu FS, Zhou FY, Zhang Y, Guo CQ. Effects of acupotomy therapy on mRNA expressions of Bcl-2, Bax, Caspase-3 in posterior cervical extensor muscles in cervical spondylosis rabbits. Zhen Ci Yan Jiu 2017;42:514-7.

📖 13. You J, Yang F, Liu N, Tang N, Fang T, Liu F, et al. Acupotomy therapy for shoulder adhesive capsulitis: a systematic review and meta-analysis of randomized controlled trials. Evid Based Complement Alternat Med 20192019:2010816.

📖 14. Wong K, Trudel G, Laneuville O. Noninflammatory joint contractures arising from immobility: animal models to future treatments. Biomed Res Int 2015;2015:848290.

📖 15. Ando A, Suda H, Hagiwara Y, Onoda Y, Chimoto E, Itoi E. Remobilization does not restore immobilization-induced adhesion of capsule and restricted joint motion in rat knee joints. Tohoku J Exp Med 2012;227:13-22.

📖 16. Sasabe R, Sakamoto J, Goto K, Honda Y, Kataoka H, Nakano J, et al. Effects of joint

immobilization on changes in myofibroblasts and collagen in the rat knee contracture model. J Orthop Res 2017;35:1998-2006.

17. Yoon SH, Jo HG, Song MY. Post-stroke spasticity treated by miniscalpel-acupuncture: three case report. J Korean Med Rehab 2018;28:145-52.

18. Yoon SH, Cha J, Lee E, Kwon B, Cho K, Kim S. Acupotomy treatment for finger joint contracture after immobilization: case report. Baltimore: Medicine 2021;100:E24988.

19. Guo C, Liu N, Li X, Sun H, Hu B, Lu J, et al. Effect of acupotomy on nitric oxide synthase and beta-endorphin in third lumbar vertebrae transverse process syndrome model rats. J Tradit Chin Med 2014;34:194-8.

20. Rha DW, Park GY, Kim YK, Kim MT, Lee SC. Comparison of the therapeutic effects of ultrasound-guided platelet-rich plasma injection and dry needling in rotator cuff disease: a randomized controlled trial. Clin Rehabil 2013;27:113-22.

21. Krey D, Borchers J, McCamey K. Tendon needling for treatment of tendinopathy: a systematic review. Phys Sportsmed 2015;43:80-6.

22. Lin W, Liu CY, Tang CL, Hsu CH. Acupuncture and small needle scalpel therapy in the treatment of calcifying tendonitis of the gluteus medius: a case report. Acupunct Med 2012;30:142-3.

23. Gao Y, Wang T, Zhang W, Shi X, Ma S, Wang L, et al. Effect of acupotomy on chondrocyte proliferation and expression of CyclinD1, CDK4 and CDK6 in rabbits with knee osteoarthritis. J Tradit Chin Med 2019;6.3:277-91.

24. Ma SN, Xie ZG, Guo Y, Yu JN, Lu J, Zhang W, et al. Effect of acupotomy on FAK-PI3K signaling pathways in KOA rabbit articular cartilages. Evid Based Complement Alternat Med 2017;2017:4535326.

25. Ding Y, Shi X, Wang L, Daniela L, Gerhard L, Yuan X, et al. Acupotomy versus sodium hyaluronate for treatment of knee osteoarthritis in rabbits. J Tradit Chin Med 2017;37:404-11.

3 도침의 안전성

● 3-1. 현재까지 국내에 보고된 도침 부작용[1]

도침과 같은 침에 칼날이 결합된 형태의 치료 도구는 주로 한국과 중국에서 쓰입니다. 하지만 중국의 경우 도침, 침도시술이 마취와 함께 쓰이며 그 강도가 수술에 준하는 경우가 많습니다. 심할 경우 사망이나 마취 후 깨어나지 못하는 등 한국의 도침치료 환경에서는 절대 일어날 수 없는 일이기 때문에, 중국의 데이터를 한국과 동등하게 비교하기에는 무리가 있습니다. 그래서 국내에서 보고된 도침시술 후 부작용연구를 따로 모아 논문으로 발표하였고 그 결과를 함께 보겠습니다.

2017년 6월까지 한국 저자가 쓴 모든 도침치료 논문을 분석하여 보고된 도침의 부작용을 모았습니다. 그 결과 총 15개의 논문에서 부작용이 보고되었는데, 대부분 시술부위 통증이나 멍, 발적, 시술 후 기력저하와 같은 미미한 부작용이었습니다. 이러한 미미한 부작용은 대부분 경과관찰 후 호전되었습니다. 다만 경막 손상으로 인한 두통과 같은 다소 심각한 부작용도 있었습니다. 경막 손상은 도침을 척추의 황색인대까지 자입하는 고강도의 시술을 하였을 때만 발생한 만큼, 일반적인 부작용으로 볼 수 없었습니다.

다만 논문에 보고된 부작용만 모았기에, 실제 부작용 발생과 차이가 있을 수 있습니다. 이는 모든 부작용이 보고되지는 않기 때문입니다. 따라서 더 엄밀한 부작용 관찰 연구가 필요합니다.

흔히 연구는 관찰 시점에 따라 전향적 연구와 후향적 연구로 나뉩니다. 후향적 연구는 이미 완료된 차트를 기반으로 조사하는 연구이며, 전향적 연구는 치료 시작에 앞서 연구

에 포함되기로 한 후에 결과를 관찰하는 연구입니다. 앞선 연구는 대부분 후향적 연구들을 기반으로 분석했기 때문에 실질적인 부작용 발생률의 추정에는 어려움이 있습니다. 이를 위해 전향적 연구를 진행하였으며, 다음 파트에서 그 결과를 알아보겠습니다.

3-2. 전향적으로 관찰한 도침의 안전성과 부작용 발생률[2]

표 3-2-1. 저자의 전향파일럿 연구에서 나타난 도침의 부작용 발생률

	발생률	부작용 내용
국소부작용	2.28% (27/1185)	국소 시술부위 통증, 멍 등
전신부작용	3.11% (8/258)	시술 후 전신 통증, 피로감 등

저자는 4개월간 시행한 모든 도침치료의 부작용을 추적한 전향적 관찰연구를 시행하였습니다. 연구에 동의한 28명의 환자가 총 258회 치료를 받았으며, 1,185 혈위에 도침치료가 시행되고 추적이 완료되었습니다. 이 중 치료부위 통증이나 출혈과 같은 국소 부작용은 총 27건 발생하였습니다. 모두 심하지 않은 부작용으로, 특별한 처치는 필요하지 않았습니다. 약간의 불편감이나 출혈 모두를 부작용으로 측정하였으며, 발생률은 약 2.28% (27/1,185)로 나타났습니다.

전신부작용은 총 8건 나타나, 3.11% (8/258)의 부작용 발생률로 집계되었습니다. 전신 부작용은 주로 치료 당일 전신적인 피로감이나 몸살이였으며, 8건 모두 별도 처치 없이 호전되었습니다. 이제까지 연구결과로 볼 때, 안전수칙을 지킨 상태에서 최소침습으로 도침을 시행한 경우 중대한 이상반응이 발생할 확률은 극히 낮습니다.

참고문헌

1. Yoon, SH, Kwon CY, Leem JT. Adverse events of miniscalpel-needle treatment in Korea: a systematic review. Eur J Integr Med 2019;27:7-17.

2. Yoon SH, Kwon CY, Jo HG, Sul JU, Lee HS, Won JW, et al. Safety of acupotomy in a real-world setting: A prospective pilot and feasibility study. J Integr Med 2022. [Epub ahead of print]

4 안전 도침 시술 지침

4-1. 도침 안전 자입 원칙

정점	압통 검사: 압통이 있는 곳이 치료점
	안전 진입점 설정: 횡돌기 자입 시 후관절부터 나아감
	침으로 먼저 가이드 후 자입
정향	1원칙: 대신경, 혈관 주행방향과 침날이 평행
	2원칙: 인대, 건 섬유 방향과 침날이 평행
	3원칙: 근섬유 방향과 침날이 평행
가압분리	필요시 보조수로 조직을 압박해, 목표물까지 닿는 거리를 최소화하고 신경과 혈관을 밀어냄
쾌속자입	절피(切皮) 시 통증 최소화
균속추진	신경, 혈관 손상 방지(최대한 천천히 추진)
조직층자	진입 조직에 따른 감각변화(근막, 인대, 관절낭 등)
압박지혈	출혈, 혈종 관찰 시 완전 지혈 시까지 압박(1분-지혈 시까지)

庞继光. 针刀医学基础与临床. 中国 深圳, 深圳·海天出版社, 2006, 8.

안전한 도침치료를 위해서는 위 표의 안전 지침을 꼭 지키는 것이 매우 중요합니다. 저자는 10년간 도침치료를 하며 수없이 많은 수근관 증후군, 경추 협착증, 요추관 협착증 환자들을 치료했지만, 위 안전지침을 잘 지켜 가벼운 통증이나 멍 이외에 치명적인

신경의 손상, 혈관의 손상 등 비가역적인 손상을 일으킨 적이 단 한 번도 없었습니다.

무엇보다 도침의 날 방향을 대신경 혈관과 평행하게 유지하고, 천천히 자입하여 환자가 통증이나 찌릿한 느낌을 호소하면 바로 도침을 후퇴시켜 신경과 혈관의 손상을 막아야 합니다. 치료가 끝나면 자입부위를 루틴하게 압박 지혈하여 혈종을 예방해야 합니다.

4-2. 도침의 날 방향 설정

→ 인체 종방향

도침 날을 인체 종방향으로 유지하는 것은, 해부학적으로 도침 날을 시상면(sagittal plane)과 평행하게 맞추는 것을 뜻합니다. 대부분 우리몸의 대신경, 대혈관은 인체 종방향으로 주행하기 때문에 많은 도침 포인트들은 인체 종방향으로 자입, 시술하게 됩니다.

→ 인체 횡방향

해부학적으로는 도침 날을 수평면(transverse plane)과 동일하게 맞추는 것을 뜻합니다. 대표적으로 경추 후관절이나 액와신경 포착 치료 시 인체 횡방향으로 자입하여 신경의 손상을 최소화합니다.

→ 대신경 혈관과 평행한 방향

인체 종방향이나 횡방향 이외에 특정 신경이나 혈관 주위 포인트들은 해당 신경의 주행방향에 맞춰서 자입하거나, 자입중에 칼날을 돌려 신경 혈관 주행방향과 일치하게 해야 합니다.

🏷️ 그림 4-2-1. 올바른 도침 침날 방향. 도침의 날방향이 신경혈관과 평행

4-3. 도침 파지법

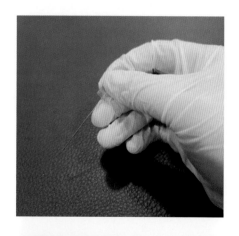

침병 파지법
침병만 엄지와 검지로 쥐고, 침체에 손이 닿지 않게 주의합니다.
침체가 오염되지 않아 도침을 끝까지 깊게 자입이 가능합니다. 단 침이 휘는 경향이 있어 숙련이 필요합니다.

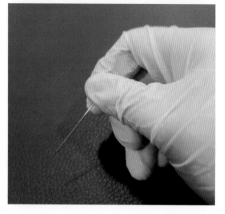

침체 파지법
침병 바로 아랫부분, 침체 윗부분을 엄지와 검지로 쥐는 방법입니다.
침체를 잡아 침을 안정적으로 컨트롤 할 수 있으며, 자입 및 제삽이 용이합니다.
단 침체부위가 오염되므로 손으로 잡은 부분을 자입하지 않도록 주의해야 합니다.

제삽자극

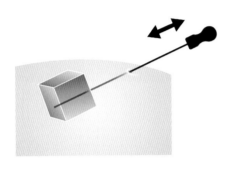

제삽자극 조작

자극하려는 목표 조직에 닿은 뒤, 도침을 제삽(넣었다 뺐다) 반복하여 목표조직을 충분히 자극합니다. 조직의 병리 상황에 따라 1회 자극 후 발침하기도 하며, 2-3회 이상 제삽 자극을 가하기도 합니다.

상하박리

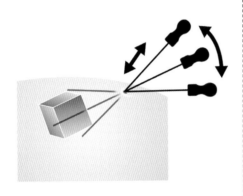

상하박리 조작

수근관 증후군에서 횡수근인대의 절개와 같이, 비교적 넓은 범위의 조직을 충분히 박리할 때 사용합니다. 한 포인트에 제삽자극 후, 침을 뒤로 후퇴시켜 도침의 끝을 보다 상방이나 하방으로 방향을 바꿔 다시 제삽자극을 합니다. 이때 도침을 완전히 빼지 않고 목표하는 조직층에서만 도침을 조작해 주변 조직의 손상을 최소화합니다.

Risk를 줄이는 것이 안정적인 진료에 가장 중요합니다.

→ 최소침습 도침치료

도침은 조금씩 나눠서 치료하는 것이 여러모로 유익합니다.

1. 환자에게는 시술 시 통증을 경감시킵니다.
2. 저자극으로 부작용 발생을 최소화합니다.
3. 근골격계 치료에서 가장 필요한 치유를 위한 시간을 벌 수 있습니다.
4. 의사는 1회 시술에 전부 다 나아야 한다는 부담에서 벗어납니다.

→ 도침 자극 횟수 증감법

침치료에서 '호전, 비호전, 악화'를 좌우하는 핵심은 자극량 조절이라고 생각합니다.

1. 첫 시술은 1번 터치하고 나오는 정도에서 끝냅니다.
2. 추후 환자 반응과 호전도에 따라 제삽 자극 횟수를 증감합니다.
   - 시술 후 큰 통증 없이 호전 중, 아직 남음 – 같은 횟수
   - 시술 후 통증 없었으나, 별무 호전 – 제삽 횟수 증가
   - 시술 후 통증 심하고 2일 이상 지속– 통증 정도에 따라 자극 줄임

→ 치료 기간 및 자극량 설계

2포인트 원칙 "두 대는 참을 만한데, 너무 많아지면…"

처음 도침을 맞는 환자라면, 하루 2포인트 이내로 실시합니다(0.5 mm 기준).
최근에는 0.4 mm 너비의 도침이 나와 통증이 많이 줄어들어 여러 포인트에 치료가 가능합니다. 그래도 출혈 관리를 위해 처음에는 4포인트를 넘지 않는 것이 좋습니다.
포인트가 많아지면 기간을 나눠 실시합니다.

2일 원칙	**"이 치료는 얼마 간격으로 받아야 해요?"** 도침치료는 평균 2일 간격으로 시행합니다. 도침으로 인해 유발된 무균성 염증기가 지나고 회복기로 들어가는 기간은 평균 2일입니다. 2일째에는 통증이 사라지고 시원함을 느낍니다.
병행설계원칙	**"이제 전침으로 신경치료 받으시다 다시 아프면 도침치료할게요"** 도침만 놔서는 환자를 장기간 케어할 수 없었습니다. 만성질환자의 경우, 주소증 및 도침 적응증이 호전되면 침으로 관리합니다. 그리고 다시 통증이 심해지면 도침을 놓습니다.
환자와 소통	**"야 이렇게 해야 낫지, 시원합니다!"** vs. **"원장님 너무 아팠어요…"** 도침만을 원하며 하루에 10포인트를 맞아도 멀쩡한 분도 있고, 치료 중 통증을 힘들어 하는 분들도 있습니다. 치료 직후, 2일 뒤 도침에 대한 환자와의 대화는 필수입니다!

→ 최소 자극 도침 시 주의 사항

> **"침으로 하다가 안 낫는 완고한 근골격계 통증은 도침으로 자극합니다."**
> 이것이 가장 일반적인 적응증입니다. 다만 이런 상황 이외이거나 특별히 주의할 상황을 모았습니다.

1. 급성으로 연조직이 손상된 경우(염좌, 근파열 등), 도침치료를 할 필요는 없습니다.
2. 많이 마른 사람은 치료 시 인대, 건 손상에 주의합니다.
3. 조직의 퇴행성 변화 없이, 염증만 있는 경우는 도침치료를 꼭 할 필요는 없습니다.
4. 관절낭이나 뼈까지 들어갈 때는 소독에 한 번 더 주의합니다.
5. 과유불급. 본터치를 하거나 신경을 자극하기 위해 너무 여러 번 제삽을 반복하지 않습니다. 3–4회 이내에서 실패할 경우 발침하는 것이 무난합니다.
6. 고령(75세 이상)에 체력이 소진된 경우, 과한 도침치료는 며칠간 통증을 호소할 수 있습니다. 특히 고령인 경우 유착 해소를 위한 치료(신경포착, 관절낭 유착)는 가능하지만, 재생을 목적으로 자극할 경우 재생이 잘 안될 수 있습니다.
7. 만약 과자극을 했다면, 꼭 아플 수 있다고 미리 알리고 얼음찜질을 티칭하여 환자의 원성을 사지 않도록 합니다.

아래의 두 분 모두 손가락 관절염으로 진단명은 같습니다. 하지만 진단명이 같아도 다른 치료가 필요합니다.

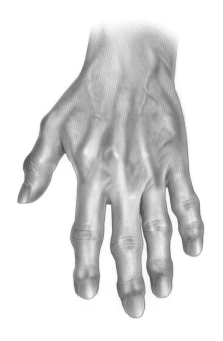

아래 차트 박○○님(여/55) 환자분 같은 경우, 통증기간이 한 달 밖에 안 된 것을 볼 수 있습니다. 이런 경우는 아직 손가락의 염증만 있는 상태이기 때문에 도침치료를 하면 오히려 더 통증이 악화될 수 있습니다. 침치료와 자락만으로 충분히 호전될 수 있습니다. 반면 심○○님(여/74) 환자분은 오랜 기간 관절통이 있었고, 관절의 변형이 있습니다. 이때 일반 침치료는 크게 효과가 없습니다. 도침치료를 해줘야만 통증이 감소하고 관절의 가동범위가 증가합니다. 이와 같이 같은 손가락 관절염이라도 치료는 전혀 달라야 합니다.

박○○님(여/55)

C/C Hand OA
O/S 1달 전부터 통증 시작
P/I 양손 pip통증
조조강직, 경직감
관절 형태 변형 없음

수지관절 2회 **침치료** 후
통증 대부분 호전

심○○님(여/74)

C/C Hand OA
O/S 몇 년 전부터 통증 시작
P/I 양손 pip 통증(Rt 1st, 2nd pip 심)
조조강직, 통증, 관절 비대
굴곡 장애, ROM 감소

수지관절 2회 **도침치료** 후
통증, ROM 개선

5 부작용 대처

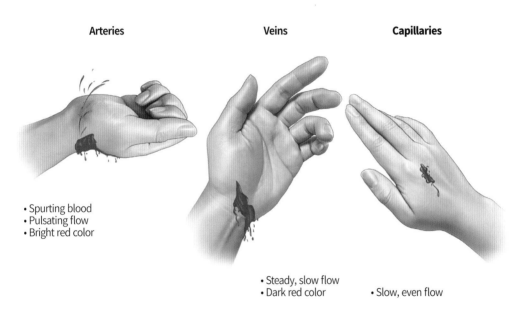

Arteries

Veins

Capillaries

- Spurting blood
- Pulsating flow
- Bright red color

- Steady, slow flow
- Dark red color

- Slow, even flow

그림 5-1-1. 손상된 혈관에 따른 출혈의 양상. 동맥이 손상된 경우 혈관 내압으로 인해 피가 분수처럼 튀게 됩니다. 정맥 손상은 그런 현상은 없지만 출혈양이 많습니다. 도침치료 대부분은 미세혈관 손상으로 마지막 그림과 같이 심하지 않은 출혈입니다.

→ 도침치료 후 출혈

치료 중에는 당연히 출혈이 발생할 수 있습니다. 지혈만 완벽히 한다면 아무런 문제가 되지 않습니다. 오직 방치했을 때만 컴플레인이 발생합니다. 이와 같이 도침치료 후 출혈은 부작용이 아닙니다. 대부분 1분 이내, 압박지혈로 해결 가능합니다. 참고로 알코올은 지혈을 방해합니다. 가벼운 출혈은 알콜솜으로도 가능하지만, 지혈이 잘 안되는 경우 꼭 거즈나 보릭솜을 이용하는 것이 좋습니다.

특히 목, 엉덩이 등은 겉으로는 출혈이 없어도, 속에서 부어올라 혈종이 발생할 수 있으니 도침치료 후 꼼꼼히 만져봐야 합니다. 목이나 엉덩이의 경우, 치료 종료 후 환자에게 맞은 부위에 부은 곳이 있나 만져보게 하고, 부은 것 같으면 집에 가지 말고 다시 원장님을 만나러 오라고 해서, 환자가 자가로 혈종 유무를 체크해야 합니다.

결국 포인트가 많아지면, 지혈이 제대로 안되고 누락될 수 있습니다. 그래서 1회 시술 시 치료 포인트를 너무 많이 가져가는 것은 좋지 않습니다.

→ 압박지혈법

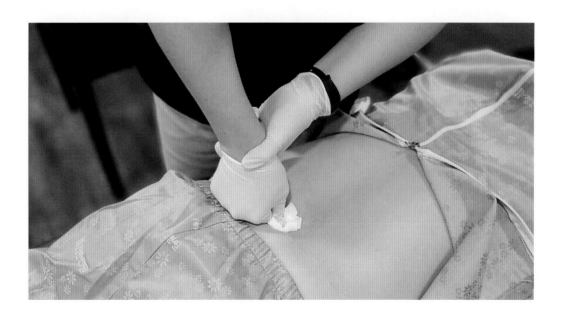

적은 포인트 위주로 시술 시, 1–2포인트에 대해 엄지손가락으로 세게 누르는 정도로 지혈해주면 됩니다. 다만 오래 누르고 있으면 손가락이 아프기 때문에, 오래 눌러야 할 것 같으면 그림처럼 손바닥 수근부로 강하게 누르는 것이 좋습니다. 이때 자꾸 피가 굳었나 확인하게 되면 지혈이 잘 되지 않습니다. 한 10초 해보고, 오래간다 싶으면 30초– 1분 정도 충분히 눌러주세요.

출혈이 있는 곳에 거즈를 대고 압박하며, 만약 출혈이 계속되면 거즈를 교체하지 말고 추가로 거즈를 쌓아 올리고, 더 센 압력을 가합니다.

➝ 항혈전제 복용 환자의 도침치료

혈전제 및 유사 약품 복용 환자 안전수칙	
주의 약물	아스피린, 와파린, 자렐토, 오메가 3 등
환자 호소	심장약 먹는다, 뇌졸중약 먹는다, 피 맑아지는 약 먹는다 등
도침치료	–첫 문진 시 항혈전제, 당뇨약 복용 여부는 필수로 체크합니다. –0.4 mm 두께를 안전수칙에 맞게 1–2포인트만 자입하면 큰 문제는 없습니다. –두께 0.75 mm 이상 금지: 굳이 0.75 mm 이상 도침하려면 해당 약물 복용 병원에 약물 중단 요청(치료 전 5일간) 및 시술 가능 소견서 요청합니다. –1포인트만 시행하고 도침 후 지혈을 끝까지 확인합니다. 이후 루틴으로 압박합니다.

혈관 손상을 예방하기 위한 도침 시술법

– 무조건 천천히 자입합니다.

– 자입 중 통증을 호소하면 혈관을 건든 것으로 간주하고, 도침을 약간 후퇴시키고 약간 방향을 틀어 다시 진입합니다.

항혈전제 복용 환자 350명을 대상으로 침치료를 시행한 경우 51건(14.6%)에서 경미한 피하출혈(멍) 발생하였습니다.

총 3,974번의 침치료 중 문제가 된 출혈은 1건(0.003%)으로, 침치료는 안전한 것으로 나타났습니다.[2]

도침치료는 침치료에 비해서는 혈관 손상 확률이 큽니다. 다만 침치료도 안전한 만큼 치료가 불가능하지는 않습니다. 시술자가 인지하고 주의하면 안전한 치료가 얼마든지 가능합니다.

5-2. 통증

시술통증에 대한 환자 티칭

도침이나 침치료 모두에서 가장 흔한 부작용은 바로 시술 부위 통증입니다. 치료를 하시는 한의사 원장님들 입장에서는 '당연히 침치료가 아플 수 있는데 무슨 부작용이냐' 할 수 있습니다. 통증은 물론 심각한 부작용은 아니지만 환자에게 설명이 제대로 되지 않는다면, 환자는 치료 부위 통증을 걱정하며 하루 이틀을 보내게 됩니다. 이를 막기 위해서는 적절한 설명이 필수입니다. 다만 너무 겁을 줄 필요는 없습니다.

또한 도침, 칼이 결합된 침이라고 하면 환자들은 매우 겁을 먹거나 위험하다고 오해할 수 있습니다. 그래서 도침치료는 치료 스킬뿐만 아니라 환자에게 설명을 잘해주고 안심시키는 것 또한 술기의 하나라고 생각합니다. 이때는 미세한 도침을 보여드리면서, 작아서 크게 아프지 않고 위험하지 않다고 직접 설명해 주는 것이 좋습니다.

도침치료를 하면서 치료 전후 상황에 맞게 꼭 해야 할 말들을 다음과 같이 정리하였습니다.

통증치료 전후 환자에게 상황에 맞게 하는 말들 정리	
치료 중	(자입 전) "살짝 따끔합니다." (얼마나 아프냐고 물어보면) "주사랑 비슷해요." (우두둑 소리 많이 나면) "많이 뭉치셨네 이거 풀어주면 시원합니다. 시원하다고 생각하세요."
치료 직후	"환자분 도침은 침이 커서 치료 후 1-2일 아플 수 있습니다." (고령자) "회복력이 느리면 며칠 더 아프기도 합니다." "원래 아픈 거니까 걱정하지 마시고, 아프시면 집에서 얼음찜질하세요." "하루 이틀 지나면 더 가벼워집니다." "침 맞은데 뻐근해서 움직이기 불편하면 꼭 저 보고 가세요."
다음날	"치료받은 곳 많이 아프진 않으셨어요?" (안 아팠다) "잘 하셨습니다." (아프다 이제 낫다) "낫느라 아픈거에요. 잘하셨습니다." (계속 아프다) "별일은 아니고, 말씀드린 것처럼 회복력이 느리면 며칠 더 아플 수 있어요. 낫느라 그런거니 걱정 마세요."

치료 전에는 환자의 걱정을 덜어드려야 합니다. 그래도 전혀 아프지 않다는 거짓말을 하면 안 됩니다. 허리나 목 같은 경우에는 사실 거의 아프지 않게 자침하는 것도 불가능하지는 않으나, 대부분 어느 정도 따끔한 통증을 느끼는 것은 사실입니다. 그리고 손발은 아플 수밖에 없습니다.

일반적인 부위에 통증을 걱정한다면 "주사맞는 것과 비슷해요"라고 말씀해 주시면 됩니다. 손발 부위이면, 따끔하긴 하지만 힘내보자고 환자분들을 격려하면 잘 참고 맞습니다.

그리고 치료 시 근육이 튀는 트위칭이 있거나, 신경을 살짝 자극하여 찌릿한 통증이 있다면 하루 이틀 정도 뻐근한 통증이 발생할 수 있습니다. 이럴 경우 "도침치료 후에 하루 이틀 정도 뻐근할 수 있습니다. 낫느라 그런거니 걱정하지 마세요"라고 말해주면 환자는 아파도 걱정하지 않습니다.

→ 치료 직후 심한 불편감 컨트롤

호소	침 맞고 나서 침 맞은 곳이 뻐근하고 움직일 때 아프다. 침 맞은 곳이 움직이기 힘들다.
기전 및 예후	침치료 도중 많이 아팠을 경우, 통증으로 인식해 근육이 경직된 것이니 그냥 보내도 하루 자고 나면 대부분 좋아집니다. 다만 환자의 통증이나 동작제한이 심하면 아래의 족해혈이나 소절혈 자침 후 통증부위에 운동을 실시합니다.

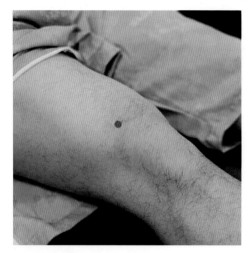

동씨침 족해혈

직자 2-3 cm

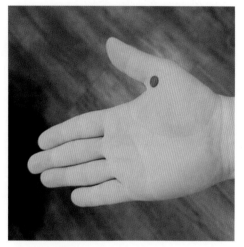

동씨침 소절혈

수근부를 향해 횡자

족해혈이나 소절혈 자침하고 염전, 불편한 부위를 움직여 보라고 합니다.

"자침 + 동기"가 핵심입니다. 대부분 그 자리에서 동작 중 불편함은 소실되며, 통증만 남아있다고 하면 그건 큰 침 맞아서 아픈 것이니 하루 정도 간다고 설명합니다.

→ 니들로 인한 신경 손상 가능성에 대한 연구

    침습적인 치료를 하는 의료인이라면, 신경과 혈관의 손상에 특히 주의해야 합니다. 다만 너무 크게 염두하여 필요한 치료를 하지 못해도 문제가 있습니다. 이번 파트에서는 언제 신경 손상이 잘 일어나고, 그것을 예방하는 방법에 대해 알아보겠습니다.

    마취 중 신경 손상은 많이 발생하는 의료분쟁 중 하나로 알려져 있습니다. 니들이 신경에 닿으면 정말 신경이 쉽게 손상되는지 여부에 대해 당시 논란이 많았기에, 2006년 미국의 의사 Bigeleisen은 직접 액와 신경에 초음파 유도하 주사를 할 때, 신경 손상이 일어나는지 관찰하였습니다. 총 26명의 환자 중 22명은 신경을 뚫고 들어가, 신경 내에 약물을 주입하였으나 아무도 신경 손상은 일어나지 않았다는 것이 주요 연구 내용입니다.[3]

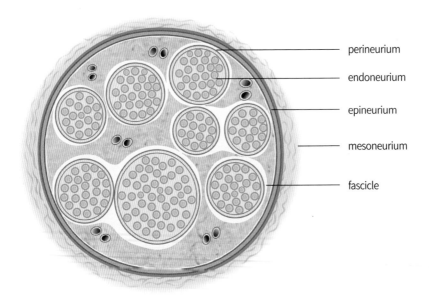

 🏷 그림 5-3-1. 말초신경의 단면, 신경 가장 바깥쪽 막(mesoneurium)과 다발을 감싸는 외막(perineurium) 사이에 지방이 자리하는 것을 볼 수 있습니다. 그래서 천천히 신경 외막을 건드려도 뉴런이 바로 손상되지 않습니다.

Bigeleisen은 약 3가지 이유를 들어 신경이 잘 손상되지 않는 이유를 밝혔습니다.

첫째, 니들이 신경을 건들면 신경은 옆으로 1–2 cm 정도 움직입니다. 니들이 신경 구조물(근막) 등을 뚫게 되면 의사는 pop하는 감각을 느끼고, 환자는 저림이나 감각저하를 느끼게 됩니다. 그때 순간적인 찌릿함이 발생하며 환자는 몸을 움츠리게 되고, 이때 신경이 함께 움직이게 됩니다. 다만 손목이나 발목 표피에 신경이 있는 경우, 피할 공간이 없기 때문에 손상에 주의해야 합니다.

둘째, 근골격계 말초에 위치한 신경의 손상 발생률은 가장 적은데 이것은 신경의 직경이 가장 가늘어 뚫기 어렵기 때문입니다.

셋째, 말초신경의 단면에서 대략 50%가 신경다발이고 50%가 지방과 결합조직입니다. 그래서 뉴런이나 fascicle에 접촉 없이 신경을 뚫을 가능성이 큽니다.[3]

하지만 신경 손상은 종종 발생하는 이슈입니다. 주사치료와 침치료, 도침치료 중 어떤 상황에서 신경 손상이 일어날 수 있을까요?

→ 주사, 침치료 후 신경 손상 증례

주사치료 중 신경 손상에 대한 보고는 기존 액와상완신경총 차단술 도중 지속적으로 상완총의 손상이 발생한 증례[4,5]가 대표적입니다. 보고된 증례에서 공통적으로 제시한 신경 손상의 원인은 다음 두 가지입니다. 첫째, 환자가 마취제 주입과 함께 통증과 함께 이상감각을 호소하였는데 계속 약물을 주입한 경우입니다. 둘째, 바늘의 사단면을 신경과 평행하게 진행시키지 못하고 직각으로 진행시켜 신경과 접촉한 경우에 신경 손상이 나타나 지속적인 저림과 근력 저하가 나타남을 보고하였습니다.

또한 침치료 후 신경 손상[6,7]을 보고한 두 개의 증례보고가 있었습니다. 첫 번째 연구는 부러진 침이 정중신경을 자극하여 신경 손상이 나타났으나, 수술을 통해 침을 제거한 후 증상이 호전된 경우였고 다음 증례는 침이 비골신경을 자극한 상태에서 90분간 유침한 경우입니다. 이와 같이 침이 신경에 닿았는데, 바로 발침하지 않고 지속적으로 신경을 자극한 경우 신경염이나 신경 손상이 발생할 수 있습니다.

결국 종합해 보면, 환자가 신경 자극 증상을 호소하면 바로 발침하여 추가적인 손상이 일어나지 않게 하며, 도침이나 니들같이 날방향이 있는 침 도구는 날방향과 신경 주행 방향을 평행하게 유지해야 신경의 손상을 예방할 수 있습니다. 마지막으로 임상

적으로 손목이나 손, 발목과 같이 신경이 피부 바로 아래 있는 경우에는 피부를 빠르게 뚫다가 신경이 손상될 수 있는 만큼 특별히 주의해야 합니다.

→ 신경 손상 예방 & 대처

신경 손상 예방 원칙[8]	
– 도침 칼날 방향은 항상 신경과 평행하게 유지합니다. – 천천히 들어가면 사고는 없습니다.	
환자가 움찔하면 이 3질문이 무조건 나와야 합니다.	**必 3Q** **Q1: 혹시 찌릿하셨나요?** 　　→ 신경 자극 여부 확인 **Q2: 어디까지 찌릿하셨나요? 한번 움직여 보세요.** 　　→ 자극된 신경 확인(Branch or Ramus or Root) **Q3: 아직까지 찌릿한가요?** 　　→ 통증 지속 여부 판별, 단순 자극 or 손상 여부 판별 순간 찌릿한 것은 치료를 위한 정상 반응이니 환자를 안심시킵니다!
계속 찌릿하다면?	**신경염 예방 처치!** 신경 손상 시 대처 – 신경염 발전을 최소화합니다. ① 찌릿함만 호소: [치료부위 압박 후 아이스 팩] 저림 증상이 경감될 때까지 시행합니다. ② 근력 저하 및 감각 소실: 전원을 고려합니다.
신경 손상 예후 인자	**1주의 법칙** 신경 손상 1주 후 증상이 회복된 환자의 79%는 완전히 회복합니다.[8] – 1주 후 증상이 회복되기 시작한 경우 완전호전 가능성이 높습니다. – 감각이상이 3, 4주 이상, 운동기능이 6, 8주 이상 회복되지 않으면 예후가 좋지 않습니다.

→ 신경염 환자 치료

말초신경을 손상시킨 쥐에 대해 관찰 vs. 원위취혈 vs. 협척혈 취혈 비교

해당 분절 협척혈에 전침치료를 하여 척수신경절을 자극한 쥐가 신경재생이 가장 빨랐습니다.[9]

전침은 디클로페낙보다 신경재생에 유리합니다.

전침은 신경성장인자인 NGF, NT-3, BDNF, GDNF 등을 증가시켜 새로운 수초 생성을 증가시키고, 손상된 원위 부위에 유수신경이 나타나게 하였습니다.[10]

신경 손상 발생 시, 초반 1-2주간 전침치료를 하며 예후를 판단해봐야 합니다. 초기에 증상이 호전되는 경우는 보존적 치료를 통해 치료가 가능합니다. 다만 척추에서 분지하는 신경절이 절단된 경우에는 빠르게 접합 수술을 받는 것이 좋습니다. 그런 상황이 아니라면 신경염은 모두 한의원에서 치료가 가능합니다. 신경염이 발생한 부위에 직접 침치료를 하면서 끌고가는 것은 다소 부담스러울 수 있습니다. 이때는 신경염이 발생한 부위의 척추 분절의 협척혈에 전침을 시행합니다. 이런 전침 자극은 신경세포체를 자극해 신경의 재생을 더 빠르게 한다는 보고가 있습니다.

5-4. 인대 손상

→ 도침치료 후 인대 손상 case

환자정보	금○○(58/여) 마른 체격
주소증	경추통, 주관절 내측상과통
치료일지	✓ 2015-11-12 빠른 치료 원해 금일도 경추 부침치료 시행, 주관절 도침 침훈 있었음 ✓ 2015-11-13 우측 주관절 내측부 도침치료 후 통증 있었음 현재 운동제한, 부침치료 ✓ 2015-11-18 상동, 증상 호전 중 ✓ 2015-11-25 상동 ✓ 2015-12-01 상동, 상기 증상 거의 호전되었으나 주관절을 완전히 펴거나 구부릴 때 마지막에 불편감 있음
총평	– 12일 주관절 내측 도침치료 후 18일까지 팔을 구부리기 힘들어 밥을 잘 못 먹었음. 신경자극증상은 별무, 손 운동은 가능 – 10일 후 상기 증상은 거의 호전 – 도침 자입 시 잘못된 날 방향으로 인대 손상시킨 것으로 의심

→ 인대 손상 대처

예방이 최고의 대책	1. 인대, 건은 결방향대로 칼 방향 자입 2. 작고 중요한 인대를 소심 3. 마른 사람을 조심
만약 손상이 일어났다면	염좌에 준하여 치료: 예후 7일 정도 치료: 손상부위 침치료, 테이핑 티칭: 초기 2-3일 고정, 과사용 금지, 아이스팩

→ 증상

어지러움 + 말초 냉감 + 식은 땀 + 脈弱

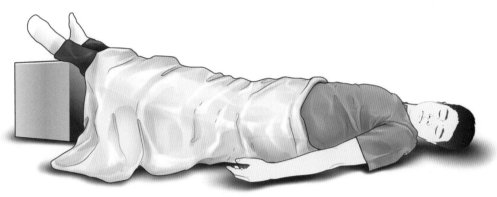

쇼크 상태 환자의 응급 처치

→ 한의원에서 할 수 있는 쇼크 대처[11]

혈압	편하게 누워 다리를 높게 유지하여 혈압이 떨어지지 않게 합니다. 또한 혹시 구토를 한다면 기도를 막지 않게 고개를 살짝 돌려 줍니다.
모니터	SpO_2 모니터가 있다면, 부착해 산소포화도와 맥박체크하고 산소포화도가 95% 이하로 떨어지면 깊은 호흡을 유도하면서 환자가 잠들지 않게 대화를 유도합니다.

참고문헌

1. Markenson D, Ferguson JD, Chameides L, Cassan P, Chung KL, Epstein J, et al. Part 17: first aid 2010 american heart association and american red cross guidelines for first aid. Circulation 2010;18:S934-46.

2. Mcculloch M, Nachat A, Schwartz J, Casella-Gordon V, Cook J. Acupuncture safety in patients receiving anticoagulants: a systematic review. Perm J 2015;19:68-73.

3. Bigeleisen PE. Nerve puncture and apparent intraneural injection during ultrasound-guided axillary block does not invariably result in neurologic injury. Anesthesiology 2006;105:779-83.

4. Jung, HJ, Im KS, Hong SH, Kim DY, Kim JB, et al. Persistent brachial plexus injury associated with axillary brachial plexus block: a case report. Korean J Anesthesiol 2006;50:718-22.

5. Kim MW, Kim, HT, Kim TH. Selective median nerve injury after axillary brachial plexus block. Korean J Anesthesiol 2000;38:753-7.

6. Southworth SR, Hartwig RH. Foreign body in the median nerve: a complication of acupuncture. J Hand Surg Br 1990;15:111-2.

7. Sobel E, Huang EY, Wieting CB. Drop foot as a complication of acupuncture injury and intragluteal injection. J Am Podiatr Med Assoc 1997;87:52-9.

8. 정현주, 임경실, 홍상현, 김대영, 김종분. 액와 상완신경총 차단 후 발생한 지속적 상완신경총 손상. 대한마취과학회지 2006;50:718-22.

9. 김대필, 박영회, 금동호. 화타협척혈 침자극에 의한 손상 말초신경의 재생효과에 관한 연구. 한방재활의학과학회지 2008;18:39-61.

10. 양미성, 김선종, 최진봉. 침치료가 신경 재생 및 회복에 미치는 영향에 대한 연구 동향: PubMed를 중심으로. 경락경혈학회 2014;31:147-57.

11. Hayashi H. 응급실 당직 더 이상 어렵지 않다. 군자출판사; 2012.

02 | 각론

1 경추

1-1. 경추 최소침습 도침요법 안전 가이드라인

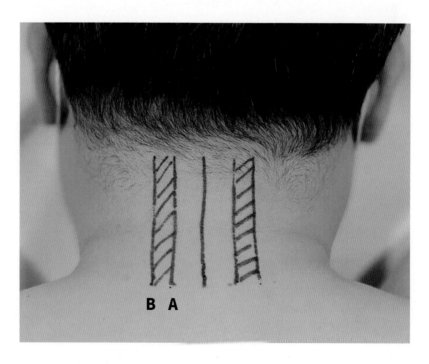

B A

　　경추는 도침치료가 아주 많이 이뤄지고 효과도 좋은 구역이지만, 위험한 구조물이 많기 때문에 익히기 가장 까다로운 부위입니다. 안전한 구역과 위험한 구역을 완전히 숙지하면 안전하고 자신있게 치료할 수 있습니다. 이제 경추부 도침치료 시 안전구역과 위험구역을 함께 알아보겠습니다.

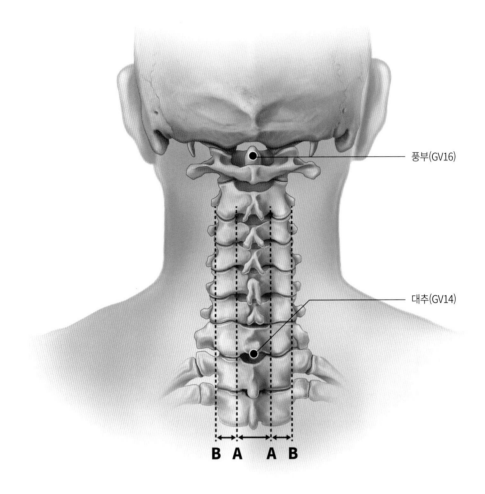

풍부(GV16)

대추(GV14)

B A A B

⬚ A–A 구역[1]

A선은 경추 정중앙에서 약 1.5 cm 떨어진 선으로, 후관절의 내측 경계를 이은 선입니다. A–A 사이 구역을 심자할 경우 경막 및 척수를 자극할 수 있습니다. 정상체중의 성인 대추(GV14) 혈위를 기준으로 54 mm를 자입 시 경막을 자극할 수 있습니다. 풍부(GV16) 혈위를 기준으로 남성의 경우 50 mm, 여성의 경우 40 mm 이상 자입 시에 연수를 손상시킬 수 있으므로, 해당 깊이의 70% 이내로 자입을 제한해야 합니다.

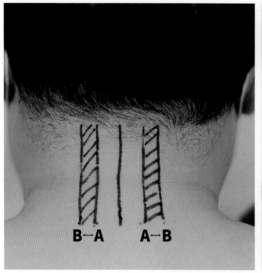
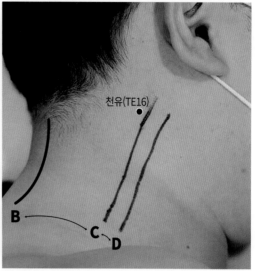

A–B 구역

B선은 후관절의 외측 경계로, 극돌기에서 대략 2.5 cm 외측에 위치합니다. A–B구역은 경추 후관절 구역이므로, 경추에서 비교적 안전하며 천천히 자입하면 후관절까지 닿을 수 있습니다. 다만 목을 돌려서 엎드려 눕는 등 틀어진 자세에서 자입하면 위치가 틀어지기 때문에 꼭 바른 자세에서 자입해야 합니다. 마지막으로 개인별로 변형이 있을 수 있기 때문에 꼭 천천히 자입해야 합니다.

B–C 구역

B–C 구역은 상대적으로 조심해야 하는 구역입니다. 깊지 않은 근육층의 침치료는 무리가 없지만, 깊이 자입하면서 방향이 잘못되면 경추 신경근을 자극할 수 있습니다. 깊이 자입한다면 후관절을 향하도록 방향을 꼭 조절해야 합니다. 정상체중 성인의 천유(TE16) 혈위를 기준으로 29 mm 이상 자입하면 신경 혈관의 손상 위험이 있어 최대 깊이의 70% 이내로 자입해야 합니다.

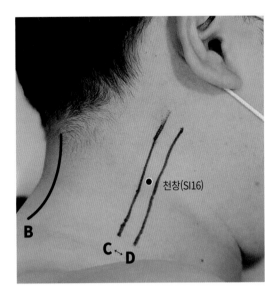

천창(SI16)

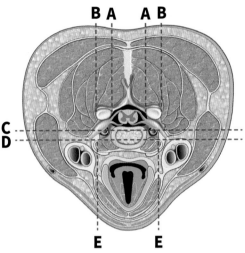

C-D 구역

C-D는 경추 측면으로 아주 고위험 구역입니다. 경추 신경근 및 추골 동맥이 있어 도침을 절대 깊이 자입하지 않는 것을 원칙으로 합니다. 다만 이곳은 중사각근 치료점으로 꼭 치료가 필요한 곳이기도 합니다. 정상체중 성인의 천창(SI16) 혈위를 기준으로 17 mm 이상 자입하면 신경 혈관의 손상 위험이 있어 최대 깊이의 70% 이내로 자입해야 합니다. 즉 중사각근을 치료할 때도 1 cm 이내로 천천히 자입해야 합니다.

D-E 구역, E-E 구역

고위험 구역, 경동맥, 경정맥, 신경 등이 있기 때문에 거의 치료하지 않습니다. 단 흉쇄유돌근과 진사각근을 치료할 때만 이용하며, 이때도 1 cm 이내로 자입하여 중요한 신경과 혈관의 손상을 방지해야 합니다.

진단	병력	이학적 검사
경추부 근육통	움직일 때 목의 통증, 저림과 같은 신경증상은 없음	별무
경추 후관절 증후군	비교적 오래된 통증, 신전 시 악화, 목이나 어깨 통증 동반	후관절 부위 압통
만성 경추 신경근 병증	비교적 오래된 목 통증과 상지의 저림	Spurling test+
급성 경추 추간판 탈출증	급성으로 발생한 목 통증과 동반된 상지의 저림, 앉아있거나 서있으면 심해지는 저림과 통증	Spurling test+
경추 척수병증	양측 상지증상을 동반한 목 통증, 하지의 균형잡기가 어려움	Hoffmann sign Knee reflex test
흉곽출구 증후군	신경분포와 관련 없는 팔의 애매한 저림	사각근 압통 Adson test+
경추 항인대 석회화	굴곡 시 항인대 부위의 당김	항인대 압통+

한의원을 내원하는 경추 질환의 감별에서 가장 중요한 것은 첫 번째로 근육의 문제인지 아니면 경추디스크나 협착증처럼 구조적인 문제인지 파악하는 것입니다.

문진을 통해 상지에 저림이나 근력의 약화가 있다면 척추기원성을 일단 의심합니다. 그 후 Spurling test와 저림의 양상(더마톰을 따르는지 아니면 애매하게 저리는지)에 따라 흉곽출구 증구훈과 경추성 방사통을 구분하여 치료 예후를 알려주는 것이 좋습니다. 방사통이 없는 목통증은 후관절통증이나 근육통, 근막통증증후군으로 볼 수 있으므로 감별진단하여 치료 위치와 강도를 결정합니다.

1-3. 만성 경추부 근육통(근막통증증후군)

키워드: cervical myofascial pain syndrome

한 장 차트 요약

특징 만성적인 목, 어깨 부위의 뻐근한 통증

O/S 만성(적어도 3개월 이상), 다른 치료를 받아보았지만 호전이 없거나 통증이 되돌아오는 경우가 많음

C/C 목, 어깨 부위의 뻐근한 통증
ROM은 대부분 정상이나 환자는 근육 당김 등을 호소

P/E
- 압통을 제외한 기타 이학적 검사상 다른 원인이 없음
- 해당 부위 촉진 시 압통+

Imaging 별무 이상(*현재 통증에 대한 다른 영상의학적 소견이 발견되면 근막통증증후군으로 진단내리지 않습니다. 다만 다른 질환과 근막통증증후군이 같이 있는 경우도 있을 수 있습니다.)

R/O
- 근근막통증후군, 목(M79180)
- 경추통, 경부(M5422)

Plan
- 치료 기간: 4주
- 치료 목표: 통증 근육의 압통점 제거
- 통증 부위 치료: 가장 증상이 심한 근육의 압통점에 도침치료
- 주변부 치료: 통증을 호소하는 근육에 대해 전침, 부항, 텐스
- 티칭: 자세교정 및 적절한 유산소 운동, 온찜질, 약물치료도 요함

최신 연구 동향 및 임상 포인트

- ✓ 근막통증증후군 자체를 하나의 질병으로 인정해야 하는지는 아직 논란이 많습니다.[4] 그러나 이러한 증상군에 대한 일련의 치료들은 꾸준히 발표되고 있습니다.
- ✓ 도침이 근막통증증후군에서 대해 효과가 있다는 systematic review가 발표되었으며[5], 네트워크 메타분석에 의하면 압통을 제거하는 효과에서는 위험대비 효과에서 비교우위에 있는 것으로 나타났습니다.[6]
- ✓ 상부승모근과 능형근 부위에 신경포착을 일으키는 흉쇄유돌근과 사각근도 체크합니다.

→ 도침치료 포인트

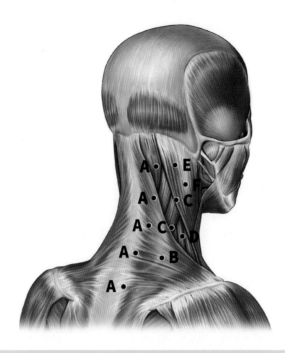

치료 포인트

환자가 첫 치료인 경우, 모든 포인트를 치료하지 않고 가장 압통이 심한 부위 2포인트를 선정하여 치료합니다. 제시된 포인트는 예시로, 모든 환자가 동일하지 않습니다. 환자가 가장 아파하고, 압통이 심하게 나타나는 곳을 개별적으로 찾아야 합니다.

1-3-1. 승모근 압통점	B	p. 65
1-3-2. 견갑거근 압통점	C	p. 68
1-3-3. 두반극근, 경반극근 압통점	A	p. 71
1-3-4. 중사각근 압통점	D	p. 75
1-3-5. 두판상근 압통점	E	p. 78
1-3-6. 흉쇄유돌근 압통점	F	p. 80

 압통점 찾기 팁

경추부는 부위가 넓고 통처가 다양해 모두 손으로 눌러 압통점을 찾기 어렵습니다.
환자분이 가장 호소하는 압통 포인트를 손으로 가리키라고 지시하여 압통점을 찾는 것이 효율적입니다.
흉쇄유돌근과 사각근의 긴장이 신경을 압박해 이차적으로 경추의 통증을 나타낼 수 있습니다.
마지막으로 단순한 통증 이외에 승모근 부위에 따가운 느낌이나 통증 과민을 호소하면
흉쇄유돌근과 사각근의 압통점을 꼭 체크해 봅시다.

만성 목통증, 근막통증증후군에서 도침치료 효과

연구 깊게 보기1: **만성 목통증 환자에 대한 도침치료 효과, 12개월 관찰 연구[7]**

(2015. Li)

	치료 전	1개월 후	6개월 후	12개월 후
통증 점수(NPRS)	7 (5, 10)	3 (0, 8)*	3 (0, 8)*	3 (0, 9)*
경추 기능 장애 점수(NDI)	17 (9, 36)	5 (0, 20)*	6 (0, 20)*	7 (0, 21)*

* $p < 0.001$ vs. the baseline.

본 연구는 총 180명의 만성 목통증 환자에 대해 도침치료를 시행한 후 총 12개월이나 추적관찰한 연구입니다. 비교적 긴 기간인 12개월이나 추적하였고, 대상자 수도 180명으로 많아서 후향적연구임에도 불구하고 2015년도에 비교적 괜찮은 저널인 PLOS One에 게재되었습니다.

본 연구에서는 직경 0.8 mm의 비교적 두꺼운 도침을 활용했으며, 압통점에 대해 3-5회 제삽자극을 하였습니다. 환자는 평균 7회 정도 치료를 받았습니다. 치료 후 12개월간 추적한 결과, 위 표와 같이 증상의 개선이 유지되는 것을 알 수 있었습니다.

Dr. 윤 comment

중국 연구들은 대부분 직경이 큰 도침인 0.8 mm를 사용합니다. 근육의 유착이나 긴장이 심하고, 만성통증인 경우 이렇게 큰 직경의 도침이 효과적이나, 중국의 연구나 실제 임상 현장에서는 대부분 마취 후 시술을 한다는 점을 감안하면, 국내에서 그대로 적용하기에는 어렵습니다. 저의 임상 경험상 0.4-0.5 mm로도 충분한 효과를 낼 수 있으니 적은 직경으로 치료를 시작하고 반응하지 않으면 큰 직경을 하는 것을 추천합니다.

(2006. Wang)

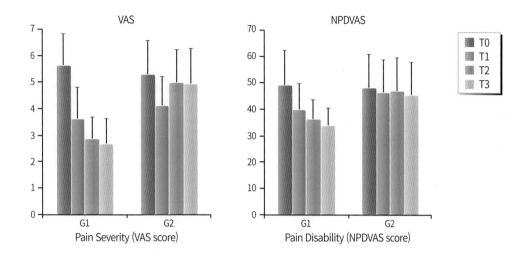

🏷 그림 1-3-1. 도침치료와 주사치료효과 비교. 좌측은 통증에 대한 VAS, 우측은 불편감을 VAS 척도로 나타낸 NDPVAS 척도를 활용했습니다. G1은 도침치료군, G2는 리도카인 주사치료군입니다.

G1 = 도침치료군 36명, G2 = 리도카인 주사치료군 36명
본 연구는 약 3개월간 도침과 리도카인 주사치료의 효과를 비교한 연구입니다. 경추부 근막통증증후군 환자를 대상으로 각각 도침치료와 리도카인 주사치료를 실시하였으며, 치료 전(T0), 1개월 후(T1), 2개월 후(T2), 3개월 후(T3)를 각각 비교하였습니다. 결과 도침치료는 시간이 지날 수록 통증의 개선이 더 나타나는 반면, 리도카인 주사치는 1개월 후에는 개선이 나타나다 2–3개월 후에는 처음과 비슷한 수준으로 올라오는 것이 관찰되었습니다. 본 연구에도 0.8 mm 도침이 사용되었습니다.

연구 깊게 보기3: **근막통증증후군에서 도침, 침 스트레칭 효과 비교**[9]

(2010. Ma)

표 1-3-1. 도침 및 일반침, 스트레칭 후 통증, 통증역치, 관절운동범위 변화

	치료 전	2주 후	3개월 후
도침치료			
통증(VAS)	6.3 ± 1.8	2.5 ± 1.7**	1.4 ± 1.3**
통증 역치(PPT)	2.4 ± 0.6	4.7 ± 0.5**	4.8 ± 0.4**
가동범위(ROM)	42.2 ± 4.7	46.5 ± 3.2**	48.3 ± 2.4**
침치료			
통증(VAS)	6.2 ± 1.9	3.1 ± 1.3**	3.2 ± 2.1**
통증 역치(PPT)	2.4 ± 0.3	4.2 ± 0.5**	3.9 ± 0.7**
가동범위(ROM)	42.3 ± 4.3	45.1 ± 4.5*	45.7 ± 4.2*
스트레칭			
통증(VAS)	6.3 ± 1.7	5.5 ± 1.8	5.1 ± 1.8*
통증 역치(PPT)	2.4 ± 0.5	2.6 ± 0.4	2.8 ± 0.5*
가동범위(ROM)	42.0 ± 4.9	43.2 ± 4.2	44.6 ± 4.8*

*$P < 0.05$; **$P < 0.01$.

근막통증증후군에서 도침치료의 효과를 파악하기 위해 총 43명의 환자, 83개의 통증 유발점을 무작위로 1군은 도침치료, 2군은 침치료, 3군은 control군으로 스트레칭 시행하였습니다. 도침은 압통점에 이뤄졌으며, 칼날 너비는 0.8 mm를 사용하였습니다. 도침치료 후 통증의 크기(VAS), 통증 역치(PPT), 관절 운동범위의 개선이 가장 크게 이뤄졌습니다.

연구 깊게 보기4: **근막통증증후군에서 도침의 원리**[10]

(2020. Zhang)

　본 연구는 근막통증증후군에서 도침치료가 압통을 완화하는 효과가 어떻게 나타나는지 그 기전을 알아내기 위해 시행한 실험연구입니다. 총 4군으로 연구를 진행했습니다. (1) 정상 쥐(control)와 (2) 인위적으로 압통점을 만든 뒤 아무런 치료도 하지 않는 모델 쥐(model), 그리고 (3) 압통점을 만든 뒤 도침치료를 받은 쥐(acupotomy)와 (4) 리도카인 주사치료 쥐(injection)입니다.

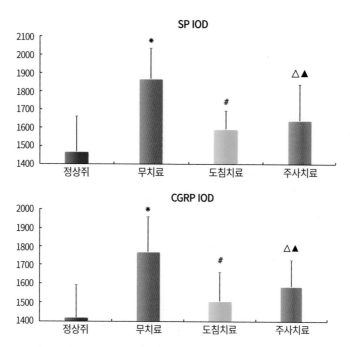

🏷 그림 1-3-2. 근막통증증후군을 유발한 쥐에서 치료 뒤 염증 유발 물질(SP, CGRP) 변화

　도침치료 후 충분히 시간이 지난 후 해당조직에서 염증유발물질인 SP와 CGRP농도를 측정한 결과, 염증유발물질의 감소가 리도카인 주사치료보다 뛰어난 것을 관찰할 수 있었습니다. 이것은 도침치료가 단기적인 통증 감소효과뿐만 아니라 조직의 순환을 개선하여 통증유발물질이 지속적으로 발생하는 것을 억제하는 것으로 보입니다.

1-3-1. 승모근 압통점 도침치료

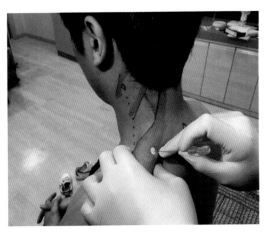
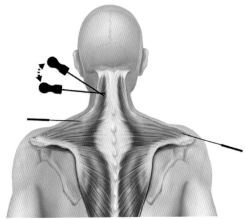

→ 상부승모근(Upper trapezius) 압통점 도침치료

촉진 및 특징	• 주로 상부승모근에서 압통점을 찾으며, 환자에게 직접 가장 아픈 곳을 찾으라고 하는 것이 효과적일 수 있습니다. • 상부승모근의 통증이 경추 신전 시 발생하면 후관절증을 의심합니다. • 상부승모근 부위에 통증이 아닌 저림을 호소하면 경추 2/3번, 3/4번 후관절 질환이나 흉쇄유돌근에 의한 경신경총(cervical plexus) 포착을 의심합니다.
기시	• C7 극돌기(spinous process of C7) • 외후두융기(external occipital protuberance) • 상항선의 가운데 1/3 (the medial third of the superior nuchal line) • 항인대(ligamentum nuchae)
종지	• 쇄골 바깥 1/3의 후면(posterior border of the lateral third of the clavicle)
도침치료	• 자입 방향: 승모근의 근복을 잡고 투자하듯이 뒤에서 앞으로 자입합니다. • 칼날 방향: 근섬유와 평행하게 유지합니다. • 자입 깊이: 경추부는 1–2 cm만 자입해도 승모근을 자극할 수 있습니다. 견갑대의 상부를 자극하는 경우 투자하듯이 자입이 가능합니다. • 치료 포인트: 치료 시 기흉을 주의하여 자입방향을 조절하여 뒤에서 앞으로 근육을 투자하듯이 자입합니다. 기본적인 만성 근육통이라고 진단되는 경우 처음에는 0.4 mm 도침을 이용합니다. 호전이 없거나 심한 근막통증증후군이 의심될 때는 처음부터 0.5–1 mm 도침을 사용합니다.

→ MRI로 보는 승모근 도침치료

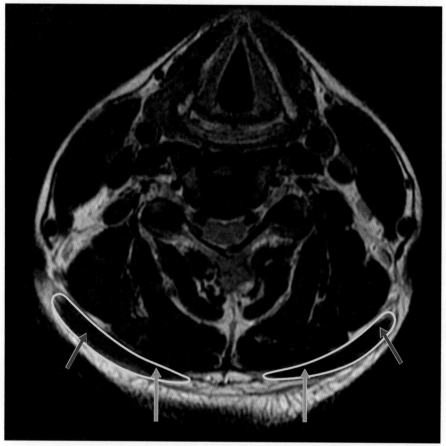

🏷 그림 1-3-3. 승모근 도침치료. 노란 원; 승모근. 푸른 화살표 및 붉은 화살표; 승모근 도침치료 시 진입방향 (C5 레벨 수평면, transverse plane)

경추 후면에서 승모근의 도침치료는 승모근만 단독으로 치료한다기보다는 경추 심부 근육들과 함께 이뤄집니다. 승모근만의 압통을 찾는 것이 불가능하기도 하며, 이왕에 치료한다면 한 번에 여러 근육을 자료하는 것이 좋습니다.

하늘색 화살표와 같이 승모근은 뒤에서 앞으로 자입하면 승모근을 지나 두판상근, 두반극근, 경반극근, 다열근을 지나 후관절까지 자극할 수 있습니다. 붉은색 화살표와 같이 목의 후외측으로 자입하게 되면 승모근을 지나 견갑거근, 경최장근을 자극할 수 있습니다.

결론적으로 명확한 승모근의 문제면 얕게 자입해 승모근만 치료하는 것이 안전하고 효율적입니다. 하지만 목 후면의 통증이라면 3 cm 내외에서 비교적 중간 깊이까지 자입하는 것이 여러 근육을 동시에 치료할 수 있습니다.

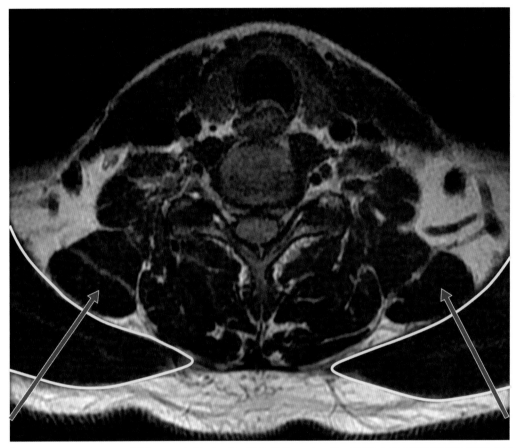

🏷 그림 1-3-4. 승모근 도침치료. 노란 원; 승모근. 붉은 화살표; 승모근 도침치료 시 진입방향(C7 레벨 수평면, transverse plane)

C7레벨에서 승모근의 도침치료는 뒤에서 앞으로 투자하듯이 자입해야 폐첨을 찌르지 않아 안전합니다. 압통점을 찾아 뒤에서 앞으로 자입하거나, 그림의 붉은색 화살표처럼 후관절을 향해 자입하면 견갑거근까지 함께 치료할 수 있습니다.

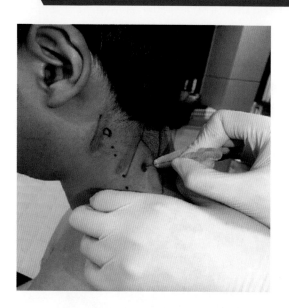
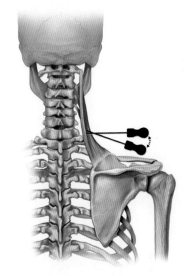

→ 견갑거근(Levator scapulae) 압통점 도침치료

📖 **촉진**	• 주상부 경추 횡돌기에서 견갑골 내측까지 이어지는 근육으로, 경추의 후외측에서 통증을 호소합니다. 견갑거근 역시 환자가 통증부위를 직접 호소하는 경우가 많고, 안전한 범위 내에서 해당부위를 촉진, 자입합니다.
📖 **기시**	• C1-C4 횡돌기 후결절(posterior tubercles of transverse process)
📖 **종지**	• 견갑골 내상각(superior part of medial border of scapula)
📖 **도침치료**	• 자입 방향: 후관절 후외측면을 향해 자입합니다. • 칼날 방향: 인체 종방향(견갑거근 근육결 방향) • 자입 깊이: 3 cm 이내 • 치료 포인트: 견갑거근 포인트 중 경추에 위치한 압통점을 자극할 때는 도침의 끝이 후관절의 후외측면을 향하게 자입해야 합니다. 침의 끝이 후관절을 지나쳐 횡돌기 잎이나 옆쪽으로 향하면 신경을 손상시킬 수 있으니 유의해야 합니다. 견갑골 내상각 근처의 견갑거근 압통점은 기흉의 위험이 있어 직접 자입하지 않는 것을 추천합니다. 굳이 자입한다면 근육을 완전히 쥐어잡고 자침합니다.

→ MRI로 보는 견갑거근 도침치료

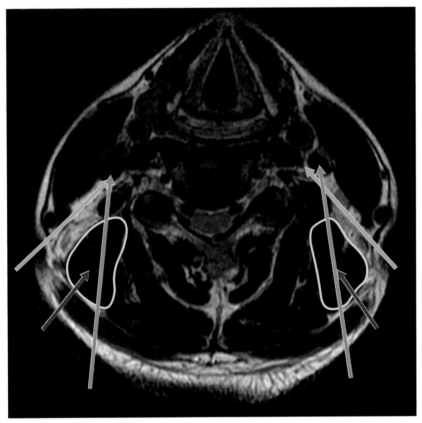

🏷 그림 1-3-5. 견갑거근 도침치료. 노란 원; 견갑거근. 붉은 화살표; 견갑거근 도침치료 시 올바른 진입방향. 푸른 화살표 및 녹색 화살표; 잘못된 진입방향(C5 레벨 수평면, transverse plane)

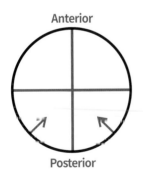

경추부에서 견갑거근 자극 시 붉은색 화살표처럼 견갑거근을 자극해야 합니다. 하늘색 화살표처럼 견갑거근을 뚫고 너무 깊이 들어가면 신경과 혈관을 손상시킬 수 있고, 초록색처럼 진입점을 잘못 잡으면 역시 신경과 혈관을 손상시킬 수 있습니다.

좌측 그림과 같이 경추 후 외측 45도 방향으로 3 cm 이내로 들어가는 것이 안전합니다. 마른 여자의 경우 2 cm 이내로 자입해도 충분히 자극할 수 있습니다.

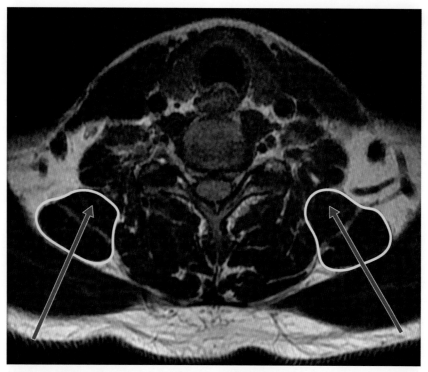

🏷 그림 1-3-6. 견갑거근 도침치료. 노란 원; 견갑거근. 붉은 화살표; 견갑거근 도침치료 시 진입방향(C7 레벨 수평면, transverse plane)

간혹 C7 레벨 이하 견갑골 내상각 근처에서 견갑거근의 압통을 호소하는 환자들이 있습니다. 이럴 경우 하단의 그림처럼 견갑거근을 완전히 손으로 쥐어 잡고, 근복부에만 도침치료하는 것이 안전합니다.

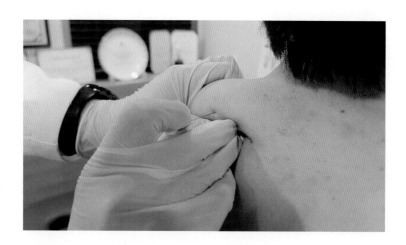

1-3-3. 두반극근, 경반극근 압통점 도침치료

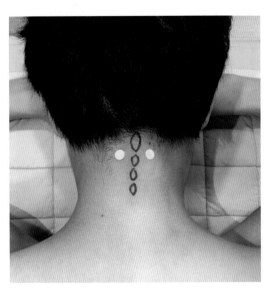

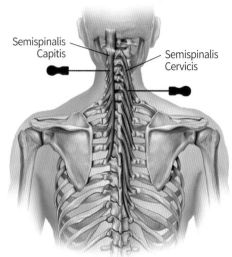

Semispinalis Capitis

Semispinalis Cervicis

두반극근과 경반극근 도침치료

두반극근(semispinalis capitis) 압통점 도침치료	
📋 촉진	• 경추 극돌기 양측으로 1.5-2 cm 외측에서 압통점을 찾습니다.
📋 기시	• T1-T6 횡돌기(transverse process) C4-C7 관절돌기(articular processes)
📋 종지	• 상항선(superior nuchal line)과 하항선(inferior nuchal line) 사이
📋 도침치료	• 날방향: 인체 종방향 • 깊이: 여자 2 cm 이내, 남자 3 cm 이내

경반극근(semispinalis cervicis) 압통점 도침치료	
📋 촉진	• 경추 극돌기 양측으로 1.5-2 cm 외측에서 압통점을 찾습니다.
📋 기시	• T1-T6 횡돌기(transverse process)
📋 종지	• C2-C5 극돌기(spinous process)
📋 도침치료	• 날방향: 인체 종방향 • 깊이: 여자 3 cm 이내, 남자 4 cm 이내, 마른 여자의 경우 후궁간을 뚫고 척수를 자극하지 않게 천천히 주의하여 자입합니다.

→ MRI로 보는 두반극근, 경반극근 도침치료

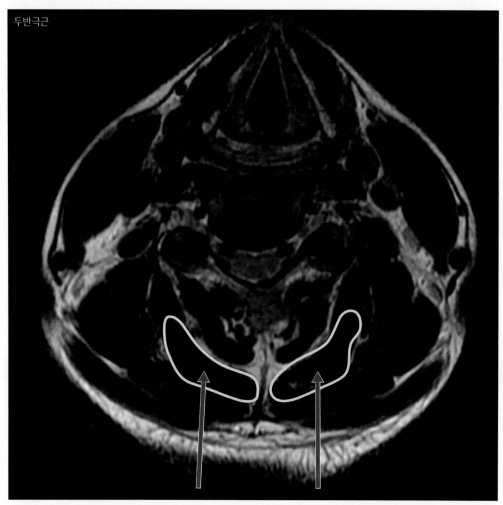

두반극근

🏷 그림 1-3-7. 두반극근 도침치료. 노란 원; 두반극근. 붉은 화살표; 두반극근 도침치료 시 진입방향(C5 레벨 수평면, transverse plane)

두반극근은 경추 후면에서 수로 접근합니다. 극돌기 외측 1.5-2 cm에서 압통점을 찾습니다. 경추뿐만 아니라 후두하 융기에서부터 흉추 6번까지 이어진 근육이기 때문에 흉추부까지 꼼꼼히 압통점을 찾는 것이 좋습니다. 승모근을 뚫고 두판상근을 지나면 두반극근에 닿을 수 있습니다. 다만 두반극근과 경반극근의 문제를 정확히 감별하는 것은 어렵기 때문에, 이왕이면 한 번에 두 근육 모두 치료하는 것이 좋습니다.

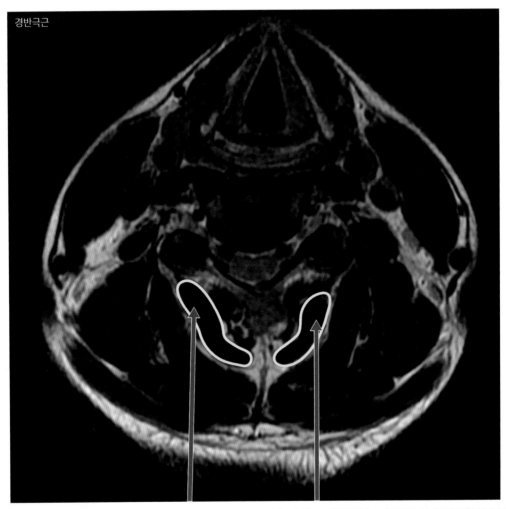

경반극근

🏷️ 그림 1-3-8. 경반극근 도침치료. 노란 원; 경반극근. 붉은 화살표; 경반극근 도침치료 시 진입방향(C5 레벨 수평면, transverse plane)

경반극근은 역시 경추 후면에서 주로 접근합니다. 극돌기 외측 1.5-2 cm에서 압통점을 찾습니다. 두반극근과 경반극근 문제를 구분하는 것은 어려우며 큰 의미가 없습니다. 두반극근과 경반극근 모두 후관절 뒤(posterior)에서 접근하면 비교적 안전합니다. 다만, 극돌기를 기준으로 너무 바깥(lateral)으로 나가서 경추 신경근을 자극하거나 너무 안쪽(medial)에서 사입해 척수를 자극하지 않게만 주의하여 3 cm 정도 자입합니다. 체격이 좋은 남자의 경우 4 cm 정도 자입해야 합니다.

→ 풍부혈의 안전 자침 깊이에 대한 연구

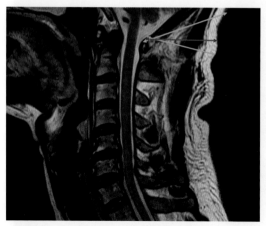

Needing Depth Measurement of Pungbu (GV$_{16}$)

풍부혈 안전 가이드

☑ 안전을 위한 최대 자입 깊이는 2 cm
☑ 방향 주의
  두개골의 대후두 융기, 즉 뼈를 향해
  자입하는 것이 안전

표 1-3-2. 풍부혈에서 연수까지의 깊이(남여 비교) (GV$_{16}$)[11]

	n (%)	Mean±SD (mm)	Maximum value (mm)	Minimim value (mm)
Male	51 (44.7)	49.71 ± 6.32	67.35	36.29
Female	63 (55.3)	39.84 ± 5.25	52.18	30.02

*p < 0.05 by student t-test

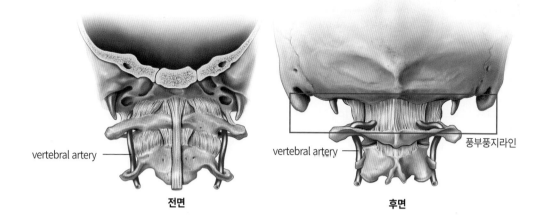

vertebral artery

전면

vertebral artery

풍부풍지라인

후면

풍부, 풍지혈 자입 시 주의 사항[12]
C1과 후두골 사이 공간은 연수, 추골동맥 등 위험한 구조물이 많으므로, 특히 주의합니다.

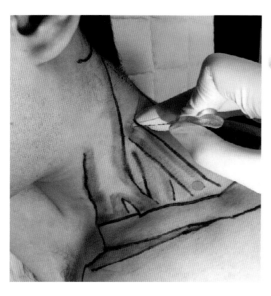 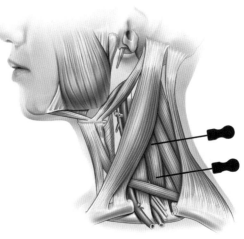

→ 중사각근(Scalenus medius) 압통점 도침치료

📑 **촉진**	• 흉쇄유돌근의 가운데에서 뒤쪽경계를 넘어가면 중사각근의 중간부분이 촉진됩니다. 그 근복을 따라가며 아래쪽으로 촉진하여 중사각근의 압통점을 찾습니다.
📑 **기시**	• C2–C7 횡돌기 후결절(posterior tubercles of transverse process)
📑 **종지**	• 제1늑골(first rib)
📑 **도침치료**	• 체위: 환자는 앙와위로 반듯이 누운 후, 고개를 돌려 치료할 사각근이 잘 드러나게 합니다(좌측 중사각근 치료 시 고개를 우회전시킵니다).
	• 칼날 방향: 인체 종방향
	• 자입 깊이: 1 cm 이내
	• 주의 사항: 절피 이후 천천히 자입하여 신경과 혈관의 손상을 최소화합니다.

→ MRI로 보는 중사각근 도침치료

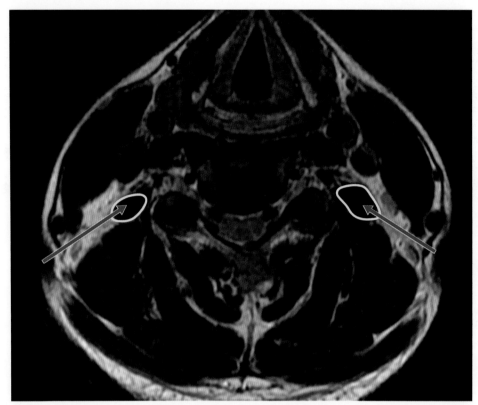

🔖 그림 1-3-9. 중사각근 중간부 도침치료. 노란 원; 중사각근. 붉은 화살표; 중사각근 도침치료 시 진침 방향. 단, MRI는 똑바로 누워서 찍은 만큼 고개를 회전시키지 않아 흉쇄유돌근이 중사각근을 덮고 있습니다. 치료 시에는 고개를 반대편으로 최대한 돌려 중사각근이 드러나게 합니다(C5 레벨 수평면, transverse plane).

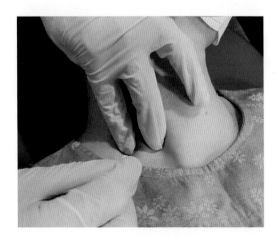

위의 MRI 단면 그림처럼 경추를 회전하지 않고 똑바로 누워있게 되면 중사각근 중단은 흉쇄유돌근과 외경정맥(external juglar vein)에 의해 가려지게 됩니다. 그래서 목을 최대한 반대편으로 회전하여 흉쇄유돌근과 외경정맥이 사각근을 가리지 않은 상태에서 자입해 치료합니다. 사각근의 경우 완전히 사각근을

촉진하여 정확히 자극하는 것이 중요하므로, 촉진 후 보조수의 2, 3지로 사각근을 고립시킨 후 1 cm 정도 깊이로 자입하면 안전하게 사각근을 치료할 수 있습니다.

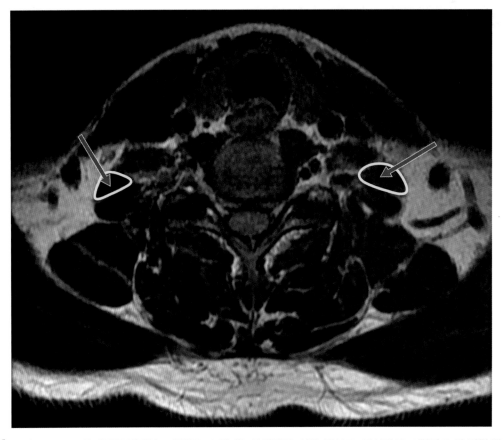

그림 1-3-10. 중사각근 하단부 도침치료. 노란 원; 중사각근. 붉은 화살표; 중사각근 도침치료 시 진침 방향. 단, MRI는 똑바로 누워서 찍은 만큼 고개를 회전시키지 않아 흉쇄유돌근이 중사각근을 덮고 있습니다. 치료 시에는 고개를 반대편으로 최대한 돌려 중사각근이 드러나게 합니다(C7 레벨 수평면, transverse plane).

중사각근의 하단부위 역시 MRI 단면 그림처럼 경추를 회전하지 않고 똑바로 누워 있게 되면 중사각근 중단은 흉쇄유돌근에 의해 가려지게 됩니다. 그래서 목을 최대한 반대편으로 회선하여 자입합니다. 하단부는 흉쇄유돌근 후면에서 중사각근 중단부위를 먼저 촉진 후 서서히 타고 내려와 입통점을 찾아 자입합니다. 역시 중간부위와 같이 보조수 2, 3지로 사각근을 고립시킨 후 1 cm 이내로 자입합니다.

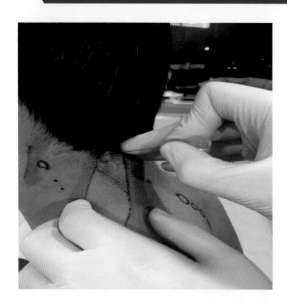
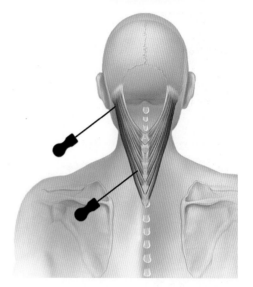

→ 두판상근(Splenius capitis) 압통점 도침치료

📋 **촉진**	• C2 극돌기 레벨에서 승모근의 바깥쪽, 흉쇄유돌근의 안쪽 경계 사이에 위치한 구역에서 두판상근의 압통점을 촉진합니다.
📋 **기시**	• 항인대(nuchal ligament) • C7–T4 극돌기(spinous process)
📋 **종지**	• 유양돌기(mastoid process) • 상항선(superior nuchal line)의 외측 1/3
📋 **도침치료**	• 칼날 방향: 인체 종방향, 두판상근 근육 주행방향과 일치 • 자입 깊이: 1 cm 깊이로 자입 • 주의 사항: 두판상근은 표면에 위치하는 근육이기 때문에 심자할 필요는 없습니다. 발침 후에는 혈종 형성에 주의해 압박지혈을 루틴하게 해주시는 것이 좋습니다. 유양돌기 근처의 경우 두판상근 아래에 후두동맥이 지나가므로, 유양돌기 근처의 압통점보다는 C2레벨의 두판상근 압통점을 치료하시는 것이 좋습니다.

→ MRI로 보는 두판상근 도침치료

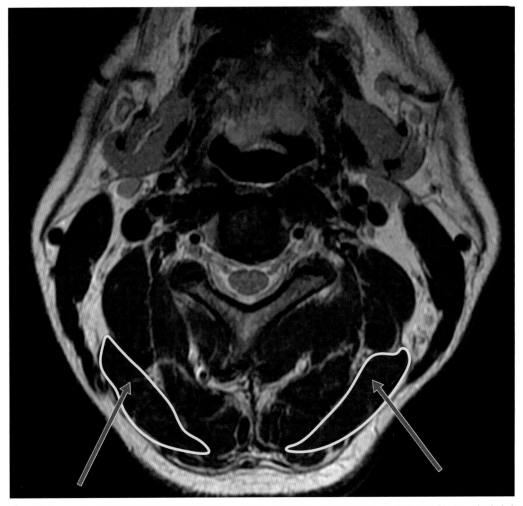

🏷 그림 1-3-11. 두판상근 도침치료 진입방향, 노란 원; 두판상근. 붉은 화살표; 두판상근 도침치료 시 진입방향(C2 레벨 수평면, transverse plane)

　두판상근은 표면에서 쉽게 촉진되는 근육인 승모근과 흉쇄유돌근 사이에 있어 비교적 촉진하기 어렵지 않습니다. 또한 특정 포인트에서 압통이 명확하게 나타나는 경우가 많아 치료점은 어렵지 않게 찾아낼 수 있습니다. 표층에 위치한 근육으로 1 cm만 자입하면 충분히 닿을 수 있어 더 이상 심자하지 않습니다.

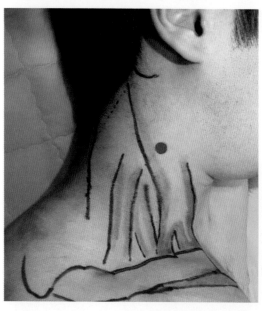
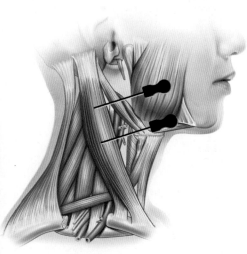

→ 흉쇄유돌근(SCM) 압통점 도침치료

📋 **촉진**	• 똑바로 누운 상태에서 목을 가볍게 한쪽으로 돌린 다음, 환자는 목을 들어올리려 하고 시술자는 저항을 주면 흉쇄유돌근이 드러납니다. 흉쇄유돌근 상부부터 하부까지 천천히 촉진하며 압통점을 찾습니다.
📋 **기시**	• 흉골두: 흉골병(manubrium sterni)의 상부 • 쇄골두: 쇄골의 가운데 1/3
📋 **종지**	• 유양돌기(mastoid process) • 상항선(superior nuchal line)의 외측 1/2
📋 **도침치료**	• 칼날 방향: 인체 종방향, 흉쇄유돌근 근육 주행방향과 일치 • 체위: 똑바로 눕거나 옆으로 누워 흉쇄유돌근을 보조수로 쥐어 잡고 자입 • 자입 깊이: 1 cm 이내 깊이로 자입 • 주의 사항: 흉쇄유돌근은 표면에 위치하는 근육이기 때문에 심자할 필요는 없습니다. 경동맥과 경정맥의 손상에 유의하며, 근육을 쥐어잡고 정확히 근육만 자극한 후 발침합니다. 또한 흉쇄유돌근 상부 유양돌기 근처에는 대이개신경(greater auricular nerve)이 횡으로 지나가므로, 자입 시 유의합니다. 발침 후에는 혈종 형성에 주의해 압박지혈을 루틴하게 해주시는 것이 좋습니다.

→ MRI로 보는 흉쇄유돌근 도침치료

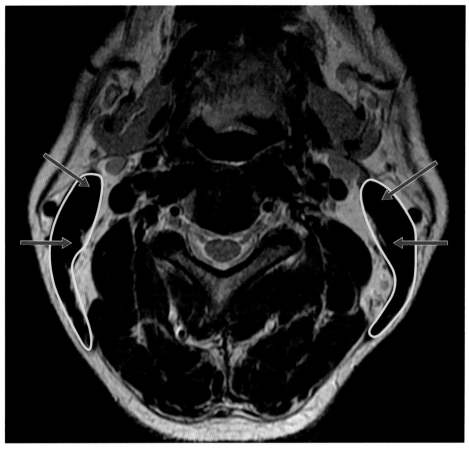

🏷 그림 1-3-12. 흉쇄유돌근 도침치료 진입방향, 노란 원; 흉쇄유돌근. 붉은 화살표; 흉쇄유돌근 도침치료 시 진입방향(C2 레벨 수평면, transverse plane)

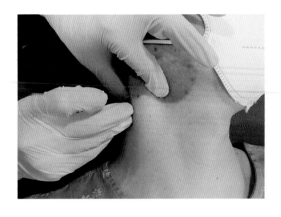

흉쇄유돌근 역시 표층의 근육으로 촉진이 어렵지 않습니다. 다만 주변에 경동맥과 같은 위험한 구조물이 많은 만큼, 정확히 압통점을 촉진한 후, 보조수로 흉쇄유돌근을 고립시킨 후 1 cm 이내로 자입하여 주변 조직의 손상을 최소화합니다.

키워드: cervical facet joint pain   🔍

한 장 차트 요약

📑 **특징**   신전이나 회전 등 후관절 자극 증상에 의해 심해지는
만성적인 경추통증, 특징적으로 경흉추부의 통증 방사가 있음

📑 **O/S**
- 만성(3개월 이상)

📑 **C/C**
- 신전이나 회전 등 후관절 자극 증상에 의해 심해지는 만성적인 경추통증

📑 **P/E**
- 경추부 후관절 압통+
- 신전이나 회전 시 통증+

📑 **Imaging**
- X-ray나 MRI에서 경추 후관절의 퇴행성 변화(골극 및 관절간격감소 등)

📑 **R/O**
- 경추통, 경부(M5422)
- 관절통, 목(M2558)

📑 **Plan**
- 치료 기간: 4주
- 치료 목표: 후관절 주변 조직의 유착 및 긴장 완화
- 통증 부위 치료: 경추부 후관절 도침치료
- 주변부 치료: 경추부 주변 근육 이완을 위한 침, 텐스, 부항치료
- 티칭: 통증이 완화될 때까지 일부러 목을 젖혀 후관절통을 일으키는 것
을 피합니다.

최신 연구 동향 및 임상 포인트

- ✓ 노년층에서 후관절증의 유병률은 29.87%이며, 경추에서 후관절증이 가장 다발하는 부위는 C3–C5까지의 중위경추입니다.[13]
- ✓ 최근 조사에 따르면, 척추 주위 근육(paraspinal muscle)이 감소할수록 후관절통이 증가한다는 것이 밝혀졌습니다.[14]
- ✓ 개인적인 임상 경험으로 비추어 보았을 때 경추 후관절 증후군은 도침치료의 효과가 다른 치료들에 비해 가장 뛰어났습니다.

→ 도침치료 포인트

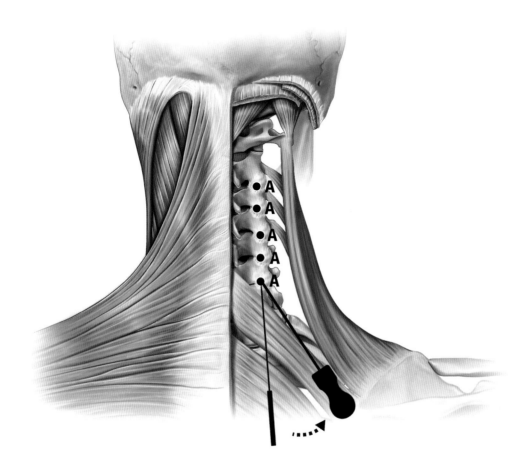

치료 포인트

환자가 첫 치료인 경우, 모든 포인트를 치료하지 않고 가장 압통이 심한 부위 1-2포인트를 선정하여 치료합니다.

1-4-1. 후관절 압통점	A	p. 84

TIPS 압통점 찾기 팁

후관절 증후군에 대해 도침치료는 정말 효과가 좋습니다. 진단을 잘해 다른 질환들을 감별한 뒤 꼼꼼히 압통점을 찾아 자입하면 많은 경우 호전됩니다.

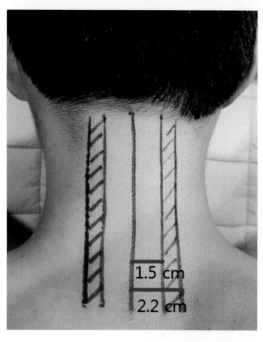

1.5 cm

2.2 cm

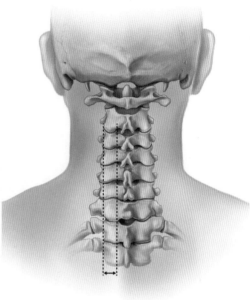

→ 경추 후관절 압통점 도침치료

📋 **경계**
- 경추 극돌기 정중앙에서 2 cm 외측에서 압통점을 찾아 직자합니다.

📋 **도침치료**
- 치료 목표: 비후된 후관절의 관절낭, 단축된 주변 근육
- 체위: 목을 틀지 않고, 똑바로 엎드려 누운 자세
- 칼날 방향: 인체 종방향 자입 후, 후관절에 도침이 닿으면 90도 회전하여 관절면과 평행하게 칼날을 유지
- 자입 깊이: 뼈까지 천천히 자입
- 자극 방법: 본터치 후, 좌우로 제삽하며 좌우로 이동해 비후된 관절낭을 절개

표 1-4-1. 피부에서 경추경막 외 공간까지의 깊이 (단위 cm)[15]

	C5-6	C6-7	C7-T1
남	4.7 ± 0.6	5.1 ± 0.6	5.6 ± 0.8
여	4.0 ± 0.6	4.6 ± 0.6	5.0 ± 0.6

→ MRI로 보는 경추 후관절 도침치료

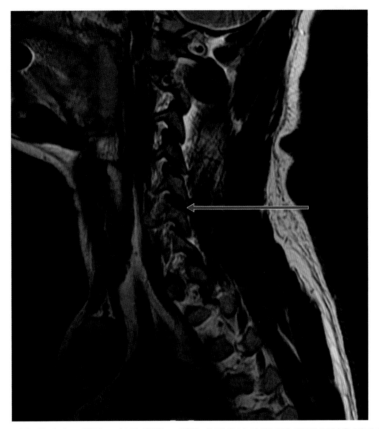

🏷 그림 1-4-1. 경추 후관절 도침치료. 붉은 화살표; 경추 후면에서 후관절을 향해 도침을 직자 할 때 진입 방향(시상면, sagittal plane)

경추부 후관절 도침치료는 경추 퇴행성 질환 치료에서 가장 많이 쓰이는 치료점이며 치료효과도 가장 우수하지만 치료 시 안전에 특별히 한번 더 주의해야 하는 부위입니다. 환자의 증상을 면밀히 관찰하고 촉진을 통해 문제가 있는 후관절을 명확히 찾아낸 뒤, 극돌기 외측으로 2 cm 떨어진 부위에서 도침을 천천히 자입합니다. 너무 외측(lateral)으로 자입하면 신경근을 자극할 수 있고 너무 내측(medial)에서 접근하면 후궁간으로 도침이 들어가 척수를 자극할 수 있으니 주의해야 합니다. 무엇보다 도침 자입 속도만 천천히 유지하면 신경 자극 후에도 손상없이 발침할 수 있으므로, 아주 천천히 자입합니다.

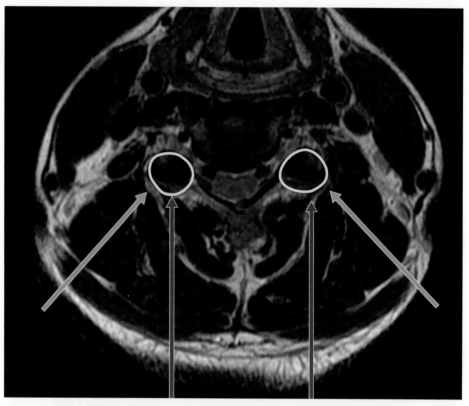

🏷 그림 1-4-2. 경추 후관절 도침치료. 노란 원; 경추 후관절. 붉은 화살표; 경추 후면에서 도침을 직자할 때 진입 방향. 푸른 화살표; 경추 후외측면에서 견갑거근을 지나가며 후관절에 진입할 때 도침 진입 경로(C5 레벨 수평면, transverse plane)

C5/6 후관절의 깊이는 여자는 3.4–4.6 cm, 남자는 4.1–5.5 cm 정도이며, C6/7후관절은 여자 4–5.2 cm, 남자 4.5–5.7 cm 정도입니다. 조직을 보조수로 누르면서 자입할 경우 대부분 5 cm 도침으로 자극이 가능하나, 덩치가 큰 남자의 경우 5 cm로 닿기 어려울 수 있습니다. 이때는 더 긴 도침인 1.0 × 80 mm의 도침을 이용할 수 있으나, 두꺼운 도침을 힘을 세게 줘야 조직을 뚫고 들어갈 수 있기 때문에 힘을 주면 의도한 깊이 이상으로 근육층을 팍팍 뚫고 가는 경향이 있어 미세한 조작이 어렵습니다. 그래서 아주 익숙한 경우가 아니라면 1.0 × 80 mm 도침을 경추 치료에 추천하지 않습니다.

이때는 붉은색 화살표처럼 직자하는 것보다 하늘색 화살표처럼 견갑거근을 뚫고 들어가면 더욱 짧은 진입거리로 후관절에 닿을 수 있습니다. 다만 붉은색 화살표는 진입점만 잘 찾으면 똑바로 도침을 계속 자입하면 결국 후관절에 닿는 반면, 하늘색 화살

표는 방향을 제대로 유지해야만 후관절에 닿을 수 있어 숙련된 사람만 하기 좋습니다.

경추 후관절 도침치료는 다른 근육 도침치료에 비해 난이도가 높은 것이 사실입니다. 일단 충분히 근육 도침치료를 통해 도침이 익숙해지면 시도하는 것이 좋으며, 미리 침으로 후관절을 찾는 연습을 하는 것이 좋습니다.

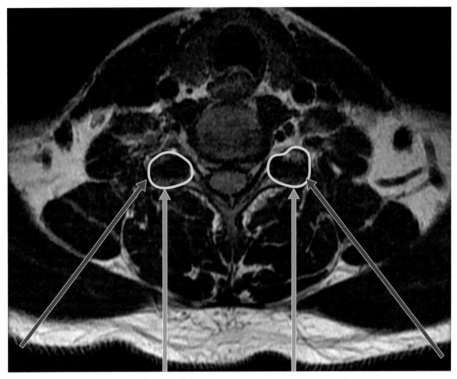

🏷 그림 1-4-3. 경추 후관절 도침치료. 노란 원; 경추 후관절. 푸른 화살표; 경추 후면에서 도침을 직자 할 때 진입 방향. 붉은 화살표; 경추 후외측면에서 견갑거근을 지나가며 후관절에 진입할 때 도침 진입 경로(C7 수평면, transverse plane)

C7/T1 후관절의 경우 후외측에서 진입하면 위 그림처럼 진입 경로가 너무 길기 때문에 하늘색 화살표처럼 뒤에서 접근하는 것을 추천합니다. 덩치가 큰 남자의 경우 후관절의 깊이가 6 cm 이상이기 때문에 1.0 × 80 mm 도침을 사용하는 것을 추천합니다.

다만 두꺼운 도침은 조직을 쑥쑥 뚫고 들어가는 경향이 있기 때문에 천천히 자입하는 것에 한번 더 주의하며, 조직을 뚫을 때 너무 강한 힘으로 도침을 밀어 넣지 않아야 하며 통증이나 찌릿함을 호소하면 무리해서 뚫지 않고 발침하는 것이 안전합니다.

→ 후관절 도침 조작

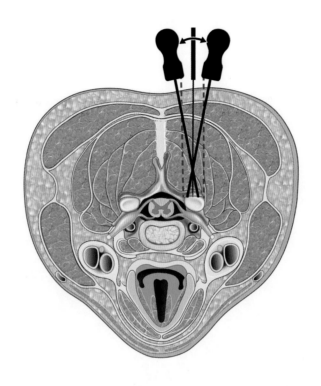

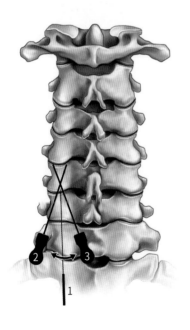

도침 자입 시 약 3-4 cm 깊이까지는 도침의 날을 인체 종방향과 일치하는 세로로 유지하여 근육의 손상을 최소화합니다. 이후 후관절에 닿기 직전에는 칼날을 가로로 돌려 혹시 모를 경추 신경근과의 접촉에 대비해야 합니다. 후관절 접촉 이후에도 칼날을 가로로 유지한 상태에서 좌우로 절개해야 비후된 후관절 관절낭을 최대한 절개할 수 있습니다.

무엇보다 관절낭에 도침이 닿으면 그냥 뼈에 닿는 질감이 아닌, 뼈에 닿기 직전에 섬유성 조직을 '우두둑하고 절개하는 느낌'을 얻을 수 있습니다. 이를 통해 후관절 관절낭을 정확히 자극하는 방법을 익혀야 합니다.

→ 경추의 후관절 통증 진단

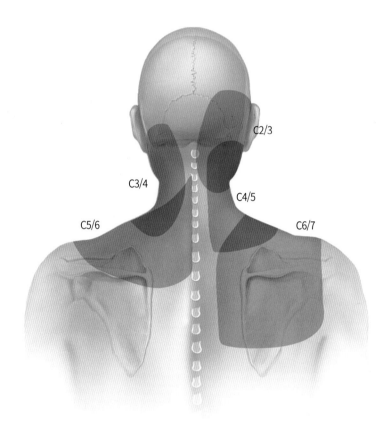

🔖 그림 1-4-4. 경추 후관절통의 패턴[16]

경추 후관절통 = 관절통
- 그림과 같은 통증패턴
- 신전 시 심해지는 통증
- 후관절 압통

→ 경추 신전 시 후관절 통증 유발과정

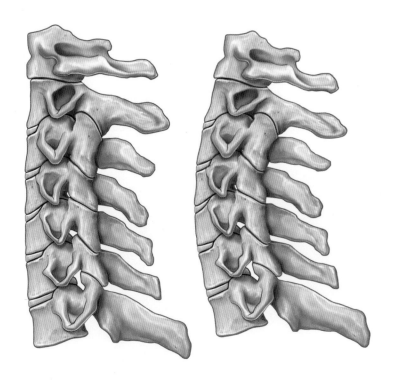

🔖 그림 1-4-5. 신전 시 후관절의 통증이 유발되는 과정[16]

후관절 신전 검사[17]
• 척추를 신전시키면, 중립상태나 굴곡상태에 비해 후관절이 받는 하중이 증가합니다.

→ 척추 후관절의 병리 단계

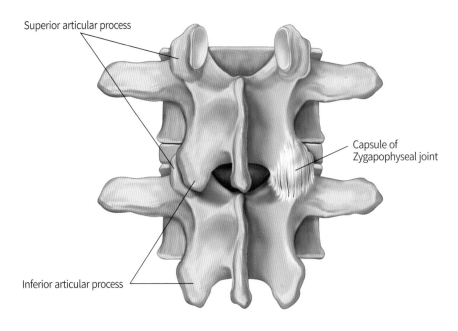

Superior articular process

Capsule of Zygapophyseal joint

Inferior articular process

그림 1-4-6. 요추 후관절의 구조

척추 후관절의 병리변화[18-20]	
초기	관절낭의 섬유화와 혈관투과성이 증가하고 염증세포가 관찰됩니다.
중기	섬유연골화생과 후방관절낭의 비대해지고, 이것은 관절낭 부착부에 뚜렷하게 나타납니다.
말기	골극이 형성되며, 골극은 주로 관절낭 부착부의 외측연(lateral margin)에 형성됩니다.

관절의 손상과 퇴행화는 크게 세 단계로 나뉘어집니다. 초기 외상이나 과사용으로 인해 척추 관절의 불안전성 및 염증반응이 나타납니다. 이때는 추가적인 손상을 방지하기 위해 최대한 휴식하며, 후관절 전침치료로 관절에 손상을 주지 않는 치료가 좋습니다. 하지만 이러한 상황이 반복되고 지속되면 관절낭 지체기 유착되면서 비대해지고 골극까지 생기며, 최종적으로는 협착증과 같이 운동성을 잃어버리게 됩니다. 이때는 도침을 통해 유착되고 비대해진 관절낭을 절개해 관절의 정상 운동범위와 생리활동이 호전되게 해줘야 합니다.

→ 척추 후관절의 병리 단계

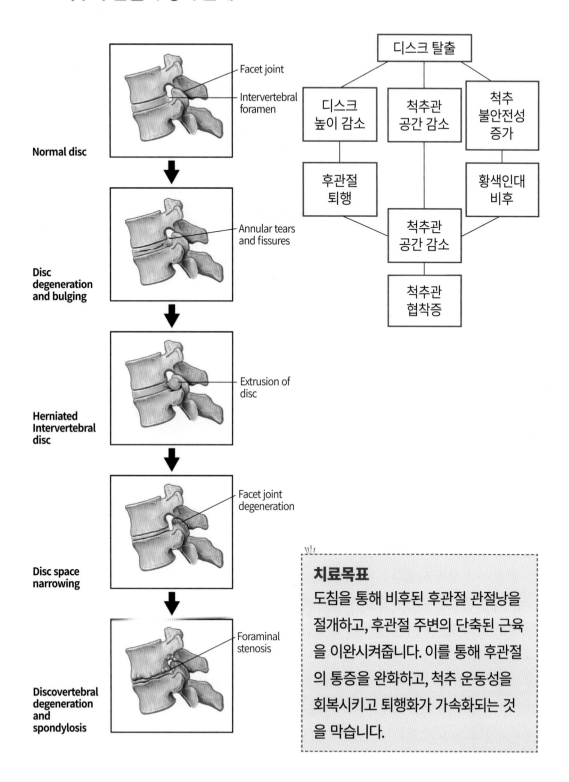

Normal disc
- Facet joint
- Intervertebral foramen

Disc degeneration and bulging
- Annular tears and fissures

Herniated Intervertebral disc
- Extrusion of disc

Disc space narrowing
- Facet joint degeneration

Discovertebral degeneration and spondylosis
- Foraminal stenosis

디스크 탈출
→ 디스크 높이 감소
→ 척추관 공간 감소
→ 척추 불안전성 증가

디스크 높이 감소 → 후관절 퇴행
척추 불안전성 증가 → 황색인대 비후

후관절 퇴행 → 척추관 공간 감소 ← 황색인대 비후

척추관 공간 감소 → 척추관 협착증

치료목표

도침을 통해 비후된 후관절 관절낭을 절개하고, 후관절 주변의 단축된 근육을 이완시켜줍니다. 이를 통해 후관절의 통증을 완화하고, 척추 운동성을 회복시키고 퇴행화가 가속화되는 것을 막습니다.

키워드: Thoracic outlet syndrome

한 장 차트 요약

특징
상지의 저림 증상, dermartome과 일치하지 않는 애매한 저림, 상지 전체의 저림 및 손을 제외한 팔 전체의 저림 등

O/S
- 교통사고 등 편타성 손상 이후에 다발. 교통사고 이후 상지저림은 대부분 사각근에 의한 흉곽출구 증후군으로 봐도 무방. 별무 원인인 경우도 많음

C/C
- 상지의 저림, dermartome과 무관한 전체적인 저림, 대개 위팔이나 아래팔까지 전체적으로 저림 등의 증상을 보임

P/E
- Spurling test–
- Adson test+
- 사각근 또는 소흉근 압통+

Imaging
별무 소견

R/O
흉곽출구 증후군(G540)

Plan
- 치료 기간: 2주
- 치료 목표: 사각근 및 소흉근 긴장 완화
- 통증부위: 사각근 및 소흉근 압통점 도침치료
- 주변부: 주변부 근긴장 완화를 위한 침, 부항, 물리치료
- 티칭: 따뜻한 찜질 통한 근육 이완 권유

최신 연구 동향 및 임상 포인트

☑ 상지의 전체의 저림을 초래할 수 있는 질환은 크게 경추 추간판 탈출증이나 추긴공의 협착, 아니면 흉곽출구 증후군입니다. 세 질환 모두에 사각근은 항상 치료해야 합니다.

→ 도침치료 포인트

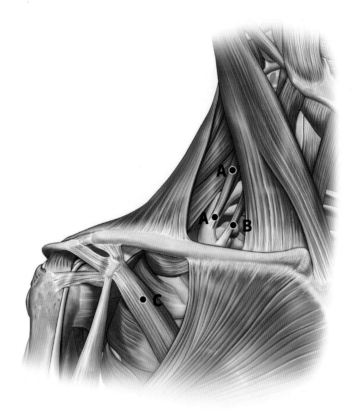

치료 포인트

환자가 첫 치료인 경우, 모든 포인트를 치료하지 않고 가장 압통이 심한 부위 2포인트를 선정하여 치료합니다. 제시된 포인트는 예시로, 모든 환자가 동일하지 않습니다. 환자가 가장 아파하고, 압통이 심하게 나타나는 곳을 개별적으로 찾아야 합니다.

1-3-4. 중사각근 압통점	A	p. 75
1-5-1. 전사각근 압통점	B	p. 95
1-5-2. 소흉근 압통점	C	p. 97

 TIPS 압통점 찾기 팁

중사각근과 전사각근이 메인입니다. 중사각근 압통점 촉진 시 중간과 하단부만 누를 것이 아니라, 중단부터 하단까지 3-4포인트로 구분하여 꼼꼼히 누르는 것이 좋습니다. 단순 압통뿐만 아니라 압진 시 팔이나 어깨, 흉부로 찌릿하게 퍼지는 통증이 재현되는 경우도 많습니다. 찌릿하게 퍼지는 포인트가 바로 치료 포인트입니다.

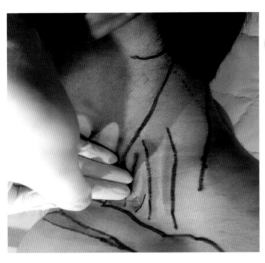 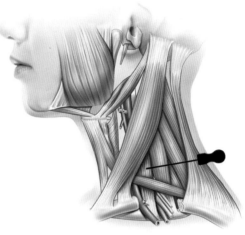

→ 전사각근(Scalenus anterior) 압통점 도침치료

📋 **촉진**	• 흉쇄유돌근 쇄골부 외측에서 만져지는 근육입니다. 먼저 중사각근을 촉진 후, 중사각근을 따라 내려오다 보면 중사각근과 흉쇄유돌근 사이에서 촉진되는 띠같은 근육이 전사각근입니다. 주로 하단부에서 압통을 찾아 치료합니다.
📋 **기시**	• C3–C6횡돌기 전결절(anterior tubercles of the transverse processes)
📋 **종지**	• 제1늑골(first rib)
📋 **도침치료**	• 체위: 앙와위로 반듯이 누운 후, 고개를 돌려 사각근이 드러나게 합니다. • 칼날 방향: 인체 종방향 • 자입 깊이: 1 cm 이내 • 주의 사항: 굉장히 얇게, 1 cm를 넘지 않게 자입 후 발침합니다. 자입 과정에서 손에 의해 조직이 눌리기 때문에 MRI에서 보는 것보다 얇게 찔러도 충분히 자극할 수 있습니다. 보조수 2, 3지로 전사각근을 고립시킨 후 자입합니다.

→ MRI로 보는 전사각근 도침치료

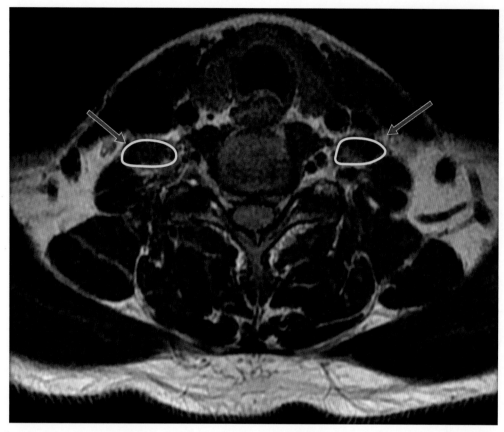

🏷 그림 1-5-1. 전사각근 하단부 도침치료. 노란 원; 전사각근. 붉은 화살표; 전사각근 도침치료 시 진침 방향. 단, MRI는 똑바로 누워서 찍은 만큼 고개를 회전시키지 않아 흉쇄유돌근이 전사각근을 덮고 있습니다. 치료 시에는 고개를 반대편으로 최대한 돌려 전사각근이 드러나게 합니다(C7 레벨 수평면, transverse plane).

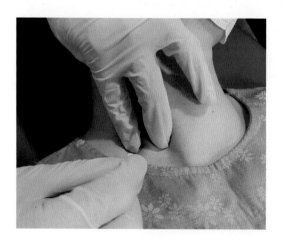

전사각근 역시 치료하려는 근육 반대편으로 고개를 최대한 돌린 후, 중사각근과 흉쇄유돌근 사이에서 촉진합니다. 자입 시 보조수의 2, 3지로 전사각근을 고립시켜서 조직을 눌러주면 1 cm 정도로 충분히 전사각근을 자극할 수 있습니다.

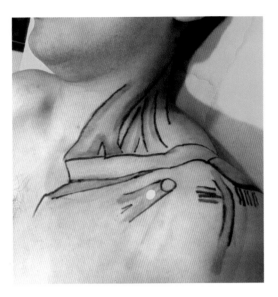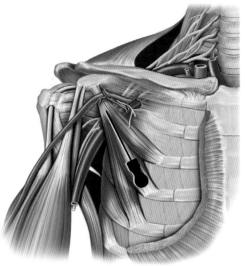

→ 소흉근(Pectoralis minor) 압통점 도침치료

📖 **촉진**	• 쇄골 하단면에서 바깥에 있는 오훼돌기를 먼저 촉진합니다. 오훼돌기에서 내측 1.5 cm, 하방 1.5 cm 근처에서 소흉근 압통점을 찾습니다. 칼날 방향과 도침의 진행방향도 정해진대로 진행해야 기흉 및 신경손상을 최소화할 수 있습니다.
📖 **기시**	• 3-5 늑골
📖 **종지**	• 견갑골의 오훼돌기(coracoid process)
📖 **도침치료**	• 도침 진행 방향: 어깨관절을 향해 외상방으로 도침을 향하게 합니다. • 칼날 방향: 액와 신경다발과 평행하게 자입합니다. • 자입 깊이: 2-3 cm • 주의 사항: 늑골 부착부 부분은 압통점이 나타나도 기흉의 위험이 있기 때문에 부항치료로 대신하며, 오훼돌기 근처의 압통점 위주로 치료합니다. 또한 오훼돌기 근처는 액와동맥과 상완신경총이 지나가므로, 손상에 주의하여 천천히 자입합니다.

→ MRI로 보는 소흉근 압통점 도침치료

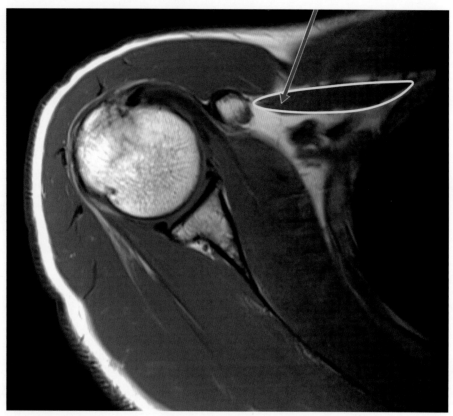

🏷 그림 1-5-2. 붉은 화살표; 소흉근의 도침치료 시 진침 방향. 노란 원; 소흉근(수평면, transverse plane)

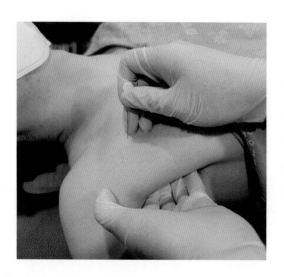

오훼돌기 외측 하방에서 진입합니다. 폐를 향해 자입하면 절대 안 되며, 어깨 관절 외측, 상방을 향해 자입해야 기흉의 위험을 낮출 수 있습니다. 좌측 사진과 같이 소흉근을 완전히 쥐어 잡고 자침하면 더욱 안전합니다.

키워드: ossification of nuchal ligament

한 장 차트 요약

특징 경추 굴곡 시 특징적으로 나타나는 경추 중앙 항인대의 통증

O/S • 급성 편타성 손상 이후, 시간이 지나 발생하는 경우가 많으나 별무 원인인 경우도 많음

C/C • 경추 굴곡 시 경추 중앙부 통증

P/E • 통증부위 압통+
• 경추부 굴곡 시 nuchal igament 부위 통증, 당김

Imaging • X-ray 상 항인대 석회화

R/O • 경추통, 경부(M5422)

Plan • 치료 기간: 2주
• 치료 목표: 경추부 통증 및 기능 개선
• 통증부위: 도침치료
• 주변부: 주변 근육 침, 부항, 물리치료
• 티칭: 경추부 자세 개선

최신 연구 동향 및 임상 포인트

✓ 힝인대의 석회화 면저이 클수록 경추의 골곡–신전 각도가 줄어듭니다. 즉 항인대 석회화가 경수 운동성 지히의 한 원인일 수 있습니다.[41]
✓ 임상적으로 굴곡 시 극돌기의 항인대 부위가 당긴다면, 항인대 석회화 내지는 긴장을 의심하고 도침치료를 시행합니다.

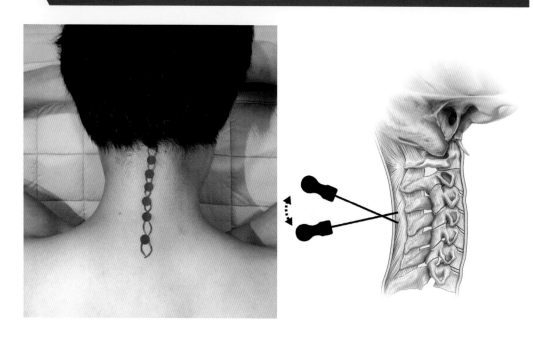

→ 경추 항인대(Nuchal ligament) 압통점 도침치료

📋 **촉진**	• 경추 극돌기 간 촉진해 압통점을 찾습니다. 환자가 직접 통증을 호소하거나, 굴곡 운동을 시켰을 때 당기고 통증을 일으키는 부분이 치료점입니다.
📋 **기시**	• 외후두융기(external occipital protuberance)
📋 **종지**	• C7 극돌기
📋 **도침치료**	• 체위: 복와위 상태로 경추를 굴곡시키지 않고 중립상태로 유지 • 칼날 방향: 인체 종방향 • 자입 깊이: 3 cm 이내, 특히 마른 여자의 경우 2 cm 이내 • 제삽 자극: 도침 끝에 강한 유착과 석회화된 조직이 느껴지면 3회 이상 제삽 자극

TIPS 치료점 찾기 팁

이 부위는 환자에게 목을 굽혀보라고 지시한 뒤, '굽힐 때 가장 당기거나 아픈부위를 짚어보세요'라고 말씀드립니다. 환자가 가장 불편해하는 포인트가 치료포인트입니다.

→ X-ray로 보는 경추부 항인대 석회화 도침치료

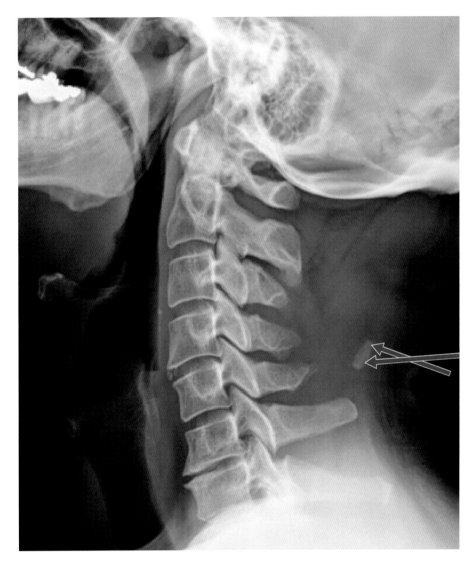

경추부 항인대는 굳이 석회화되지 않아도, 환자가 굴곡 시 단축감과 긴장을 호소하면 치료할 수 있습니다. 다만 환자가 목을 최대 굴곡하면 후궁간이 열린 상태가 되므로, 이때 도침을 4 cm 이상 깊이 자입하면 척수를 자극할 수 있습니다. 그래서 똑바로 엎드려 누운 자세에서 2-3 cm 깊이보만 자입하고, 도침 끝의 저항감을 충분히 익히도록 합니다. 마지막으로 도침날을 인체 종방향과 일치하여 인대 자체를 절개하지 않게 주의합니다.

키워드: tension type headache

한 장 차트 요약

특징
- **3개월 이상 지속되는 양측성 또는 편측성 두통**
- **긴장성 두통 중에서도 두개주변 압통과 관련이 있는 두통에서 도침치료의 효과가 좋음**

O/S
- 3개월 이상, 스트레스 등에 악화되기도 하나 별무 원인

C/C
- 머리의 조이는 듯한 통증
- 머리 뒤쪽부터 시작해 양측 측두부, 혹은 눈주변까지 통증

P/E
- 별무
- 두판상근 두반극근 압통+

Imaging
- 영상검사상 별무 소견

R/O
- 긴장형 두통(G442)
- 경추두개증후군, 후두환축부(M5301)

Plan
- 치료 기간: 2–4주
- 치료 목표: 통증완화
- 통증부위: 두판상근 및 두반극근, scm압통점 도침치료
- 주변부: 경추부 및 후두부, 측두부, 전두부 통증부위 침치료

최신 연구 동향 및 임상 포인트

✓ 두판상근과 두반극근 정도만 치료해도 치료효과를 충분히 얻을 수 있습니다. 두 근육을 도침치료 해도 반응이 없다면 근육 이외에 다른 요인을 생각해 보는 것이 좋습니다. 하두사근, 상두사근, 대후두직근, 소후두직근 같은 경우 경추 심부 조직을 도침치료할 수도 있지만 위험대비 이익이 높지 않아 추천하지 않습니다. 눈주변 관자놀이의 통증을 호소하는 경우 scm과 함께 측두근을 직접치료하는 것도 좋습니다.

→ 도침치료 포인트

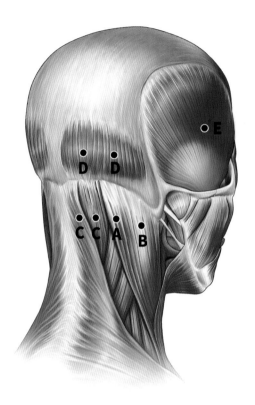

치료 포인트

환자가 첫 치료인 경우, 모든 포인트를 치료하지 않고 가장 압통이 심한 부위 2포인트를 선정하여 치료합니다.

1-3-5. 두판상근 압통점	A	p. 78
1-3-6. 흉쇄유돌근 압통점	B	p. 80
1-3-3. 두반극근, 경반극근 압통점	C	p. 71
1-7-1. 후두근 압통점	D	p. 104
1-7-2. 측두근 압통점	E	p. 105

 압통점 찾기 팁

뒷목부터 시작되는 두통은 후두환축부에서 압통점을 찾습니다. 두판상근뿐만 아니라 반극근도 두통을 잘 일으키기 때문에 꼼꼼히 촉진합니다. 턱관절에도 통증이 있으나 한번 더 체크하여 침치료 해주시면 좋습니다. 편두통 위주인 경우 측두근과 흉쇄유돌근의 압통점을 찾아봅니다.

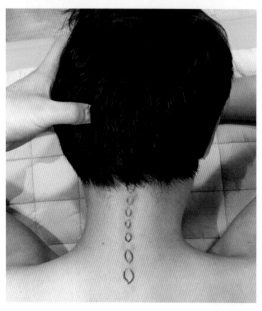
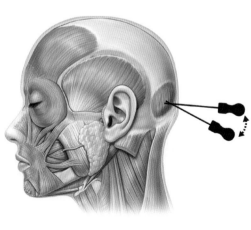

후두근(Occipital belly) 압통점 도침치료

촉진	• 상항선 위 압통점
기시	• 상항선(superior nuchal line)의 외측 2/3 • 유양돌기(mastoid process)
종지	• 모상건막(epicranial aponeurosis)
도침치료	• 칼날 방향: 인체 종방향 • 자입 깊이: 뼈까지 • 주의 사항: 두피는 출혈이 많고 잘 보이지 않는 만큼 잘 지혈해 줍니다.

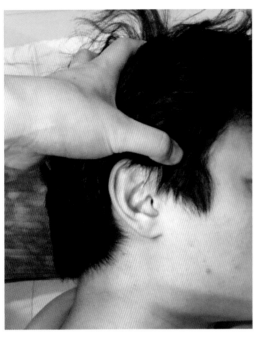
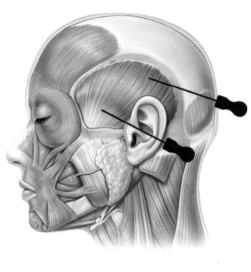

→ 측두근(Temporalis) 압통점 도침치료

📋 **촉진**	• 입을 벌린 후 하악골을 거상시킬 때 얼굴 옆면 부위에서 만져지는 근육의 압통점
📋 **기시**	• 측두와(temporal fossa) • 측두근막(temporal fascia)
📋 **종지**	• 하악골 근돌기(coronoid process)
📋 **도침치료**	• 칼날 방향: 근육결과 평행하게, 인체 종방향 • 자입 깊이: 1–2 cm • 주의 사항: 지혈에 주의가 필요한 혈위입니다. 관자놀이 부근의 측두근을 심자할 경우 외익상근까지 자극할 수 있습니다. 턱관절 증후군 경우가 아니라면 외익상근까지 실자할 필요는 없습니다.

키워드: chronic cervical radiculopathy, hard cervical disc disease, cervical spondylosis 🔍

한 장 차트 요약

📋 특징
- Uncovertebral joint나 cervical facet joint, cervical inververtebral disc의 퇴행성 변화로 나타나는 말초 신경압박 증상
- 퇴행성 경추 추간판 탈출증으로 분류될 수도 있으나 그 원인자체가 골성 변화인 경우도 많아 chronic cervical radiculopathy 증상으로 분류함

📋 O/S
- 만성

📋 C/C
- 경추통증과 함께 나타는 상지방사통, 저림, 심하면 손의 근력 저하
- Dermatome에 따라 발생하는 경우 많음

📋 P/E
- Spurling test+
- 압박된 신경근에 따라 supinator reflex (C4/5), biceps reflex (C5/6), triceps reflex (C6/7) 저하

📋 Imaging
- Neural foramen의 협착소견
- Intervertebral disc space의 감소

📋 R/O
- 신경관의 추간판 협착, 경추부위(M9951)
- 신경뿌리병증을 동반한 경추간판 장애(M501)
- 상세불명의 신경통 및 신경염, 목(M7928)

📋 Plan
- 치료 기간: 4–8주
- 치료 목표: 경추 추간공의 넓이 확장, 경추 후관절
- 주변 조직 유착완화 및 이완
- 통증부위: 경추부 후관절 도침
- 주변부: 경추 주변 근육 침, 부항, 물리치료
- 티칭: 자세교정, 스트레칭 등

최신 연구 동향 및 임상 포인트

- ✓ 경추에서 기인하는 상지방사통의 발병원인 중 70–75%는 추간판높이감소와 후관절, 구추관절(uncovertebral joints)의 비대로 인한 추간공의 협착이며, 추간판 탈출에 의한 경우는 20–25%에 불과합니다.[22]
- ✓ C6/7, C5/6에서 신경근의 압박이 대부분입니다.[22]

→ **도침치료 포인트**

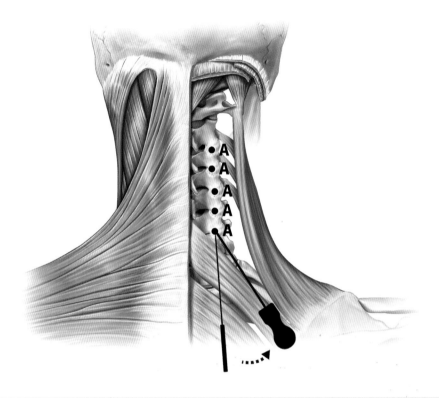

치료 포인트

환자가 첫 치료인 경우, 모든 포인트를 치료하지 않고 가장 압통이 심한 부위 2포인트를 선정하여 치료합니다.

1-4-1. 후관절 압통점	**A**	**p. 84**
1-3-4. 중사각근 압통점	**1-3-4 참조**	**p. 75**
1-5-1. 전사각근 압통점	**1-5-1 참조**	**p. 95**

필요시 경추부 근육 압통점 추가 치료

 압통점 찾기 팁

만성경추 신경근 병증은 후관절 치료가 필수적입니다. 하지만 근육긴장을 겸하고 있는 경우가 많기 때문에 사각근의 압통점도 함께 찾아 치료합니다. 압통점을 찾을 때 환자의 증상을 청취하여 문제가 되는 척추 레벨을 먼저 추스리고, 그 위 아래 모든 분절을 꼼꼼히 촉진해야 합니다. 압통이 있다면 모두 치료하는 것이 좋지만, 부위가 너무 많으면 부작용 관리가 어려우니 1-2포인트 위주로 여러 날에 걸쳐 치료하는 것을 권유합니다.

만성 경추 신경근 병증의 치료 전략

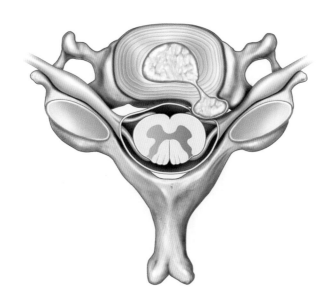

만성 경추 신경근 병증은 신경근 후면의 후관절이나 앞쪽에 위치한 구추관절(un-covertebral joint)의 비후, 디스크의 돌출 등으로 인해 신경근이 압박되어 나타나는 일련의 증상들입니다.

경추 신경근 병증은 경추 추간판 탈출증에 비해 발생이 급격하지 않고 오래된 경우가 많습니다. 증상은 환자에 따라 다르나, 급성 경추 추간판 탈출증 환자에서는 당장의 일상생활이 불가능할 정도의 불편감과 통증이 나타납니다. 만성 경추 신경근 병증 환자에서는 일상생활은 가능한 정도의 통증이 많습니다.

치료는 압박된 경추 신경근을 이완시켜주는 것입니다. 관절은 통증이 나타나면 1차적으로 주변 근육을 긴장시키기 때문에, 병변이 발생한 척추관절 주변의 근육이 만성적으로 단축되어 있는 경우가 많습니다. 또한 장기간의 근육단축과 통증으로 인한 운동성 저하로 후관절 부위 관절낭의 비후와 유착이 발생하게 됩니다.

결론적으로 후관절에 대한 도침치료와 주변 근육의 도침치료를 통해 증상을 개선시키면 만족스럽게 호전되는 경우가 많습니다.

키워드: acute cervical disc herniation

한 장 차트 요약

특징 극심한 목통증과 비교적 dermatome을 따라 나타나는 상지의 저림과 근력이상 등 신경학적 이상증상을 보임. 특정 체위 시 목통증이 매우 심해지며, 심한 경우 머리의 무게 때문에 앉아있거나 서있기 힘들어 함

O/S • 급성 외상 이후에 나타나나 별무 원인인 경우가 많음

C/C • 심한 목통증과 나타나는 상지의 신경학적 증상
• 저림, 감각이상, 근력저하 등

P/E • Spurling test+
• Hoffman reflex → 항진 시 척수압박소견(상위운동신경장애)
• Knee reflex test → 항진 시 척수압박소견(상위운동신경장애)
• 척수압박소견이나 사지의 근력저하 나타날 경우 3차병원 전원 요망

Imaging • MRI 상 herniated nucleus pulposus 관찰

R/O • 신경뿌리병증을 동반한 경추간판 장애(M501)
• 척수병증을 동반한 경추간판 장애(M500)
• 상세불명의 경추간판 장애(M509)

Plan • 치료 기간: 4-8주
• 치료 목표: 통증 소실
• 통증부위: 해당 레벨 경추 후관절
• 주변부: 경추부 주변 근육 이완 위한 침, 부항, 물리치료
• 티칭: 절대안정, neck collar를 통한 경추의 고정을 시도. 근력약화와 척수압박소견이 없다면 보존적 치료를 우선 시도

최신 연구 동향 및 임상 포인트

✓ 척수압박소견이나 점점 악화되는 근력약화(motor deficit)가 없다면 6-12주는 보존적 치료가 추천됩니다.[22]

→ 도침치료 포인트

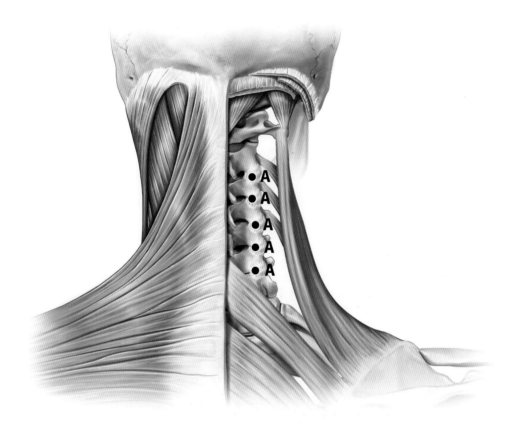

치료 포인트

환자가 첫 치료인 경우, 모든 포인트를 치료하지 않고 가장 압통이 심한 부위 2포인트를 선정하여 치료합니다.

1-4-1. 후관절 압통점	A	p. 84
1-3-4. 중사각근 압통점	1-3-4 참조	p. 75
1-5-1. 전사각근 압통점	1-5-1 참조	p. 95

 압통점 찾기 팁

급성 디스크는 압통도 중요하지만, 방사통이 더 중요하며 실제 디스크가 탈출한 레벨의 후관절을 향해 자입합니다. 다만 급성인 만큼 후관절의 퇴행성이 진행된 상태가 아니니 강하게 후관절을 자극하기보다는 가볍게 본터치하고 나오는 정도로 자극해 주변 근육을 풀어주는 것이 좋습니다.

→ 급성 경추 추간판 탈출증의 치료전략

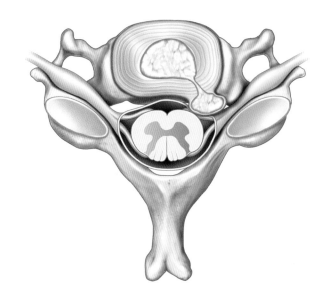

급성 경추 추간판 탈출증은 흔히 말하는 soft disc 증상으로, 경추 추간판의 수핵이 흘러나와 발생합니다. 증상의 발생이 급격하며 자세에 따른 극심한 통증과 상지 저림을 호소합니다. 심한 경우 환자는 똑바로 앉아있지 못하고 특정 자세로 누워야만 통증이 줄어들기 때문에 밥도 제대로 먹지 못하고 화장실에 가는 것도 힘들어 합니다.

이런 환자가 내원하였을 때 첫 번째로 보존적 치료의 가능 여부를 판단해야 합니다. 첫 번째로 하지 저림이나 하지의 근무력, 슬개건 반사 항진과 같은 척수증이 없는지 확인해야 합니다. 두 번째로 수핵탈출로 인한 상지의 근력 저하가 없는지 확인합니다. 척수의 압박이 있거나 상지의 근력이 저하된 경우 수술이 가능한 병원으로 전원하는 것이 좋습니다.

척수증과 운동 신경 침범증상이 없다면 한방치료를 시도해야 합니다. 경추수술을 하기 전 도침치료는 위험대비 이익이 충분해 시도할 가치가 있습니다. 주변 근육이완을 위한 후관절 및 근육의 도침치료를 주에 2회 정도 실시하고, 나머지 기간에는 봉침과 선침을 시행하여 염증과 통증을 최소화합니다. 안정이 필수적이며 neck collar를 통해 목을 고정시킵니다.

마지막으로 급성 경추 추간판 탈출증의 경우 침상 안정이 필수적이기 때문에 입원 시설이 없는 일반 외래에서 이러한 환자를 끌고가기는 어렵습니다.

키워드: Fibromyalgia 🔍

한 장 차트 요약

📑 **특징**　　전신질환, 대칭적인 전신 특정 부위의 통증과 함께 무기력 및
　　　　　　수면 인지장애 동반

📑 **O/S**
- 적어도 3개월 이상(필수 진단 기준[23])

📑 **C/C**
- 전신 여러 부위에 걸친 대칭적인 통증
- 다른 질환으로 설명되지 않는 증상
- 피로와 인지기능장애, 기상 시 불쾌감 등을 동반해야 함

📑 **P/E**
- 이학적 검사상 별무 소견

📑 **Imaging**
- 영상의학적 검사상 별무 소견

📑 **R/O**
- 섬유근통, 여러 부위(M7970)
- 섬유근통, 어깨 부분(M7971)

📑 **Plan**
- 치료 기간: 8주 이상
- 치료 목표: 통증 완화
- 통증부위: 통증부위 압통점 도침치료
- 주변부: 주변 근육 긴장 완화 위한 침, 부항, 물리치료
- 티칭: 가벼운 유산소 운동과 한약복용 티칭

최신 연구 동향 및 임상 포인트

✓ 유병률은 2%, 여성이 남성에 비해 7배 정도 높게 나타납니다.[24]
✓ 근막통증증후군과 동일하며, 압통점에 따라 치료합니다. 추가로 섬유근육통은 '근육통증 + 전신증상'이므로, 도침치료 이외에 약물과 같은 추가적인 처치가 들어가줘야 합니다.

→ 도침치료 포인트

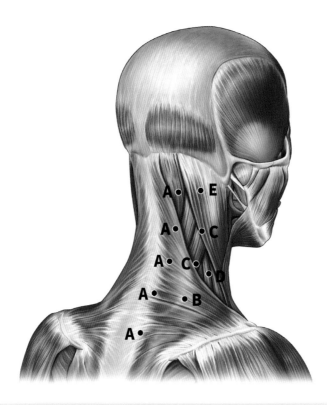

치료 포인트

환자가 첫 치료인 경우, 모든 포인트를 치료하지 않고 가장 압통이 심한 부위 2포인트를 선정하여 치료합니다. 제시된 포인트는 예시로, 모든 환자가 동일하지 않습니다. 환자가 가장 아파하고, 압통이 심하게 나타나는 곳을 개별적으로 찾아야 합니다.

1-3-1. 승모근 압통점	B	p. 65
1-3-2. 견갑거근 압통점	C	p. 68
1-3-3. 두반극근, 경반극근 압통점	A	p. 71
1-3-4. 중사각근 압통점	D	p. 75
1-3-5. 두판상근 압통점	E	p. 78

 압통점 찾기 팁

섬유근육통은 본인의 증상에 많이 의존하는 질환입니다. 그렇기 때문에 환자가 직접 아프다고 호소하는 곳을 직접 치료해 주는 것이 가장 효율적입니다. 가장 아픈 곳을 직접 손으로 찍어보라고 한 뒤 안전한 범위 내에서 도침치료를 해주시면 됩니다.

→ 섬유근육통의 치료전략

섬유근육통과 근막통증증후군이야말로 도침의 적응증이며, 이 두 질환을 치료하기 위해 한의원을 내원하는 분들이 정말 많습니다. 하지만 이런 환자들을 여기저기 아프고 잘 안 낫는 피곤한 환자로 생각하고 치료하면 치료에 실패하는 경우가 많습니다. 단순히 압통점에 치료해라가 아닌 전체적인 전략을 공유해 보겠습니다.

첫째, 환자와 소통하며 압통점을 찾습니다. 근막통증증후군이나 섬유근육통 환자들은 그 원인이 무엇이든 간에 본인이 가장 불편하고 아픈 포인트가 명확히 있습니다. 하지만 기존의 병원에서 그것을 제대로 치료해주지 못하거나, 아니면 기존 치료를 답습하듯 일반적인 치료만 해줘 다른 병원에 불만족하고 오는 경우가 많습니다. 환자가 가장 아픈 포인트와 가장 긴장이 심한 포인트에 정확히 도침을 치료해 줍니다. 다만 포인트가 너무 많아지거나, 충분히 강한 자극을 가했는데도 환자가 계속적으로 강한 자극만을 원한다면 환자의 상태나 혈종 발생 가능성 등을 염두하여 자극량은 조절해야 합니다.

둘째, 다른 약물치료와 병행합니다. 섬유근육통과 중증의 근막통증증후군은 근골격계 문제뿐만 아니라 중추신경계의 통증 억제 작용의 약화, 중추 감작과 같은 만성적인 통증 병리의 악화로 통증이 지속되거나 악화되는 경우가 많습니다. 기존에 약물치료를 받고 있고 어느 정도 효과가 있다면 약물을 무조건 중단하기보다는 함께 하는 것이 좋습니다. 또한 억간산과 같은 한약도 변증에 따라 처방해 볼 만합니다. 단순한 근골격계 질환으로만 접근하면 한계가 있습니다.

셋째, 환자가 일상생활로 복귀할 수 있게 격려합니다. 이런 난치성 만성 통증 환자들은 여러 병원을 전전하며 치료에 매달리느라 일상적인 생활이 이미 무너진 경우가 많습니다. 이 정도 상태가 되면 이미 유명한 대학병원은 모두 다녀왔으며, 오직 통증을 치료하기 위해 전국을 돌아다니며 통증 치료 자체가 삶의 목적으로 변합니다. 가족과의 관계나 직업도 이미 파탄난 경우도 많습니다. 도침치료를 통해 어느정도 통증이 잡혀가면, 서서히 환자가 일상생활로 돌아갈 수 있게 독려해 줍니다. 제가 치료한 난치성 통증 환자들의 경우, 오랜 교감과 치료를 통해 통증치료에만 매달리는 생활을 벗어나 서서히 일상으로 돌아감으로써 비로소 모든 통증이 없어지는 경우가 많았습니다.

참고문헌

1. Jo HG, Song MY, Yoon SH, Jeong SY, Kim JH, Baek EH, et al. Proposal of checklists for patient safety in miniscalpel acupuncture treatment of cervical and lumbar spine: pilot trial. J Korean Med Rehabi 2018;28:61-72.

2. Cleland JA, Koppenhaver S, Su J. 통증치료를 위한 알기 쉬운 근골격계 이학적 검사법. 제3판. 역: 김세영, 김연동, 김형태, 변경조. 메디안북; 2017.

3. 김지형. 일차진료의를 위한 정형외과: 진단과 치료. 제2판. 대한의학; 2016.

4. Quintner JL, Bove GM, Cohen ML. A critical evaluation of the trigger point phenomenon. Rheumatology 2015;54:392-9.

5. Liu T, Peng Y, Zhu S, Chen H, Li F, Hong P, et al. Effect of miniscalpel-needle on relieving the pain of myofascial pain syndrome: a systematic review. J Tradit Chin Med 2015;35:613-9.

6. Li X, Wang R, Xing X, Shi X, Tian J, Zhang J, et al. Acupuncture for myofascial pain syndrome: a network meta-analysis of 33 randomized controlled trials. Pain Physician 2017;20:E883-902.

7. Li S, Shen T, Liang Y, Zhang Y, Bai B. Effects of miniscalpel-needle release on chronic neck pain: a retrospective analysis with 12-month follow-up. PLoS One 2015;10:e0137033.

8. Wang C, Xiong Z, Deng C, Yu W, Ma W. Miniscalpel-needle versus triggerpoint injection for cervical myofascial pain syndrome: a randomized comparative trial. J Altern Complement Med 2007;13:14-6.

9. Ma C, Wu S, Li G, Xiao X, Mai M, Yan T. Comparison of miniscalpel-needle release, acupuncture needling, and stretching exercise to trigger point in myofascial pain syndrome. Clin J Pain 2010;26:251-7.

10. Zhang Y, Du NY, Chen C, Wang T, Wang LJ, Shi XL, et al. Acupotomy alleviates energy crisis at rat myofascial trigger points. Evid Based Complement Alternat Med 2020;2020:5129562.

11. 양현정, 박해인, 이광호. MRI를 통한 풍부혈(GV16)의 안전 자침 깊이에 대한 연구. 대한침구의학회지 2015;32:11-6.

12. Snell RS. Clinical anatomy by regions. 9th ed. Philadelphia (PA): Lippincott Williams & Wilkins; 2011.

13. Lee MJ, Riew KD. The prevalence cervical facet arthrosis: an osseous study in a cadveric population. Spine J 2009;9:711-4.

14. Kalichman L, Hodges P, Li L, Guermazi A, Hunter DJ. Changes in paraspinal muscles and their association with low back pain and spinal degeneration: CT study. Eur Spine J 2010;19:1136-44.

15. Han KR, Kim C, Park SK, Kim JS. Distance to the adult cervical epidural space. Reg Anesth Pain Med 2003;28:95-7.

16. Dwyer A, Aprill C, Bogduk N. Cervical zygapophyseal joint pain patterns I: a study in normal volunteers. Spine 1990;15:453-7.

17. Dunlop RB, Adams MA, Hutton WC. Disc space narrowing and the lumbar facet joints. J Bone Joint Surg Br 1984;66:706-10.

18. Lewin T. Thord. Osteoarthritis in lumbar synovial joints: a morphologic study. Acta Orthop Scand Suppl 1964;Suppl73:1-112.

19. Boszczyk BM, Boszczyk AA, Korge A, Grillhösl A, Boos WD, Putz R, et al. Immunohistochemical analysis of the extracellular matrix in the posterior capsule of the zygapophysial joints in patients with degenerative L4-5 motion segment instability. J Neurosurg 2003;1:27-33.

20. Eisenstein SM, Parry CR. The lumbar facet arthrosis syndrome: clinical presentation and articular surface changes. J Bone Joint Surg Br 1987;69:3-7.

21. Tsai YL, Weng MC, Chen TW, Hsieh YL, Chen CH, Huang MH. Correlation between the ossification of nuchal ligament and clinical cervical disorders. Kaohsiung J Med Sci 2012;28:538-44.

22. Carette S, Fehlings MG. Clinical practice: cervical radiculopathy. N Engl J Med 2005;353:392-9.

23. Wolfe F, Clauw DJ, Fitzcharles MA, Goldenberg DL, Katz RS, Mease P, et al. The American College of Rheumatology preliminary diagnostic criteria for fibromyalgia and measurement of symptom severity. Arthritis Care Res 2010;62:600-10.

24. Wolfe F, Ross K, Anderson J, Russell IJ, Hebert L, et al. The prevalence and characteristics of fibromyalgia in the general population. Arthritis Rheum 199;38:19-28.

2 어깨

2-1. 어깨 질환의 감별진단

표 2-1-1. 어깨 질환 감별을 위한 이학적 검사

진단	병력	이학적 검사
어깨 충돌증후군	어깨 외전 시 통증	Hawkins–Kennedy test+
회전근개 파열	어깨의 가동범위 감소, 저항 운동 시 통증, 근력약화, 야간통, 60세 이상	Empty can test+ Bear hug test+
석회화 건염	갑작스럽게 발생한 심한 통증과 동작 제한	회전근개 부착부 압통
견봉쇄골관절염	어깨를 완전히 외전할 때 견봉쇄골관절 부위의 통증	Cross body test+
오십견 (유착성 관절낭염)	어깨의 운동범위가 점차 감소, 통증 부위가 애매함, 45세 이상	수동운동범위 감소
관절와순 손상	어깨 외전과 외회전 시 통증과 어깨가 빠질 것 같은 느낌	Anterior apprehension test+

대다수의 어깨 질환에서 외전 시 봉승과 운동장애가 함께 나타납니다. 회전근개 손상 시 충돌증후군은 대개 함께 나타나기 때문에 어깨는 감별진단이 간단하지 않아 이학적 검사를 꼭 시행해야 합니다. 한의원에 가장 많이 내원하는 증상은 어깨 충돌증후군, 회전근개 손상, 오십견으로 불리는 유착성 관절낭염입니다. 진단과 이학적 검사를

통해 수술이 필요한 회전근개 손상을 감별해 내고, 환자의 병력을 세세히 청취해 유착성 관절낭염을 감별해야 합니다. 특히 유착성 관절낭염이 초기일 경우 이학적 검사만으로 감별 진단이 어렵기 때문에, 유착성 관절낭염이 의심되면 초기에 가능성을 설명해 주는 것이 좋습니다.

표 2-1-2. 회전근개 파열이나 어깨관절 근육통에서 문제가 발생한 근육을 특정하기 위한 이학적 검사

진단	문제 근육
Empty can test	극상근의 손상 혹은 근육통
Infraspinatus test	극하극의 손상 혹은 근육통
Bear hug test	견갑하근의 손상 혹은 근육통

→ 어깨 이학적 검사 민감도 특이도[1]

이학적 검사	민감도	특이도
Hawkins–kennedy test	0.71	0.66
Horizontal adduction test	0.22	0.82
Neer test	0.68	0.68
Drop–arm test	0.27	0.88
Full can test	0.71	0.68
Painful arc test	0.74	0.81
Empty can test	0.44	0.90
Palpation of tendon defect	0.96	0.97
Infraspinatus test	0.42	0.90
Patte's test	0.92	0.30
Bear hug test	0.60	0.92
Belly–press test	0.40	0.98
Lift–off test	0.45	0.69
Napoleon test	0.25	0.98

키워드: impingement syndrome, subacromial bursitis

한 장 차트 요약

특징
- 팔을 올릴 때 나타나는 통증으로 한의원에서 많이 만나는 어깨통증 원인
- 회전근개 파열과 동반되어 나타나기도 함

O/S
- 공 던지기나 배드민턴 같은 overhead activity 후 나타나는 경우가 많으나 아무 원인 없이 나타나기도 함

C/C
- 외전 시 통증, 통증로 인한 외전의 제한, painful arc+
- AND 견봉하 점액낭의 압통
- OR 야간통 OR 전방굴곡이나 신전, 내회전은 정상

P/E
- Hawkins–kennedy test+
- Neer test+
- Painful arc test+
- 이외 회전근개 손상이나 견쇄관절통을 의미하는 검사는 음성

Imaging
- 초음파 상 견봉하 점액낭의 염증소견
- 견봉하 점액낭의 염증소견(T2 high signal)

R/O
- 어깨의 충격증후군(M754)
- 윤활낭염 NOS, 어깨부분(M7191)

Plan
- 치료 기간: 급성 2주, 만성 4주
- 치료 목표: 염증완화, 어깨주변 경직된 근육 이완
- 통증부위: 급성은 침치료 위주, 만성인 환자는 도침치료 요망
- 주변부: 부항과 물리치료로 회전근개 및 전거근, 능형근, 승모근, 광배근 등 견갑골 주변 근육 이완
- 티칭: 2주간 통증 완화 시까지 overhead activity 금지, Icepack(특히 night pain 심할 때, 30분 이상), 스테로이드 주사는 건의 약화를 가져올 수 있음

최신 연구 동향 및 임상 포인트

- ✓ 충돌증후군의 원인이 실제 acromion과 힘줄의 관절 내 충돌로 인한 것인지는 논란이 있습니다.[2]
- ✓ 지속적으로 염증을 일으키는 요인(overhead activity)에 대한 확실한 금지와 함께 보존적 치료를 시행하면 양호한 치료 효과를 얻을 수 있습니다.

⟶ 도침치료 포인트

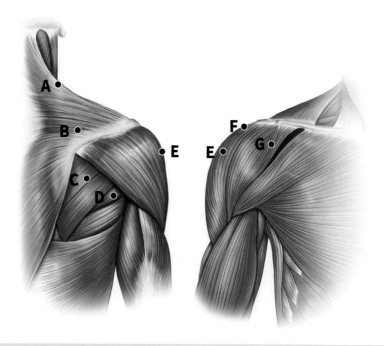

치료 포인트

환자가 첫 치료인 경우, 모든 포인트를 치료하지 않고 가장 압통이 심한 부위 2포인트를 선정하여 치료합니다.

1-3-1. 승모근 압통점(경추파트)	A	p. 65
2-2-1. 극상근 압통점	B	p. 122
2-2-2. 극하근 압통점	C	p. 125
2-2-3. 소원근 압통점	D	p. 127
2-2-4. 삼각근 압통점	E	p. 129
2-2-5. 견봉하 점액낭 압통점	F	p. 131
2-2-6. 견갑하근 건부착부 압통점	G	p. 133

TIPS 압통점 찾기 팁

어깨 충돌증후군에서 가장 중요한 압통점은 극상근과 극하근입니다. 그 두 근육 위주로 치료합니다. 다만 충돌증후군이 오래되면 주변 근육인 승모근과 삼각근의 긴장이 나타나며, 견봉하 점액낭의 유착도 관찰됩니다. 정말 오래되면 이두근과 삼두근의 압통과 통증도 나타나는 만큼 병기를 고려하여 압통점을 찾습니다.

→ 어깨관절 통증, 근육의 긴장과 근육의 약화를 필히 구분해야 합니다.

Laxity

관절낭과 주변 근 인대 등이 급성으로 손상되었거나, 선천적으로 근육이 약해서 관절의 운동범위가 과하고 관절이 불안정한 경우

↘ **테이핑, 고정, 강화 운동**

Constriction

손상이나 고정 후 관절낭이 두꺼워지고 수축해(thickening and shortening) 운동성을 상실, 관절염 등

↘ **침, 도침**

많은 근골격계 질환에서 근육의 긴장이 많기 때문에 근육이나 관절 주변 조직을 이완시키는 치료를 많이 하지만 어깨통증에서는 주의해야 하며, 특히나 비교적 젊은 여자환자는 회전근개 근육 약화로 인한 관절 통증이 많습니다. 이런 환자는 이완치료만 하면 더 아파집니다. 약해진 근육은 긴장도 쉽기 되기 때문에 근긴장을 먼저 가볍게 풀어주고, 이후엔 강화를 위한 운동과 테이핑이 반드시 필요합니다.

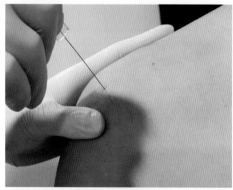

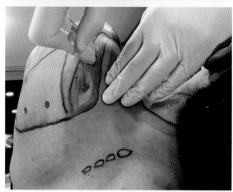

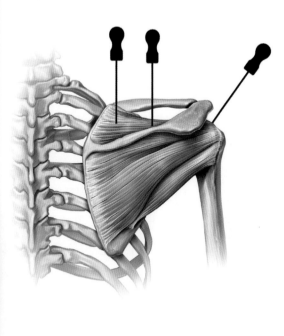

━→ 극상근(Supraspinatus) 압통점 도침치료

📋 촉진	• 근복: 극상와에서 압통점을 촉진합니다.
	• 건 부착부: 상완골 대결절의 윗부분

📋 기시	• 극상와(supraspinatus fossa)

📋 종지	• 상완골 대결절의 윗부분(greater tubercle of humerus)

📋 도침치료	근복	• 칼날 방향: 극상근 주행방향
		• 자입 깊이: 뼈까지
		• 주의 사항: 기흉에 주의하며, 견갑골의 극상와를 정확히 촉진하여 자침합니다.
	건 부착부	• 칼날 방향: 건 주행방향과 일치하는 인체 종방향
		• 자입 깊이: 뼈까지

→ MRI로 보는 극상근 도침치료

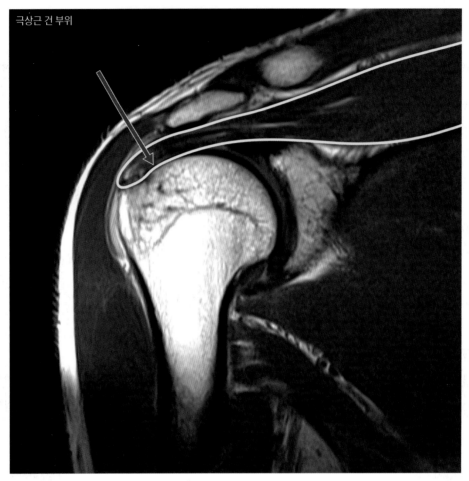

극상근 건 부위

🏷 그림 2-2-1. 극상근 건 부착부 도침치료. 노란 부분; 극상근. 붉은 화살표; 도침 진입 방향(관상면, coronal plane)

극상근 건 부위 도침치료는 정확히 건 부착부 압통점을 찾은 뒤, 건 섬유의 주행방향과 평행하게 자입하여 건의 손상을 최소화합니다.

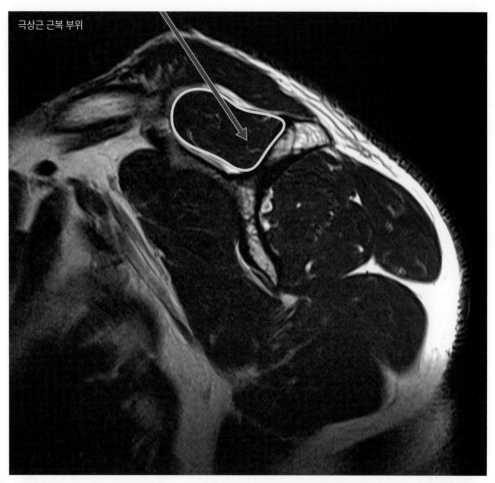
극상근 근복 부위

🔖 그림 2-2-2. 극상근 근복부 도침치료. 노란 부분; 극상근. 붉은 화살표; 도침 진입 방향(시상면, sagittal plane)

극상근 근복부 도침치료 시, 뒤에서 앞으로 자입하면 견갑골의 견갑상 절흔을 지나쳐 기흉을 일으킬 수 있습니다. 그래서 붉은색 화살표처럼 위에서 아래로 견갑극 윗면을 맞춘다는 느낌으로 자입하면 안전합니다.

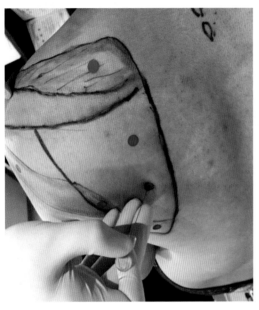
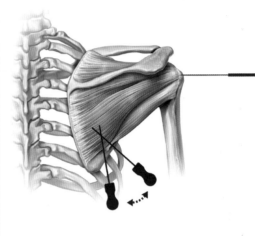

→ 극하근(Infraspinatus muscle) 압통점 도침치료

📋 **촉진**	• 근복: 견갑골의 극돌기하와에서 촉진하여 압통점을 찾습니다. • 건 부착부: 상완골의 대결절 후방의 압통점을 촉진합니다.	
📋 **기시**	• 견갑골 극하와(infraspinatus fossa)	
📋 **종지**	• 상완골 대결절의 중간부분(greater tubercle of the humerus)	
📋 **도침치료**	근복	• 칼날 방향: 극하근 근섬유 방향과 평행 • 자입 깊이: 뼈까지 • 주의 사항: 견갑골의 내측경계, 외측경계, 견갑극을 확실히 촉진하여 기흉을 주의합니다.
	건 부착부	• 칼날 방향: 건 주행 방향과 평행 • 자입 깊이: 뼈까시

→ MRI로 보는 극하근 도침치료

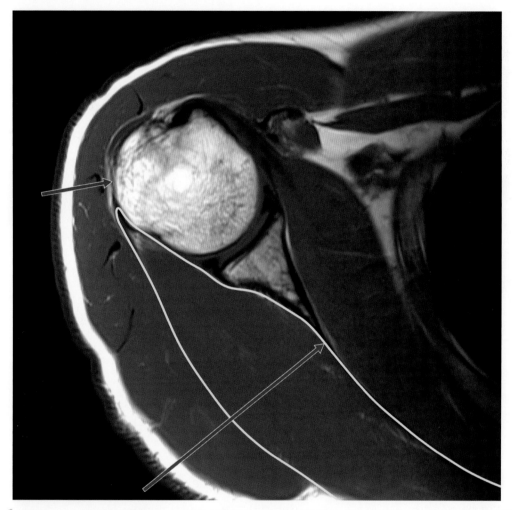

🏷 그림 2-2-3. 극하근 건부착부 및 근복부 압통점 도침치료. 노란 부분; 극하근 근복부. 붉은 화살표; 도침 진
입 방향(수평면, transverse plane)

　　극하근 자입은 어렵지 않습니다. 다만 어깨를 완전히 외전시킨 상태에서 자입하면
견갑골이 외측으로 많이 돌아가기 때문에, 견갑골의 하각과 내상각, 내측 견갑 경계를
확실히 촉진 후 자입합니다.

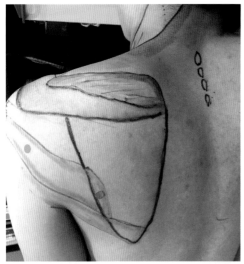

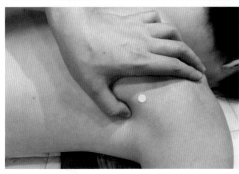

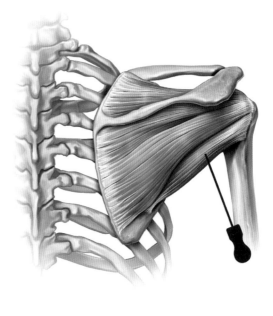

→ 소원근(Teres minor) 압통점 도침치료

📖 **촉진**	• 견관절을 외전, 외회전시킨 상태에서 삼각근 견갑극 부위의 깊은 층 옆에서 촉진하며 압통점을 찾습니다.
📖 **기시**	• 견갑골 외측연의 상부 2/3 (lateral border of scapula)
📖 **족지**	• 상완골 대결절의 아랫부분(greater tubercle of the humerus)
📖 **도침치료**	• 체위: 복와위에서 견관절을 외전, 외회전시킨 자세 • 칼날 방향: 소원근 주행방향과 일치 • 자입 깊이: 견갑골 부착부는 뼈까지, 근복 부위는 삼각근을 지나 3–4 cm 자입 • 주의 사항: 소원근의 견갑골 부착부를 자입 시에는 기흉에 주의하여 도침의 방향이 안에서 바깥쪽을 향하게 합니다.

→ MRI로 보는 소원근 도침치료

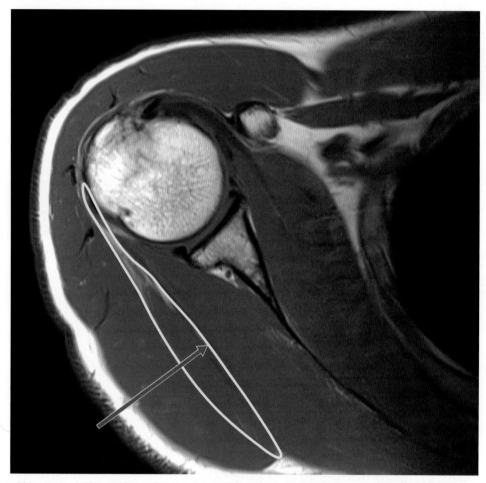

🏷️ 그림 2-2-4. 소원근 근복부 도침치료. 노란 부분; 소원근. 붉은 화살표; 도침 진입 방향(수평면, transverse plane)

　소원근은 촉진만 잘하면 자입은 그리 어렵지 않습니다. 팔을 90도 정도 이전시킨 상태에서, 견갑골 외측연에서 시작해 상완골로 부착되는 근섬유를 찾습니다. 소원근 중 압통점을 찾아 근섬유 방향으로 자입합니다. 자입 중 액와신경을 자극할 수 있기 때문에 천천히 진입합니다.

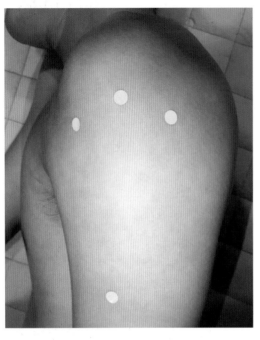
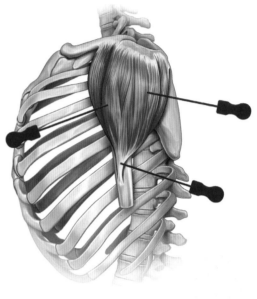

삼각근(Deltoid) 압통점 도침치료

📄 촉진	• 팔을 외전시킬 때 힘이 들어와 도드라지는 근육이 삼각근입니다. • 삼각근 근복의 압통점이나 삼각근 조면의 압통점을 찾아 자입합니다.
📄 기시	• 쇄골 바깥쪽 1/3 (lateral third of the clavicle) • 견봉(acromion) • 견갑극(spine of the scapula)
📄 종지	• 상완골의 삼각근조면(deltoid tuberosity)
📄 도침치료	• 칼날 방향: 삼각근 근섬유 방향 • 자입 깊이: 근복부 경결점까지 자입, 뼈까지 자입 시 회선동맥 및 액와신경의 손상이 있을 수 있습니다. 삼각근 부착부는 뼈까지 자입해도 무방합니다. 수보 신경과 동맥이 지나가는 싱완골두 및 상완골의 neck 근치는 근복 위주로 치료합니다.

→ MRI로 보는 삼각근 도침치료

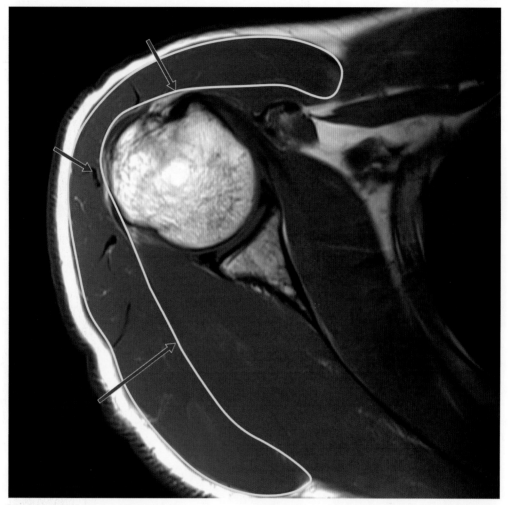

🏷 그림 2-2-5. 삼각근 근복부 압통점 도침치료. 노란 부분; 삼각근. 붉은 화살표; 도침 진입 방향(수평면, transverse plane)

삼각근은 자입이 매우 쉬운 근육 중 하나입니다. 다만 근육이 비교적 큰 편이니 압통점을 꼼꼼히 찾습니다. 광범위한 지역의 압통점을 빨리 찾기 위해서는 우선 환자에게 가장 아픈 곳을 지정해보라고 하는 것이 좋습니다.

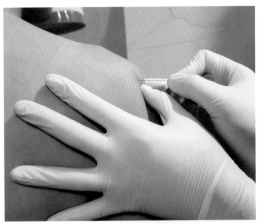

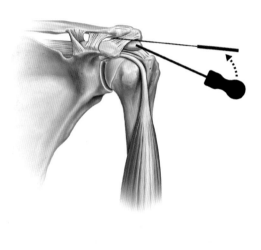

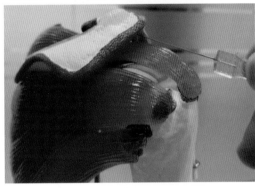

→ 견봉하 점액낭(Subacromial bursa) 압통점 도침치료

📄 **정점**	• 어깨 외측면, 견봉과 상완골두 사이 공간에서 압통점
📄 **도침치료**	• 자입 방법: 위 참조 • 깊이: 3–4 cm 자입 • 제삽: 1–3회 제삽하여 절개 • 주의 사항: 관절낭이므로 소독 철저 　　　　　다른 곳보다 시술 후 통증이 오래감(3일) 　　　　　아이스팩 필수 티칭(1회 1시간 이상, 하루 2회)

견봉하점액낭에는 자유신경종말이 풍부하게 분포해 통증이 잘 유발됩니다. 점액낭 내외에 형성된 염증이 오래 지속될 경우, 주변에 유착이 발생해 관절운동을 방해하고 운동 시 통증을 유발합니다. 이 때 도침치료를 시행해 유착을 제거하여 관절운동을 정상화시켜줍니다.[3]

→ MRI로 보는 견봉하 점액낭 도침치료

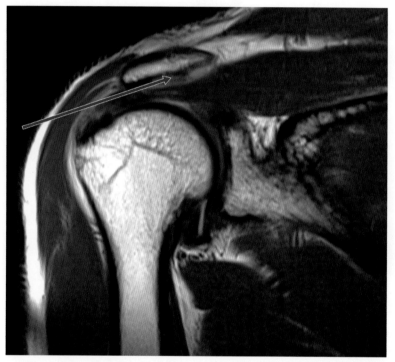

그림 2-2-6. 견봉하 점액낭 도침치료. 붉은 화살표; 견봉하 도침 진입 방향(관상면, coronal plane)

견봉하 점액낭 도침 조작

1. 견봉과 상완골두 사이에서 약간 위쪽을 바라보며 진입
2. 진입 시 칼날은 인체 종축 평행, 견봉까지 들어가 본터치
3. 날 방향 전환: 본터치 후 날방향 90도 회전(인체 횡축)
4. 진입 방향 전환: 도침을 살짝 뒤로 후퇴하여 견봉 하단으로 진입, 최대한 골면 하방으로 진행

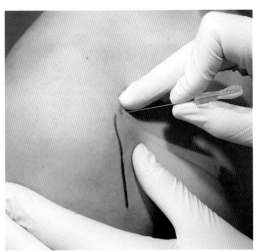 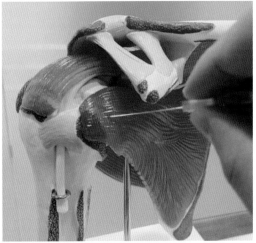

→ 견갑하근(Subscapularis) 건 부착부 도침치료

📋 **촉진**	• 상완골에서 대결절과 소결절 사이의 이두근 건 장두를 촉진합니다. 이두근 장두 안쪽에 소결절에 부착되는 부분이 견갑하근의 건부착부입니다. 압통점을 정확히 찾아 자입합니다.
📋 **기시**	• 견갑하와
📋 **종지**	• 상완골의 소결절
📋 **도침치료**	• 칼날 방향: 견갑하근 건 결방향과 평행한 인체 횡방향 • 자입 깊이: 뼈까지 진입 • 주의 사항: 이두근 장두를 확실히 촉진한 뒤, 이두근 장두 안쪽 견갑하근 건이 손상되지 않게 결방향을 맞춰 자입합니다. 과자극 할 필요 없이 1회 자극으로 충분합니다.

키워드: rotator cuff tear 🔍

한 장 차트 요약

📑 **특징**　어깨 통증의 흔한 원인, 수술 후 내원하는 환자도 많음

📑 **O/S**
- 무거운 물건을 들고 난 뒤 어깨통증으로 팔 올리지 못함
- 별무원인으로 발생하는 경우도 많음

📑 **C/C**
- 어깨 관절 통증
- 능동 운동장애(특히 내회전의 현저한 장애)
- OR 야간통(눕거나 수면 시 심해지는 통증)

📑 **P/E**
- Empty can test+ (supraspinatus function)
- Drop–arm test+ (supraspinatus function)
- Infraspinatus test+ (Infraspinatus function)
- Belly–press test+ (subscapularis function)

📑 **Imaging**
- 주로 초음파나 MRI에서 supraspinatus의 patial thickness tear나 full thickness tear 소견, subacromial bursitis와 병발하는 경우가 많음

📑 **R/O**
- 회전근개증후군(M751)
- 외상성으로 명시되지 않은 회전근개, 극상근 찢김 또는 (완전) (불완전) 파열(M751)

📑 **Plan**
- 치료 기간: 4–6주
- 치료 목표: 통증완화와 기능개선
- 통증부위: 자하거 약침, 도침치료
- 주변부: 견갑골 주변 근육에 대한 tens 및 부항, 물리치료 침·치료 시행, 겹갑골 주변 근육과 극상근, 극하근 근복부에 만성으로 근육 경직이 심하면 도침치료 실시
- 티칭: 통증 완화 시까지 overhead activity 금지 Icepack(특히 night pain 심할 때, 30분 이상) 급성 통증 완화 이후 운동 실시

최신 연구 동향 및 임상 포인트

✓ 파열의 크기가 작은 회전근개 손상에서는 활액낭이 두꺼워지지만, 큰 손상에서는 그런 것이 나타나지 않았습니다. 활액낭이 두꺼워지고 염증이 생기는 것은, 조직을 재생하려는 시도로 보입니다. 즉 small tear(너비 1 cm 이하의 전층파열)는 회복될 가능성이 큰 것으로 보입니다. 그래서 이런 손상에서 스테로이드주사가 환자의 회복력을 방해하고 퇴행의 상태로 몰고 가는 것이 아닌지 의문이 듭니다.[4]

→ 도침치료 포인트

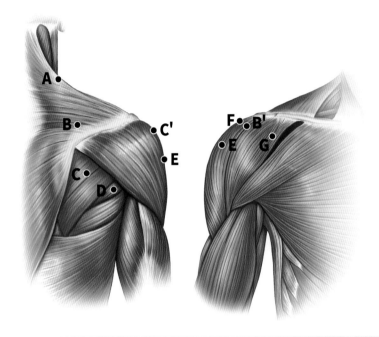

치료 포인트

환자가 첫 치료인 경우, 모든 포인트를 치료하지 않고 가장 압통이 심한 부위 2포인트를 선정하여 치료합니다. 제시된 포인트는 예시로, 모든 환자가 동일하지 않습니다. 환자가 가장 아파하고, 압통이 심하게 나타나는 곳을 개별적으로 찾아야 합니다.

1-3-1. 승모근 압통점 (경추파트)	**A**	**p. 65**
2-2-1. 극상근 압통점	**B, B'(극상근 건 부착부 압통점)**	**p. 122**
2-2-2. 극하근 압통점	**C, C'(극하근 건 부착부 압통점)**	**p. 125**
2-2-3. 소원근 압통점	**D**	**p. 127**
2-2-4. 삼각근 압통점	**E**	**p. 129**
2-2-5. 견봉하 점액낭 도침치료점	**F**	**p. 131**
2-2-6. 견갑하근 건부착부 압통점	**G**	**p. 133**

TIPS 압통점 찾기 팁

회전근개 손상의 경우 이학적 검사와 영상진단을 통해 손상된 근육을 먼저 정확히 하는 것이 중요합니다.
손상 초기인 경우 도침치료는 근복 위주로 진행하고, 건 부착부는 침치료, 약침 위주로 시행합니다.
하지만 2-3주간 지속적인 침치료로 반응이 없는 경우 건 부착부에 대해서도 도침 자극을 시행하며,
결방향에 특히 주의합니다.

→ 회전근개 파열에 대한 보존적 치료

부분파열의 경우, 파열크기의 감소는 대개(usually) 일어납니다.[5]

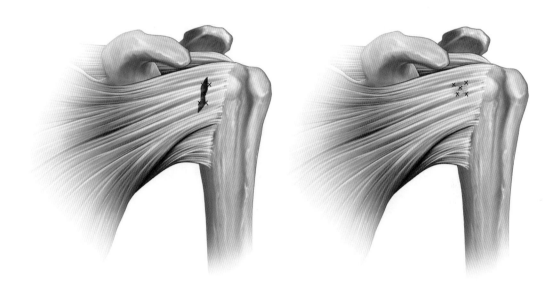

🏷 그림 2-3-1. Rotator cuff disease, PRP vs. DN

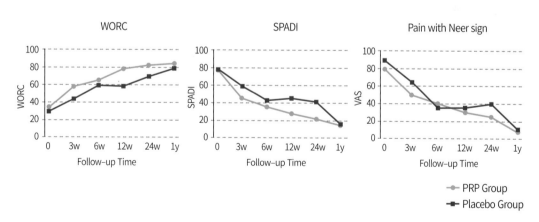

WORC: Western Ontario Rotator Cuff Index, SPADI: Shoulder Pain and Disability Index

본 연구는 어깨 회전근개 손상에서 PRP주사치료의 효과를 알아보기 위해 진행한 연구입니다.[6]

치료군은 PRP주사를 1회 치료받았으며, 대조군은 생리식염수 주사를 같은 부위에 받았습니다. 두 군 모두 회복효과를 극대화하기 위해 주사치료 후 2일간 휴식을 취하며 소염진통제를 먹지 않았고 아이스팩을 시행하였습니다. 주사 2일 후 6주간 재활운동을 실시했습니다.

치료 결과 PRP주사와 생리식염수 주사 모두 통증과 기능점수의 개선을 가지고 왔으며 효과는 앞 그래프와 같이 동일하였습니다. 연구에서 니들링 그 자체가 국소 부위에 출혈반응을 일으키며 염증반응(inflammatory response)을 일으켜 힘줄의 회복기전을 촉진하였다고 고찰하였습니다. 이를 통해 도침이나 니들을 통한 힘줄 자극이 손상된 힘줄을 회복할 수 있다는 것을 알 수 있습니다.

→ 회전근개 파열에서 운동 치료

톰슨 등은 극상근의 마비가 있으면 외전을 시작할 때 삼각근의 근력이 크게 증가한다고 보고하였습니다.[7]

Burkhart에 의하면 회전근개가 파열되어도 견갑하근 및 극하근의 역할로 발생하는 힘(transverse force couple)이 유지되면 견관절 운동기전이 크게 훼손되지 않는다고 하였습니다.[8]

이런 사실들은 회전근개의 근력을 강화하면 회전근개 질환으로 인한 증상이 해소되는 임상적 경험도 잘 설명해 줍니다.[9]

> **어떤 운동을 해야 할까?**

운동범위의 회복은 일차적으로 유착의 방지와 운동범위의 개선에 중점을 둡니다.

> **왜? 내회전 운동은 안하나요?**

내회전 운동범위가 제한되어 있는 경우가 대부분이지만, 내회전 운동은 대결절이 오구견봉 궁 밑으로 들어가면서 자극을 주어서 부적합한 충격을 야기할 가능성이 있습니다.

그래서 내회전 운동은 되도록 늦추어서 자극을 주지 않도록 주의하는 것이 바람직합니다. 통증을 유발하지 않는 전방 거상 운동과 외회전 운동만으로도 내회전 운동범위가 스스로 회복되는 경우도 많습니다.

> **어느 정도 해야 할까?**

관절 운동범위를 회복시키는 과정에서도 통증이 유발되지 않는 범위에서 시행하는 것이 바람직합니다.

참고문헌

Jung HJ, Jeon IH, Chun JM. Conservative treatment of impingement syndrome and rotator cuff tear. J Korean Arthrosc Soc 2012;16;79-86.

2-4. 상완이두근건염

키워드: Biceps tendinitis

한 장 차트 요약

📋 **특징**   어깨 앞쪽의 통증

📋 **O/S**   • 무거운 물건을 들고 올 수 있으나 별무 원인인 경우 많음

📋 **C/C**   • 어깨 전면부의 통증, 동작에는 큰 제한 없음

📋 **P/E**   • bicipital groove의 압통+

📋 **Imaging**   • 초음파나 MRI 상 bicipital groove의 염증 소견

📋 **R/O**   • 이두근 힘줄염(M752)

📋 **Plan**   • 치료 기간: 2주
　　　　　　• 치료 목표: 통증 개선 및 기능회복
　　　　　　• 통증 부위: 급성이면 통증부위 침치료, 만성 시 이두근 건 도침치료
　　　　　　　효과적
　　　　　　• 티칭: 무거운 물건 드는 것 자제

최신 연구 동향 및 임상 포인트

☑ 안정과 함께 보존적치료를 하면 비교적 잘 낫는 질환으로, 만성적인 통증을 호소하는
　 환자는 도침치료 시 예후가 좋은 질환중 하나입니다.
☑ 다른 건질환과 마찬가지로 스테로이드 치료는 건을 손상시킬 수 있습니다.

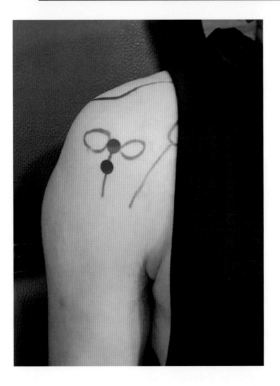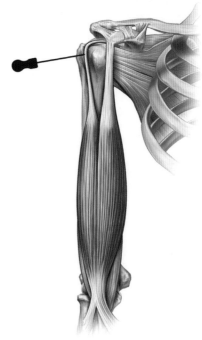

→ 이두근(Biceps brachii) 장두 주변 도침치료

📑 촉진	• 장두: 대결절과 소결절 사이(intertubercular groove)의 건 • 근복: 주관절을 굴곡시킬 때 상완에서 촉진합니다. 장두와 단두는 상완의 중앙에서 근육을 밀어넣으면 쉽게 구별됩니다.
📑 기시	• 단두–견갑골의 오훼돌기(coracoid process) • 장두–견갑골의 관절상결절(supraglenoid tubercle)
📑 종지	• 요골조면(radial tuberosity) • 상완이두근 건막(bicipital aponeurosis)
📑 도침치료	• 치료 목표: 주로 건 주변을 목표로 시행 • 칼날 방향: 인체 종방향 • 자입 깊이: 도침 끝에 건이 느껴지면 발침 • 자극 횟수: 1회 제삽 후 발침

→ 이두근 장두 주변 압통점 도침치료

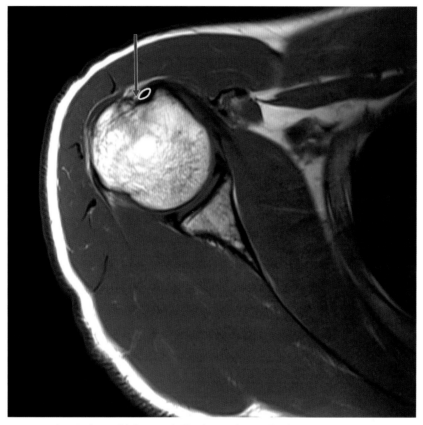

🏷 그림 2-4-1-1. 이두근 장두 도침치료. 노란 원; 이두근 장두. 붉은 화살표; 도침 진입 방향(수평면, transverse plane)

이두근 장두는 팔을 완전히 외회전한 후 촉진합니다. 장두 주변 압통점을 촉진한 뒤 건방향과 도침날을 일치시켜 천천히 자입합니다. 건을 찌르지 말고, 건 주변의 염증과 유착을 제거해야 합니다.

주의
대결절과 소결절 사이를 완전히 절개하면 이두근건 아탈구가 발생할 수 있으므로, 1회만 자극합니다. 또한 소결절 하방 2.5 cm 아래에는 전상완회선동맥(anterior humeral circumflex artery)이 횡으로 지나가므로, 손상되지 않게 특별히 주의합니다.

키워드: calcific tendonitis

한 장 차트 요약

특징 갑자기 발생한 어깨관절의 심한 통증

O/S • 갑자기 발생(주로 석회의 흡수기에 큰 통증)

C/C • 갑자기 발생한 어깨의 심한 통증+
• 능동운동제한+ 야간통

P/E • 외전제한+ (심한 통증으로 이학적 검사가 힘들다. 문진 상 석회화 건염이 의심되면 무리해서 검사하지 말 것)
• 갑작스런 시작이 특징으로 동결견과 감별점

Imaging • X-ray상 석회가 보이기도 하나 옅게 보일 수도 있으며, 오히려 석회가 뚜렷하게 보이는 경우에는 통증이 크지 않은 경우도 있음

R/O • 석회성 힘줄염, 어깨관절(M6521)

Plan • 치료 기간: 2주
• 치료 목표: 통증 완화 및 가동범위 개선
• 통증부위: 도침으로 석회화 부위 자극
• 주변부: 물리치료, 주변근육 침치료 통한 근육 이완
• 티칭: 팔을 절대 움직이지 않는 것이 중요

최신 연구 동향 및 임상 포인트

✓ 석회화 건염 단일질환이 확실하다면 증상이 확실히 낫는다고 안정시키는 것이 중요합니다. 적절한 치료와 함께 시간이 지난다면 거의 대부분 2주 안에 좋아집니다.

→ 도침치료 포인트

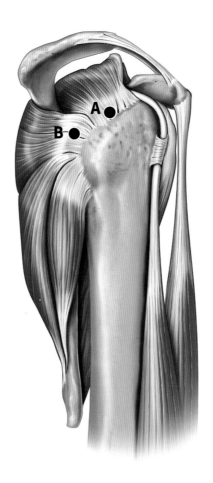

치료 포인트

환자가 첫 치료인 경우, 모든 포인트를 치료하지 않고 가장 압통이 심한 부위 2포인트를 선정하여 치료합니다.

2-2-1. 극상근 건 부착부 압통점	A	p. 122
2-2-2. 극하근 건 부착부 압통점	B	p. 125

 압통점 찾기 팁

극상근 건은 생각보다 전방에 있습니다.
이두근 건 촉진 후, 이두근 건 바깥쪽이 극상근 건 부착부위입니다.

키워드: acromio-clavicular joint arthritis 🔍

한 장 차트 요약

특징   견쇄관절 부위 통증

O/S
- 과사용이나 손상 후

C/C
- 팔을 끝까지 외전하거나 수평 내전 시 견쇄관절 부위 통증

P/E
- 견쇄관절 압통+
- Cross body test+

Imaging
- X-ray 상 견쇄 관절의 골극이나 연골하골 경화
- 관절 간격 소실 등 퇴행성 변화 소견 관찰

R/O
- 관절병증 NOS, 견쇄관절(M1391)
- 관절통, 견쇄관절(M2551)

Plan
- 치료 기간: 2-3주
- 치료 목표: 통증 완화 및 가동범위 개선
- 통증부위: 견쇄관절 도침치료
- 주변부: 주변 통증부위 물리치료, 침치료
- 티칭: 통증 유발 자세 금지(과도한 외전이나 수평내전)

최신 연구 동향 및 임상 포인트

✓ 해당 부위의 통증유발 자세를 금하고, 침치료와 도침치료를 해준다면 통증을 잘 사라지는 편입니다.

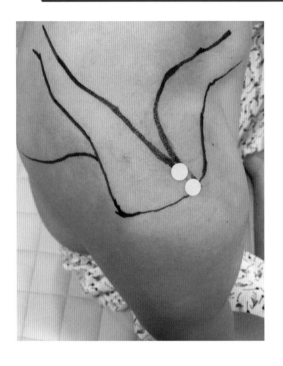 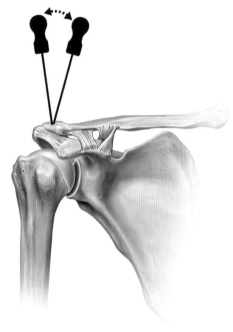

➞ 견쇄관절(Acromioclavicular joint) 압통점 도침치료

📑 **촉진** • 쇄골에서 가쪽(lateral)으로 촉진해가다 견봉과 쇄골이 만나는 지점의 함몰점

📑 **도침치료** • 칼날 방향: 별무
• 자입 깊이: 뼈까지
• 주의 사항: 소독에 주의합니다.

TIPS 압통점 찾기 팁

견쇄관절염은 치료는 쉽지만 놓치기 쉬운 질환입니다.
어깨부위 촉진 시 견쇄관절까지 빠짐없이 눌러보세요.

키워드: frozen shoulder, adhesive capsulitis

한 장 차트 요약

특징
통증과 점차적인 관절 가동범위의 제한

O/S
- 별무 원인으로 점차적으로 발생
- 3주 이상의 어깨관절 고정 이후 나타나기도 함(이차성)

C/C
- 심한 어깨통증+ 야간통+
- 수동관절운동 제한

P/E
- 수동관절운동 제한+

Imaging
- MRI 상 관절낭의 위축되어, 액와부위 주름진 관절낭이 소실됨

R/O
- 어깨의 유착성 관절낭염(M750)

Plan
- 치료 기간: 최대 1년–1년 반(남은 병기에 따라 다름)
- 치료 목표: 통증완화 및 기능개선
- 통증부위: 어깨관절 주변 압통점 도침치료, 관절 가동술
- 주변부: 견갑골 주변 근육에 대한 적극적인 이완치료(침, 부항 tens, 도침)
- 티칭: 치료기간과 그에 따른 예후를 잘 설명해 주어야 합니다. 환자 스스로의 운동이 매우 중요합니다.

최신 연구 동향 및 임상 포인트

- 초기에 과한 도침치료를 시행하면, 환자는 병이 악화되는 과정을 치료로 인한 통증악화로 오해할 수 있습니다.
- 도침치료는 동결기에 긴장된 근육과 유착된 관절낭의 일부를 절개하고 이완시키는 데 효율적입니다.

→ 도침치료 포인트

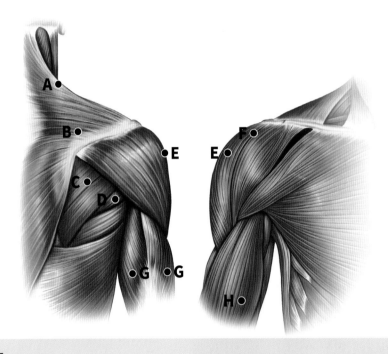

치료 포인트

환자가 첫 치료인 경우, 모든 포인트를 치료하지 않고 가장 압통이 심한 부위 2-3포인트를 선정하여 치료합니다.

1-3-1. 승모근 압통점 (경추파트)	A	p. 65
2-2-1. 극상근 압통점	B	p. 122
2-2-2. 극하근 압통점	C	p. 125
2-2-3. 소원근 압통점	D	p. 127
2-2-4. 삼각근 압통점	E	p. 129
2-2-5. 견봉하 점액낭 압통점	F	p. 131
2-7-1. 삼두근 압통점	G	p. 148
2-7-2. 이두근 압통점	H	p. 149

 압통점 찾기 팁

유착성 관절낭염은 포인트가 정말 다양합니다. 1차적으로 도침으로 가장 효과적인 것은 근육의 긴장과 유착을 제거하는 것입니다. 처음부터 관절낭을 절개진 말고, 겉의 근육의 긴장부터 하나하나 없애 나가야 합니다. 압통점을 찾을 때 가장 중요한 것은 환자에게 '움직일 때 아픈 곳이 어디인지' 묻고 그곳에 집중하는 것입니다. 어깨를 굴곡, 신전, 외전을 할 때 당기듯이 아픈 곳이 치료 포인트입니다.

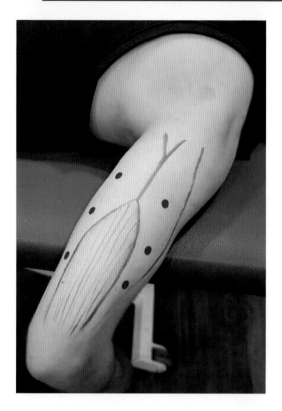
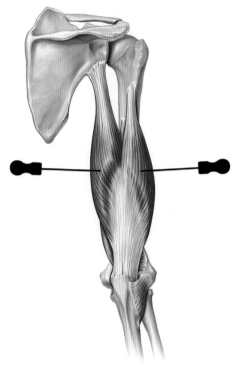

→ 삼두근(Triceps brachii) 압통점 도침치료

📋 촉진	• 주관절을 신전시킬 때 상완 뒷부분에서 느껴지는 근육
📋 기시	• 장두: 견갑골의 관절하결절(infraglenoid tubercle) • 내측두, 외측두: 상완골의 후면(posterior part of humerus)
📋 종지	• 척골의 주두(olecranon of ulna)
📋 도침치료	• 칼날 방향: 인체 종방향 • 자입 깊이: 근복상의 경결, 유착된 조직이 느껴지는 깊이 • 주의 사항: 삼두근의 경우 신경을 자극하여 찌릿할 수 있으니 천천히 자입합니다.

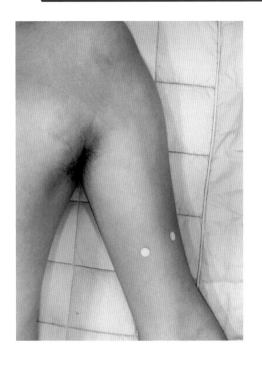
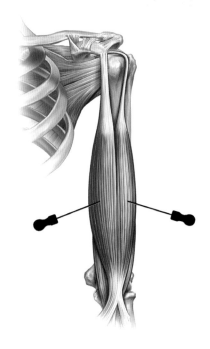

→ 이두근(Biceps brachii) 압통점 도침치료

📑 **촉진**
- 주관절을 굴곡시킬 때 상완에서 촉진합니다. 장두와 단두는 상완의 중앙에서 근육을 밀어넣으면 쉽게 구별됩니다.

📑 **기시**
- 단두: 견갑골의 오훼돌기(coracoid process of the scapula)
- 장두: 견갑골의 관절상결절(supraglenoid tubercle)

📑 **종지**
- 요골조면(radial tuberosity)
- 상완이두근 건막(bicipital aponeurosis)

📑 **도침치료**
- 칼날 방향: 인체 종방향
- 자입 깊이: 근복상의 경결, 유착된 조직이 느껴지는 깊이

주의
팔 안쪽인 이두근 단두 아래쪽으로 중요 신경과 혈관이 많이 지나가므로, 심자하지 않고 근복의 압통점만 1-2 cm 정도 자입해 풀어줍니다.

키워드: suprascapular nerve entrapment syndrome 🔍

한 장 차트 요약

📋 **특징**
극상근과 극하근의 근력약화로 인해, 환자는 어깨에 힘이 빠져 옆으로 누워 핸드폰을 보기가 어렵다고 함. 극하근 부위에 신경통이 나타나기도 함

📋 **O/S**
- 무거운 가방을 오래 메고 다니면 발생 가능하나, 별무 원인으로 발생 가능

📋 **C/C**
- 옆으로 누워 핸드폰을 볼 때 어깨의 힘이 잘 들어가지 않음
- 극하근 부위에 통증이 있을 수 있음
- 심한 경우 극하근의 근위축이 관찰됨

📋 **P/E**
- 견갑상 절흔(suprascapular notch) or 극관절와 인대(spinoglenoid ligament) 압통
- Suprascapular nerve stretch test+

📋 **Imaging**
- 심한 경우 MRI 상 극상근과 극하근의 근위축소견

📋 **R/O**
- M7921 상세불명의 신경통 및 신경염, 어깨부분

📋 **Plan**
- 치료 기간: 2-3주
- 치료 목표: 견갑상신경 포착부위
- 치료 부위: 승모근 근복부 및 견갑상 절흔(suprascapular notch) 압통점, 극관절와 인대(spinoglenoid ligament) 압통점. 치료 시 기흉에 특히 주의
- 주변부: 극상근 및 극하근 근복부 전침(근육강화 목적)
- 티칭: 도침치료 후 꾸준한 전침과 함께 회전근개 강화운동 함께 티칭

최신 연구 동향 및 임상 포인트

✓ 견갑상신경 포착에 대한 비수술적 치료효과는 비교적 좋습니다. 눈에 띄는 근육의 위축이 없다면 수술에 앞서 도침치료를 먼저 시행해 봅니다.[10]

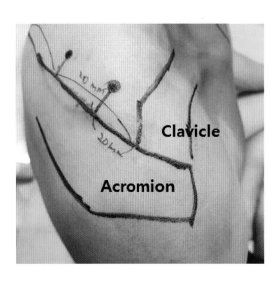

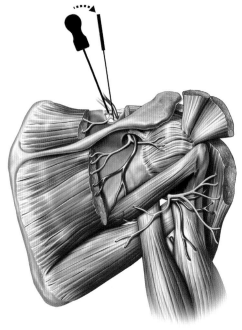

→ 견갑상 절흔(Suprascapular notch)의 도침치료

📋 **촉진**
- 견갑극 윗부분, 극상와 중간에서 1 cm 상방에서 갑상 절흔 압통점을 찾습니다.[12]

📋 **도침치료**
- 칼날 방향 및 깊이: 자입 처음에는 극상근 근섬유 방향으로 자입 후 1-2 cm 자입 후 신경 주행방향에 맞춰 칼날을 돌립니다. 뼈까지 자입합니다.
- 진입 방향: 견갑극을 맞춘다는 느낌으로 진입합니다.
- 주의 사항: 정확하게 견갑상 절흔을 찾아 자극하려고 여러 번 무리하여 제삽한 다면 견갑골을 지나 폐를 자극할 수도 있습니다. 극상근을 자극하는 것만으로도 충분히 치료효과가 있기 때문에 무리해서 찾기보다는 압통점에 자극 후 발침합 니다. 신경손상에 주의하여 아주 천천히 자입합니다.

TIPS 압통점 찾기 팁

견갑상신경 포착은 견갑상 절흔 및 극상근에 의해 주로 이뤄집니다. 먼저 이부분을 충분히 치료하고, 그럼에도 불구하고 풀리지 않으면 다음페이지 극관절와 인대 압통점을 치료합니다.

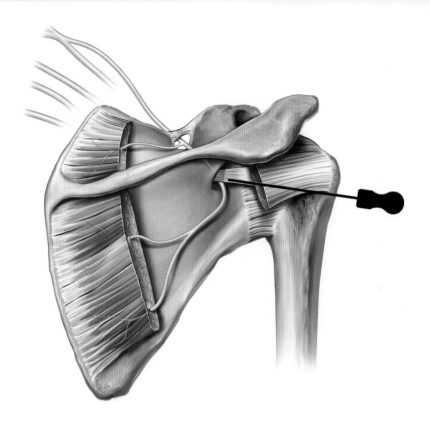

→ 극관절와 인대(Spinoglenoid ligament) 압통점 도침치료

📋 **촉진**	• 어깨 후면 견갑극 아랫 부분, 견갑–상완관절 후면에서 극관절와 인대 압통점을 찾습니다.
📋 **도침치료**	• 칼날 방향 및 자입 깊이: 처음에는 극하근 근섬유와 평행하게 자입해 1–2 cm 진입 후 신경과 평행하게 90도로 돌려줍니다. • 진행 방향: 견갑극 하단, 견갑골 끝부분 극관절와를 향해 천천히 도침을 진입, 1–2회 자극 후 발침합니다. 신경손상에 주의하여 아주 천천히 자입합니다.

2-9. 액와신경 포착

키워드: axillary nerve entrapment

한 장 차트 요약

특징
어깨 삼각근 부위에 저림이나 시린 느낌이 나타남. 어깨를 굴곡이나 외전하면 근육에 의해 신경이 당겨지면서 증상이 나타나기도 함

O/S
• 손상 후에 많이 발생하나 별무 원인인 경우도 있음

C/C
• 삼각근의 통증이나 시림, 저림

P/E
• Quadrilateral space의 압통점(대원근, 소원근, 삼두근의 장두 및 상완골이 교차하는 지점)

Imaging
• 심한 경우 MRI 상 소원근의 위축이 관찰

R/O
• M7921 상세불명의 신경통 및 신경염, 어깨부분

Plan
• 치료 기간: 2-3주
• 치료 목표: 액와신경의 포착 해소
• 통증부위: 소원근 및 극하근 근복부 이완, 액와신경 주변 신경 유착 직접 유착 박리
• 주변부: 극하근 및 소원근, 삼두근, 삼각근 등 침치료 및 부항치료
• 티칭: 액와신경 포착 치료 후 반응하지 않으면 목에서의 신경포착을 치료해야 할 수 있음을 미리 알려줌

TIPS 압통점 찾기 팁

뒷페이지처럼 가상의 선을 이어 치료점을 찾을 수도 있습니다.
가상의 선을 통해 대략적으로 액와신경이 포착된다고 예측되는 위치를 잡은 후,
그 근처의 압통점을 꼼꼼히 촉진해야 합니다. 압진 시 찌릿한 느낌이 퍼지면
가장 확실한 포인트이고, 꼭 그렇지 않고 압통만 있을 수도 있습니다.

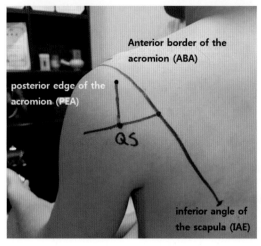

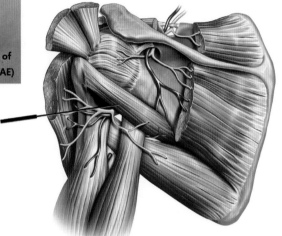

→ 액와신경포착(Axillary nerve entrapment) 압통점 도침치료

📋 **촉진**	• 견봉의 앞쪽 경계(anterior border of the acromion, ABA)와 견갑극의 하각 (inferior angle of the scapula , IAE)을 이은 선의 중간에서 수평하게 가상의 선을 그립니다. 이 선이 견봉의 뒤쪽 모서리(posterior edge of the acromion (PEA)에서 아래로 내린 선이 만나는 곳이 액와신경 포착이 일어나는 사각공간 (quadrangular space, QS)입니다.[13]
📋 **도침치료**	• 칼날방향: 신경 주행방향이 수평에 가깝기 때문에 도침날을 수평하게 자입합니다. • 자입 깊이: 어깨 근육량에 따라 자입 깊이가 현저하게 차이납니다. 3–5 cm 정도 깊이로 자입합니다. • 주의 사항: 액와신경 주행 방향과 정확히 도침 칼날 방향을 맞추긴 어렵기 때문에, 최대한 천천히 자입해 신경의 손상을 예방합니다. 신경을 자극하는 것은 좋지만 손상시켜서는 안 됩니다.

참고문헌

1. Hughes PC, Taylor NF, Green RA. Most clinical tests cannot accurately diagnose rotator cuff pathology: a systematic review. Aust J Physiother 2008;54:159-70.

2. Papadonikolakis A, McKenna M, Warme W, Martin BI, Matsen FA 3rd. Published evidence relevant to the diagnosis of impingement syndrome of the shoulder. J Bone Joint Surg Am 2011;93:1827-32.

3. Gasparre G, Fusaro I, Galletti S, Volini S, Benedetti MG. Effectiveness of ultrasound-guided injections combined with shoulder exercises in the treatment of subacromial adhesive bursitis. Musculoskelet Surg 2012;96 Suppl 1:S57-61.

4. Matthews TJ, Hand GC, Rees JL, Athanasou NA, Carr AJ. Pathology of the torn rotator cuff tendon. J Bone Joint Surg Br 2006;88:489-95.

5. Yamanaka K, Matsumoto T. The joint side tear of the rotator cuff: a followup study by arthrography. Clin Orthop Relat Res 1994;304:68-73.

6. Kesikburun S, Tan AK, Yilmaz B, Ya ar E, Yazicio lu K. Platelet-rich plasma injections in the treatment of chronic rotator cuff tendinopathy a randomized controlled trial with 1-year follow-up. Am J Sports Med 2013;41:2609-16.

7. Thompson WO, Debski RE, Boardman ND 3rd, Taskiran E, Warner JJ, Fu FH, et al. A biomechanical analysis of rotator cuff deficiency in a cadaveric model. Am J Sports Med 1996;24:286-92.

8. Burkhart SS. Reconciling the paradox of rotator cuff repair versus debridement: a unified biomechanical rationale for the treatment of rotator cuff tears. Arthroscopy 1994;10:4-19.

9. Chun JM. Pathophysiology of the rotator cuff tear. J Korean Shoulder Elbow Soc. 2006;9:1-6.

10. Martin SD, Warren RF, Martin TL, Kennedy K, O'Brien SJ, Wickiewicz TL. Suprascapular neuropathy. Results of non-operative treatment. J Bone Joint Surg Am 1997;79:1159-65.

11. Dangoisse MJ, Wilson DJ, Glynn CJ. MRI and clinical study of an easy and safe technique of suprascapular nerve blockade. Acta Anaesthesiol Belg 1994;45:49-54.

12. Burnett CJ, Karl HW. Axillary Nerve Entrapment. In: Trescot AM. Peripheral Nerve Entrapments. Springer International Publishing; 2016. pp. 305-14.

13. Zhang Y, Du NY, Chen C, Wang T, Wang LJ, Shi XL, et al. Acupotomy alleviates energy crisis at rat myofascia trigger points. Evid Based Complement Alternat Med 2020;2020:5129562.

3 팔꿈치

3-1. 팔꿈치 질환의 감별진단

진단	병력	이학적 검사
테니스 엘보우	물건을 쥐거나 병을 돌려서 열 때 팔꿈치 외과의 통증	Cozen test+ Mill's test+
골프 엘보우	손목을 굴곡하거나 회내 시 팔꿈치 내과부위의 통증	Reverse Cozen test+
주관 증후군 (팔꿈치 터널 증후군)	팔꿈치 아래 척골신경 부위의 저림	Tinel sign+ Pressure Provocation test+

팔꿈치의 통증으로 한의원에 내원하는 대부분의 환자분들은 테니스 엘보우나 골프 엘보우 환자분들입니다. 감별진단이 어렵지는 않습니다. 다만 정확히 외과나 내과부위에 통증과 압통이 나타나지 않으면 개별근육의 근육통을 의심할 수 있습니다. 이외에 팔꿈치 및 전완 부위에 저림 등을 호소하면 주관 증후군과 함께 경추 추간판 탈출증, 흉곽출구 증후군, 삼두에 의한 요골신경 포착을 의심할 수 있습니다.[1-2]

키워드: lateral epicondylitis, tennis elbow   🔍

한 장 차트 요약

📄 **특징**   한의원에 많이 내원하며, 치료가 오래 걸리는 통증

📄 **O/S**
- 과사용 후에 다발

📄 **C/C**
- 물건을 들거나 병을 돌려서 열 때 팔꿈치에 통증. 심하면 제대로 펴기 힘듦

📄 **P/E**
- Cozen test+, Mill's test+
- 주관절 외과 압통+

📄 **Imaging**
- 초음파, MRI 상 건증 소견(tendon thickness 등 관찰)

📄 **R/O**
- 테니스 팔꿈치(M771)

📄 **Plan**
- 치료 기간: 최소 4–8주
- 치료 목표: 통증 완화 및 기능 회복
- 통증부위: 급성환자는 침치료, 만성환자는 도침치료
- 주변부: 손목 신전근 침, 부항, 텐스치료
- 티칭: 티칭 중요. 절대 사용 금지, 특히 물건드는 자세에서 ECRb와 같은 주관절 신전근을 쓰지 않게 티칭, 어쩔수 없이 물건을 들거나 병을 돌려서 열 때 등은 압박밴드 등을 착용. 압박밴드는 주관절 외과 아래 5 cm 지점에 착용. 처음에는 운동이나 스트레칭도 피하며 급성 통증이 완화되는 2–3주 후 등척성 운동 실시

최신 연구 동향 및 임상 포인트

- ✓ 스테로이드는 힘줄을 약하게 하므로 이미 주사를 맞은 환자는 주의해야 합니다.[3]
- ✓ 임상적으로 최근에 스테로이드 주사치료를 1–3회 정도 하였음에도, 며칠 지나지 않아 통증이 재발한 분들은 예후가 좋지 않습니다. 점점 주사시료 주기가 줄이드는 경우 수술 적응증이며, 그런 환자분들은 도침을 비롯한 보존적 치료에 반응하지 않습니다.

→ 도침치료 포인트

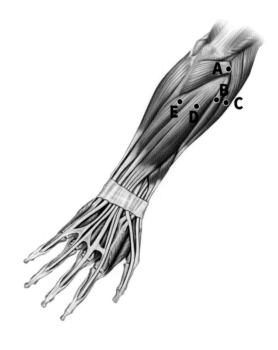

치료 포인트

환자가 첫 치료인 경우, 모든 포인트를 치료하지 않고 가장 압통이 심한 부위 2포인트를 선정하여 치료합니다.

3-2-1. 외측과 압통점	A	p. 159
3-2-2. 단요측 수근신근 압통점	B	p. 160
3-2-3. 장요측수근신근 압통점	C	p. 161
3-2-4. 총지신근 압통점	D	p. 162
3-2-5. 척측수근신근 압통점	E	p. 163

 압통점 찾기 팁

테니스 엘보우는 정말 꼼꼼하게 압통점을 찾아야 합니다. 일단 외과부위는 일반 침치료 시 침을 5-7개 정도 자입해서 전체적인 자극이 가능하지만, 도침치료 시에는 한 포인트로 최대의 효과를 내야 합니다. 그래서 정확한 포인트를 찾는 것이 중요합니다. 먼저 손으로 눌러 외과의 대략적인 압통 위치를 찾은 뒤, 침관 등 아주 얇은 물체를 통해 세세히 눌러 최종 치료 포인트를 확정합니다.
근육의 경우 단요측수근신근을 가장 첫 번째로 압통점을 찾되, 다른 근육도 놓치지 말고 꼼꼼히 찾아주면 좋습니다.

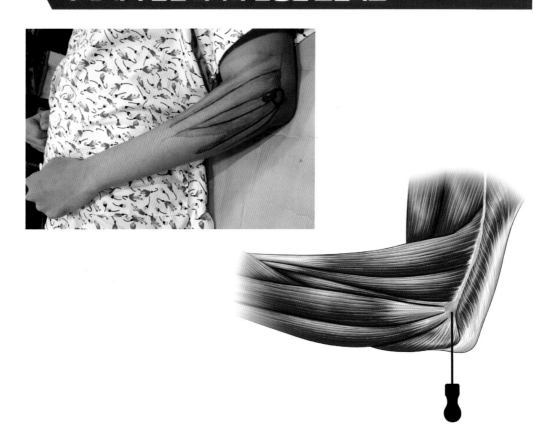

→ 주관절 외측과(Elbow lateral epicondyle) 도침치료

📄 촉진	• 주관절 외측과 촉진(외측과가 생각보다 큽니다. 손상되어 압통이 있는 곳을 꼼꼼히 촉진합니다.)
	• 환자의 통증은 단요측 수근신근이 부착되는 주관절 외측과부터 주관절 약간 위쪽의 장요측 수근신근 부착부까지 나타날 수 있습니다.
📄 도침치료	• 칼날 방향: 인체 종방향, 신근 건섬유 주행방향
	• 자입 깊이: 뼈까지
	• 자극 횟수: 1–2회, 너무 많이 자극하지 않고 1회, 최대 2회 정도 가볍게 자극해야 합니다.

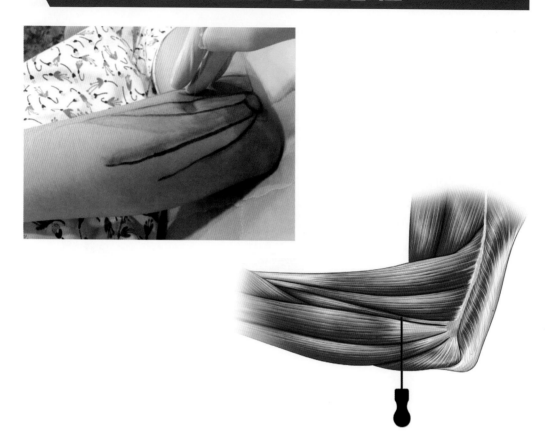

→ 단요측수근신근(Extensor carpi radialis brevis) 압통점 도침치료

📑 **촉진**	• 장요측수근신근과 총지신근 사이에 위치합니다. 외측상과에서 시작해 손목쪽으로 나아가며 압통점을 찾습니다. 주로 팔꿈치 외과에서 5–8 cm 정도 distal 부근에 압통점이 있습니다.
📑 **기시**	• 상완골의 외측상과(lateral epicondyle of the humerus)
📑 **종지**	• 제3중수골 기저부의 배면(posterior base of the 3rd metacarpal)
📑 **도침치료**	• 칼날 방향: 인체 종방향 • 자입 깊이: 근복상의 경결, 유착된 조직이 느껴지는 깊이로 대략 1–2 cm 정도 자입합니다. • 자극 횟수: 2–3회, 경결이 심할 경우 자극량을 추가합니다.

3-2-3. 장요측수근신근 압통점 도침치료

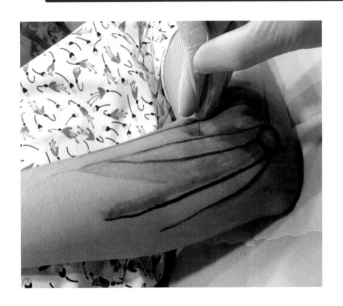

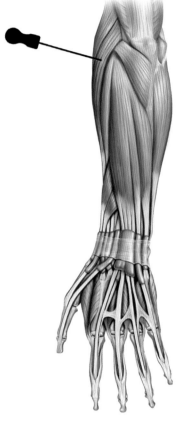

→ 장요측수근신근(Extensor carpi radialis longus) 압통점 도침치료

📑 **촉진**	• 주관절을 45도 정도로 굴곡하고 완관절의 요측굴곡+배측굴곡 방향으로 움직일 때 수축하는 근육입니다. 이 근육에서 압통점을 촉진합니다.
📑 **기시**	• 상완골의 외측상과융선(lateral supracondylar ridge of the humerus)
📑 **종지**	• 제2중수골 기지부의 배면(posterior base of the 2nd metacarpal)
📑 **도침치료**	• 칼날 방향: 인체 종방향 • 자입 깊이: 근복상의 경결, 유착된 조직이 느껴지는 깊이 • 자극 횟수: 2-3회, 경결이 심할 경우 자극량을 추가합니다.

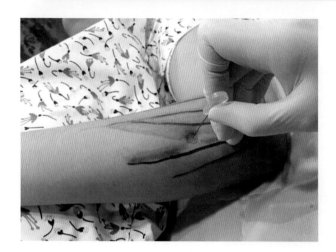
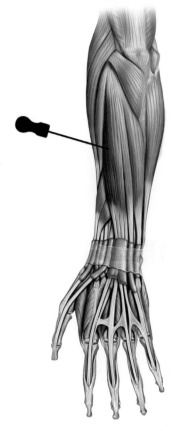

→ 총지신근(Extensor digitorum communis) 압통점 도침치료

📋 촉진	• 주먹을 쥐었다 펴거나, 손가락을 펼 때 도드라지는 근육입니다. 해당 근육에서 압통점을 찾습니다.
📋 기시	• 상완골의 외측상과(lateral epicondyle of humerus)
📋 종지	• 제2–5중수골 기저부(base of the 2nd–5th metacarpal) • 제2–5원위지골(2nd–5th distal phalanx)
📋 도침치료	• 칼날 방향: 인체 종방향으로 근육의 섬유 방향과 일치시킵니다. • 자입 깊이: 표층근육으로 1–2 cm 자입합니다. • 자극 횟수: 2–3회, 경결이 심할 경우 자극량을 추가합니다.

3-2-5. 척측수근신근 압통점 도침치료

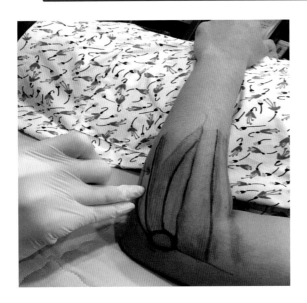

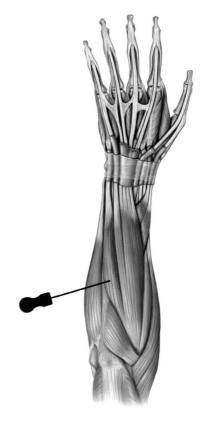

→ 척측수근신근(Extensor carpi ulnaris) 압통점 도침치료

📋 **촉진**	• 팔꿈치를 살짝 구부린 상태에서 손목을 신전하면서 척측으로 기울이면 도드라지는 근육입니다.
📋 **기시**	• 상완골의 외측상과(lateral epicondyle of the humerus) • 척골의 후면 몸쪽 2/3
📋 **종지**	• 제5중수골 기저부 배면(posterior base of the 5th metacarpal)
📋 **도침치료**	• 칼날 방향: 인체 종방향 • 자입 깊이: 표층에 위치한 근육으로 1~2 cm 사입합니다. • 자극 횟수 : 2~3회, 경결이 심할 경우 자극량을 추가합니다.

키워드: medial epicondylitis, golfers elbow

한 장 차트 요약

특징   주관절 내측의 테니스 엘보우

O/S
- 과사용 후에 발생

C/C
- 손목이나 팔꿈치를 쓰면 팔꿈치 안쪽이 아파요

P/E
- 주관절 내측 상과 압통+

Imaging
- 초음파, MRI 상 건증 소견(tendon thickness 등 관찰)

R/O
- 힘줄염 NOS, 팔꿈치관절(M7792)
- 사용, 과용 및 압박에 관련된 상세불명의 연조직 장애, 팔꿈치 관절 (M7092)

Plan
- 치료 기간: 최소 4–8주
- 치료 목표: 통증 완화 및 기능 개선
- 통증부위: 주관절 내측은 위험한 구조물이 많고, 인대 손상의 위험이 있어 도침치료는 최소화, 침치료 위주
- 주변부: 손목 굴곡근 침, 부항, 텐스치료
- 티칭: 티칭 중요, 절대 사용 금지, 통증 유발 자세 최대한 피해야 함. 어쩔 수 없이 사용 시 압박밴드 등을 착용, 압박밴드는 주관절 내과 아래 5 cm 지점에 착용. 처음에는 운동이나 스트레칭도 피하며 급성 통증이 완화되는 2–3주 후 등척성 운동 실시

최신 연구 동향 및 임상 포인트

✓ 주관절 내측과와 척골 사이에 위치한 ulnar collateral ligament는 중요한 구조물이며 손상에 취약합니다. 정확히 주관절 내측과 위를 타겟팅하여 치료하는 것이 중요합니다.

→ 도침치료 포인트

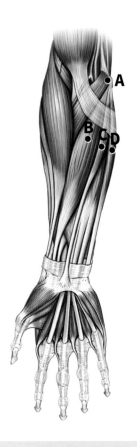

치료 포인트

환자가 첫 치료인 경우, 모든 포인트를 치료하지 않고 가장 압통이 심한 부위 2포인트를 선정하여 치료합니다.

3-3-1. 내측과 압통점	A	p. 166
3-3-2. 요측수근굴근 압통점	B	p. 167
3-3-3. 장장근 압통점	C	p. 168
3-3-4. 척측수근굴근 압통점	D	p. 169

 압통점 찾기 팁

골프 엘보우 역시 테니스 엘보우와 마찬가지로 꼼꼼히 내과에서 압통점을 찾는 것이 핵심입니다.
단, 주의할 점은 내과에서만 압통점을 찾아 자입해야 한다는 점입니다. 내과와 주두 사이와 같이
내측측부인대가 부착하고 신경이 지나가는 곳은 압통이 있어도 자입하지 않도록 주의합니다.

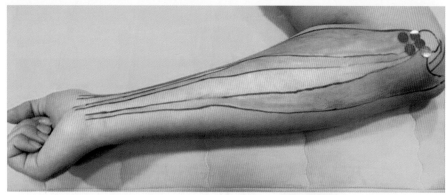

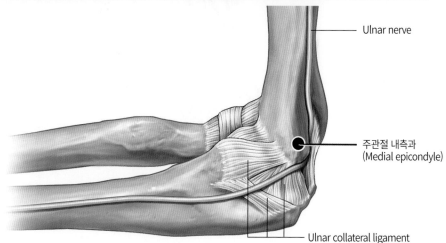

Ulnar nerve

주관절 내측과
(Medial epicondyle)

Ulnar collateral ligament

→ 주관절 내측과(Medial epicondyle) 압통점 도침치료

📋 촉진	• 상완골에 위치한 주관절 내측과를 촉진하여 압통점을 찾습니다.
📋 도침치료	• 칼날 방향: 인체 종방향, 손목 굴곡근의 섬유주행방향으로 자입합니다. • 자입 깊이: 뼈까지 • 주의 사항: 0.4 mm 도침을 사용하며, ulnar collateral ligament의 손상이 없게 주의하며 자입합니다(주관절 내측과와 척골 사이 오목한 공간에 끝까지 자입하지 않습니다).

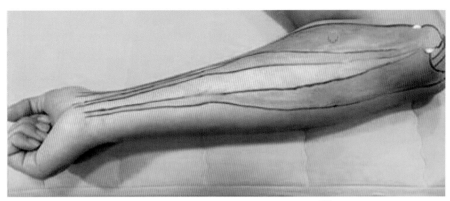

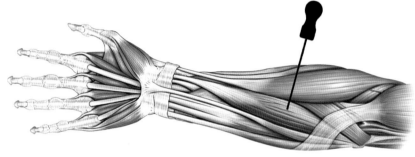

→ 요측수근굴근(Flexor carpi radialis) 압통점 도침치료

📄 **촉진**	• 손목을 요측으로 굴곡시킬 움직이는 근육입니다. 근복 상 압통점을 촉진합니다. 내과에서 원위부로 7-10 cm 부근에서 찾습니다.
📄 **기시**	• 상완골의 내측상과(medial epicondyle of the humerus)
📄 **종지**	• 두 번째 중수골 기저부(base of the second metacarpal bone)
📄 **도침치료**	• 칼날 방향: 인체 종방향 • 자입 깊이: 1.5-2 cm로 자입합니다.

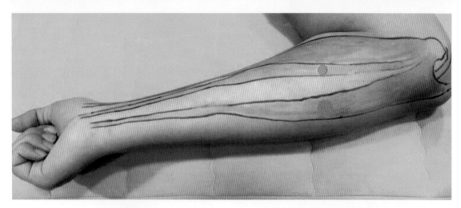

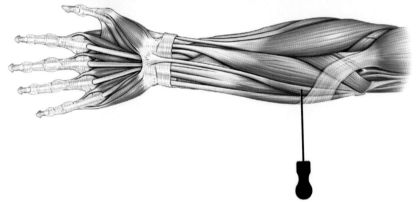

→ 장장근(Palmaris longus) 압통점 도침치료

📋 촉진	• 손목을 굴곡시키고, 첫 번째 손가락과 다섯 번째 손가락을 닿도록 하면 도드라지는 근육입니다. 근육상 압통점을 촉진합니다.
📋 기시	• 상완골의 내측상과(medial epicondyle of the humerus)
📋 종지	• 굴근지대(flexor retinaculum) • 수장건막(palmar aponeurosis)
📋 도침치료	• 칼날 방향: 인체 종방향 • 자입 깊이: 1.5–2 cm

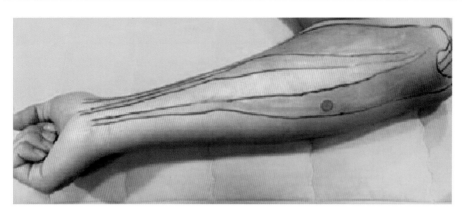

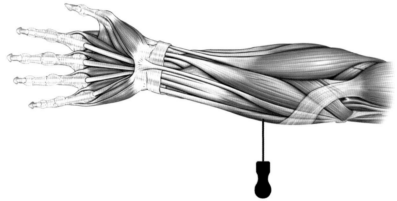

→ 척측수근굴근(Flexor carpi ulnaris) 압통점 도침치료

📋 **촉진**	• 손목을 척측으로 굴곡시킬 때 움직이는 근육입니다. 근복 상 압통점을 촉진합니다.
📋 **기시**	• 상완골의 내측상과(medial epicondyle of the humerus) • 척골의 주두(olecranon of the ulna)
📋 **종지**	• 두상골(pisiform) • 유구골(hamate) • 제5중수골 기지부(base of the fifth metacarpal bone)
📋 **도침치료**	• 칼날 방향: 인체 종방향 • 자입 깊이: 1.5–2 cm

키워드: Cubital tunnel syndrome, ulnar nerve entrapment

한 장 차트 요약

특징
4, 5번째 손가락과 아래팔의 내측 저림을 호소. 이와 같은 신경통은 경추에서 기인하는 경우가 많으므로 cervical radiculopathy를 먼저 배제한 후 cubital tunnel syndrome이나 Guyon's tunnel syndrome을 의심

O/S
- 별무원인

C/C
- 팔꿈치 내측에서부터 새끼손가락까지 저림
- 전화하는 자세에서 저림 악화

P/E
- Pressure Provocation test+
- 주관절 내과와 주두 사이 Cubital tunnel 압통

Imaging
- MRI 상 신경 부종소견 관찰 가능

R/O
- 척골신경의 병변(G562)

Plan
- 치료 기간: 2주
- 치료 목표: 신경포착 해소
- 통증부위: 신경포착부위 도침치료
- 주변부: 주변 근육 침, 부항, 물리치료
- 티칭: 신경 회복에 시간이 걸릴 수 있음을 설명

최신 연구 동향 및 임상 포인트

✓ 팔꿈치에서 척골신경 포착을 일으키는 주요 구조물은 오스본 근막(Osborne's fascia)입니다. 오스본 근막은 척측수근굴근(flexor carpi ulnaris, FCU)의 상완골 부착부와 척골 부착부 사이에 있는 근막형태의 연조직입니다. Arcuate ligament of Osborne, the cubital tunnel retinaculum, Osborne's fascia 등으로 불립니다.[4]

→ 도침치료 포인트

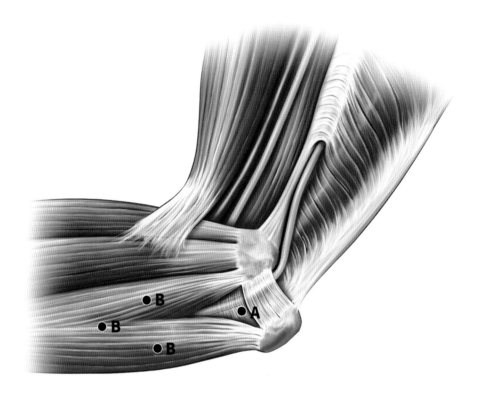

치료 포인트

환자가 첫 치료인 경우, 모든 포인트를 치료하지 않고 가장 압통이 심한 부위 2포인트를 선정하여 치료합니다.

| 3-4-1. 오스본 근막 압통점 | A | p. 172 |
| 3-3-4. 척측 수근굴근 압통점 | B | p. 169 |

TIPS 압통점 찾기 팁

주관 증후군의 경우 오스본 근막 압통점과 척측수근굴근 압통점이 메인입니다.
다만 삼두근이나 사각근, 소흉근에 의한 신경포착도 가능한 만큼 환자가 호전되지 않는다면
다른 포인트들을 눌러서 함께 풀어줍니다.

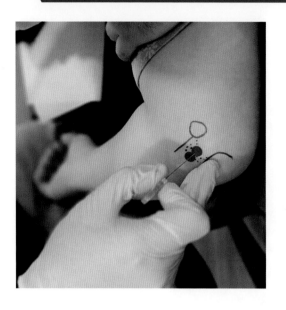

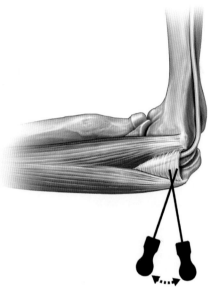

→ 오스본 인대(Osborne's fascia) 압통점 도침치료

📖 촉진
- 주관절 내측과와 척골의 주두돌기 사이에서 압통점을 찾습니다. 주두와 내측과 사이 중 가장 근위부는 오스본 인대이므로 도침치료를 하지 않고, 조금 더 원위부에 위치한 오스본 근막 주변으로 도침치료를 시행합니다.

📖 도침치료
- 칼날 방향: 인체 종방향
- 자입 깊이: 0.5 cm(환자가 찌릿한 느낌을 느끼면 발침)
- 주의 사항: 절대 뼈까지 찌르면 안됨, 안쪽은 팔꿈치 내측측부인대(ulnar collateral ligament)가 있어서 깊이 자입 시 손상될 수 있습니다.
  0.4 mm 도침으로 0.5 cm 정도 자입합니다. 환자가 찌릿한 느낌을 느끼면 발침하는 것이 가장 좋습니다.

척골신경아탈구 주의
척측수근굴근 사이에 있는 오스본 근막위주로 도침치료를 시행합니다. 주관절 내측과와 주두를 연결하는 오스본 인대를 절개할 경우 척골신경 아탈구를 일으킬 수 있으므로, 최소한으로 자극합니다. 결론적으로 오스본 근막과 척측수근굴근 위주로 치료하고, 오스본 인대의 도침치료는 최소화하는 것이 좋습니다.

참고문헌

📖 1. Cleland JA. 통증치료를 위한 알기 쉬운 근골격계 이학적 검사법. 제3판. 메디안북; 2017.

📖 2. 김지형. 일차진료의를 위한 정형외과: 진단과 치료. 제2판. 대한의학; 2016.

📖 3. Bisset L, Beller E, Jull G, Brooks P, Darnell R, Vicenzino B. Mobilisation with movement and exercise, corticosteroid injection, or wait and see for tennis elbow: randomised trial. BMJ 2006;333:939.

📖 4. Granger A, Sardi JP, Iwanaga J, Wilson TJ, Yang L, Loukas M, et al. Osborne's ligament: a review of its history, anatomy, and surgical importance. Cureus 2017;9:e1080.

4 손목 및 손

○──▶ 4-1. 손목 및 손의 감별진단

진단	병력	이학적 검사
단순 손목 통증	외상력 없음, 손으로 땅을 짚거나 과용 시 심해지는 비특이적인 통증	별무
주상골 골절	외상력, Snuff box 압통	Snuff box 압통
삼각섬유연골복합체 손상 (TFCC injury)	고질적 손목 척측 통증, 척측 굴곡 때 손목 통증 악화	Fovea sign+
드퀘르뱅증후군	물건을 잡을 때 생기는 경상돌기의 통증	Finkelstein test+
수근관 증후군	1, 2, 3, 4지 손가락의 저림, 수면 중 저림	Tinel sign+ Phalen test+
척골관증후군	4, 5지 손가락 이상 감각	Tinel sign+
손가락 퇴행성 관절염	손가락 관절의 통증, 조조강직	
손가락 류마티스 관절염	MCP관절의 통증 및 변형, 류마티스 검사상 양성	
탄발지	손가락 신전 시 걸림, 염발음	

손목 및 손 통증으로 내원하는 환자들이 다빈도로 호소하는 질환들을 정리해 봤습니다. 첫 번째로 손과 손목에 외상과 함께 심한 통증과 압통을 호소한다면 골절을 의심해야 합니다. 손목통증으로 내원했는데 외상이 없다면 단순 손목 통증이 가장 많습니다. 그 후 손목의 요측이 아프면 드퀘르뱅증후군을 의심합니다. 손목의 척측 통증은 흔히 TFCC라고 불리우는 삼각섬유연골복합체 손상(triangular fibrocartilage complex injury)을 의심할 수 있으나 완고하고 다른 치료에 반응하지 않는 통증이 아니라면 일반적인 손목 통증일 확률이 높습니다.[1,2]

손목 통증 다음 흔하게 내원하는 증상은 손저림입니다. 환자가 손저림을 호소하면 첫 번째로 손이 저린 범위를 살펴봐야 합니다. 1, 2, 3, 4번째 손가락이 저리면 수근관 증후군일 확률이 가장 높습니다. 다만 수근관은 손가락만 저리고 손바닥은 저리지 않기 때문에, 손바닥까지 저리거나 손과 팔 전체가 저리면 흉곽출구 증후군이나 경추디스크를 의심해야 합니다. 4, 5번째 손가락만 저리면 경추디스크 내지는 guyons tunnel syndrome, 아니면 cubital tunnel syndrome입니다.

환자가 손가락 관절의 통증을 호소하면 류마티스와 골관절염을 구분하는 것이 첫 번째입니다. 가장 간단하게는 골관절염은 MCP관절을 침범하는 것이 드물지만 류마티스는 MCP관절에 대한 침범이 자주 일어납니다. 또한 류마티스는 대칭성으로 다른 관절에도 나타나며 통증의 양상이 심하고 전신 증상을 동반합니다. 골관절염은 PIP, DIP관절만 주로 침범하며 주로 과사용과 관련되어 있습니다. 조조강직은 두 질환 모두 나타납니다.

탄발지는 뚜렷한 임상증상이 있기 때문에 감별이 어렵지 않습니다.

키워드: wrist pain 🔍

한 장 차트 요약

📄 **특징**　손목 통증은 과사용으로 인한 가벼운 염증성 통증부터 골절, 무혈성 괴사까지 여러 질환이 가능하지만, 그 증상이 유사하여 감별이 중요. 골절이나 주상월상인대손상, 월상골 무혈성 괴사, TFCC 등 다른 원인이 배제되면 단순 손목통증으로 보고 치료

📄 **O/S**
- 과사용으로 인한 통증(손목의 직접적인 타박이나 외상, 넘어질 때 짚는 등 외상성으로 발생한 통증이 지속될 때는 필히 영상검사)

📄 **C/C**
- 손목관절의 통증 호소

📄 **P/E**
- 수동 운동 시 통증–인대손상
- 저항검사 시 통증–건 손상이나 근육이상
- 관절이 좁아질 때 통증–관절의 염증

📄 **Imaging**
- X–ray상 별무 이상, MRI나 초음파에서 손목의 염증소견

📄 **R/O**
- 관절통, 손목관절(M2553)

📄 **Plan**
- 치료 기간: 2–4주
- 치료 목표: 손목통증 완화
- 통증부위: 손목부위 침치료, 만성적인 통증과 손목의 ROM 제한 시 도침치료 요망
- 주변부: 통증부위에 따라 손목 굴곡근과 신전근에 대한 침, 부항, 물리치료
- 티칭: 통증 호전 시까지 사용 자제 지시, 특히 손목을 배굴시킨 상태로 침대나 땅바닥을 짚고 일어나는 행위는 손목관절에 무리를 주는 행위로 평생 하지 않도록 함. 땅을 짚을 때는 주먹을 쥐고 손목을 중립으로 유지한 상태에서 짚도록 티칭

최신 연구 동향 및 임상 포인트

☑ 어떤 동작에서, 손목 어느 부위에서 통증이 발생하는지 꼼꼼히 관찰하여 치료하는 것이 중요합니다.

→ 도침치료 포인트

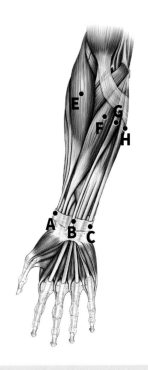
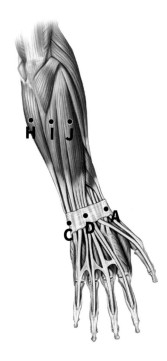

치료 포인트

환자가 첫 치료인 경우, 모든 포인트를 치료하지 않고 가장 압통이 심한 부위 2포인트를 선정하여 치료합니다. 손목 부위 압통점(A, B, C, D)을 우선 치료하고, 연관된 근육에 압통(E, F, G, H, I, J)이 있는 경우 함께 치료합니다. 제시된 포인트는 예시로, 모든 환자가 동일하지 않습니다. 환자가 가장 아파하고, 압통이 심하게 나타나는 곳을 개별적으로 찾아야 합니다.

손목 요측(A)	4-2-2. 상완요골근	E	p. 179
손목 바닥쪽(B)	3-3-2. 요측수근굴근(팔꿈치 파트)	F	p. 167
	3-3-3. 장장근(팔꿈치 파트)	G	p. 168
손목 척측(C)	3-3-4. 척측수근굴근(팔꿈치 파트)	H	p. 169
	3-2-5. 척측수근신근(팔꿈치 파트)	I	p. 163
손목 손등쪽(D)	3-2-4. 총지신근(팔꿈치 파트)	J	p. 162

 압통점 찾기 팁

손목부위는 근육이 많습니다. 심플하게 손목 압통점을 중심으로 손목 척측과 내측이 아프면 굴곡근을 중심으로 압통점을 찾고, 손목 배측이나 요측이 아프면 신전근에서 압통점을 찾으세요. 그리고 드퀘르뱅과 TFCC를 감별하시면 됩니다.

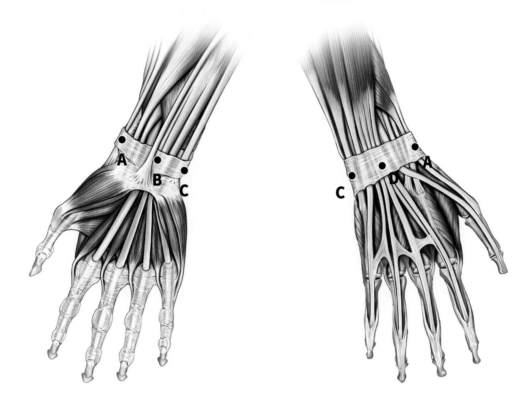

→ 손목 압통점 도침치료

📄 **촉진**	• 손목 부위에서 환자가 호소하는 압통점에 자입합니다.
📄 **도침치료**	• 자입 깊이: 0.5 cm 깊이로 지지띠(retinaculum)와 힘줄 간 유착만 살짝 자극하고 발침합니다. • 주의 사항: 환자에게 아픈 곳을 명확히 찾아보라고 한 뒤 압통점을 체크하는 것이 좋습니다. 다만 힘줄 자체를 직접 찌르지 않게 주의합니다. 힘줄과 힘줄 사이의 유착을 도침으로 절개합니다. 또한 손목 부분은 수근골을 중심으로 횡으로 주행하는 인대가 많은 만큼, 깊이 뼈까지 도침을 자입하지 않는 것이 중요합니다.

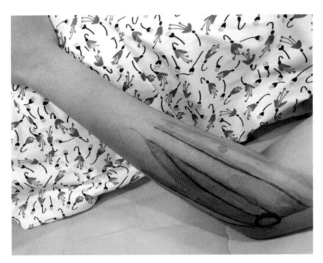

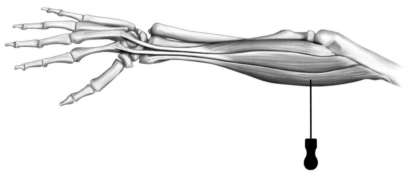

→ 상완요골근(Brachioradialis) 압통점 도침치료

📄 **촉진**	• 전완을 중립상태에서 전완에 저항을 주며 팔꿈치 관절을 굴곡시키면 활성화되는 근육입니다. 해당 근육에서 압통점을 찾아 자입합니다.
📄 **기시**	• 상완골의 외측상과융선(lateral supracondylar ridge of the humerus)
📄 **종지**	• 요골의 경상돌기(radial styloid process)
📄 **도침치료**	• 칼날 방향: 인체 종방향 • 자입 깊이: 1.5–2 cm • 자극 횟수: 2–3회, 경결이 심할 경우 자극량을 추가합니다.

키워드: De Quervain's disease 🔍

한 장 차트 요약

📄 **특징**   손목의 요측, 요골 경상돌기에서 통증

📄 **O/S**
- 과사용 후에 발생하며, 쉬면 나아지나 쓰면 악화된다.

📄 **C/C**
- 손목을 사용할 때 손목의 요측 힘줄에서 느껴지는 통증

📄 **P/E**
- Finkelstein test+
- 요골경상돌기 부근 건의 압통+

📄 **Imaging**
- 초음파, MRI 상 염증, 부종소견

📄 **R/O**
- 요골붓돌기힘줄윤활막염[드쿼르뱅(M654)]

📄 **Plan**
- 치료 기간: 2-4주
- 치료 목표: 진통 및 소염, 구조적 문제 개선
- 통증부위: 건이 마찰을 일으키는 부분에 대한 도침치료
- 주변부: 엄지손가락 신전근에 대한 침, 물리치료
- 티칭: 사용하지 않는 것이 중요, 통증 완화기까지 사용 금지

최신 연구 동향 및 임상 포인트

✓ 드쿼르뱅 병은 장무지외전근(abductor pollicis longus)과 단무지신근(extensor pollicis brevis) 두 건의 지속적인 마찰로 인한 협착성 건초염입니다.
✓ 스테로이도 주사치료는 건 약화와 함께 탈색이나 함몰과 같은 부작용이 발생할 수 있습니다.

→ 도침치료 포인트

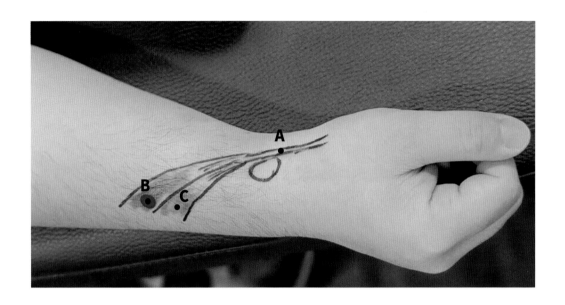

치료 포인트

환자가 첫 치료인 경우, 모든 포인트를 치료하지 않고 가장 압통이 심한 부위 2포인트를 선정하여 치료합니다.

4-3-1. 드퀘르뱅 압통점	**A**	**p. 182**
4-3-2. 장모지외전근 압통점	**B**	**p. 183**
4-3-3. 단모지신근 압통점	**C**	**p. 184**

 압통점 찾기 팁

일단 손목부위의 압통점이 중요합니다. 손목부위 압통점은 전형적인 드퀘르뱅처럼 경상돌기 내측에 있을 수도 있지만, 보다 손목 쪽에 있을 수도 있습니다. 환자에게 엄지손가락을 굴곡, 신전시키면서 가장 아픈 곳을 찾으라고 합니다. 그리고 장무지외전근 압통점과 단모지신근 압통점은 환자가 먼저 호소하지 않습니다. 여러분이 꼼꼼히 눌러 찾아야 합니다.

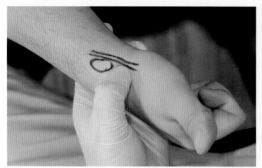 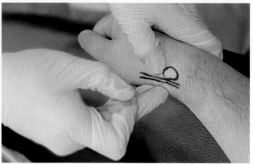

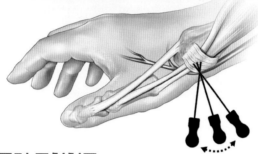

→ 드퀘르뱅 압통점 도침치료

📋 **촉진**	• 손그림과 같이 요골 경상돌기 위쪽 suff box에서 환자의 엄지손가락을 외전시키면 단모지신근건(EPB)근의 건이 촉진됩니다. 단모지신근건(EPB)보다 medial에 장무지외전근(APL)의 건이 촉진됩니다. 두 건을 분명히 구분하는 것은 쉽지 않습니다. 가장 통증이 심한 압통점을 찾은 뒤, 두 건의 사이를 가르듯 도침을 자입해야 합니다.
📋 **도침치료**	• 칼날 방향: 인체 종방향 • 자입 깊이: 뼈까지 • 자극 방법: 건과 건 사이의 유착과 신근지대(extensor retinaculum)를 절개하기 위해 앞뒤로 움직이며 도침을 2–3회 제삽해 줍니다.
📋 **팁**	• 전형적인 드퀘르뱅 발병부위인 손목의 신근지대뿐만 아니라, 좀더 원위(distal)의 EPB, APL 건초에도 염증이 생길 수 있어 그 부분도 도침치료가 필요합니다.

주의
손목 요측에 표층엔 요골신경의 표층 분지들이 분포하며, 보다 심부엔 요골동맥이 있으므로 도침치료 시 정확히 건 사이에 도침이 자입되도록 주의해야 합니다.

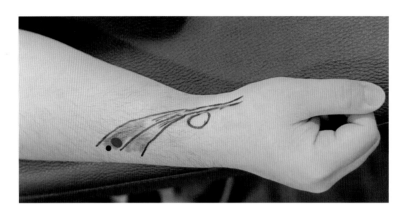

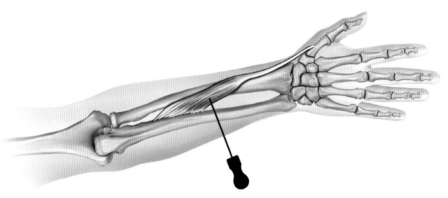

→ 장모지외전근(Abductor pollicis longus) 압통점 도침치료

📋 **촉진**	• 손목 관절의 배측(손등쪽)에서 3촌 아래, 척골과 요골 사이에서 엄지손가락을 외전시킬 때 도드라지는 근육. 장무지외전근 근복 상 압통점에 도침을 자입합니다.
📖 **기시**	• 척골의 배면(dorsal surface of the body of the ulna) • 전완골간막(interosseous membrane of forearm)
📖 **종지**	• 제1중수골 기저부(base of the 1st metacarpal)
📖 **도침치료**	• 칼날 방향: 인체 종방향 • 자입 깊이: 1.5–2 cm • 자극 횟수: 1–2회, 경결이 심할 경우 자극량을 추가합니다.

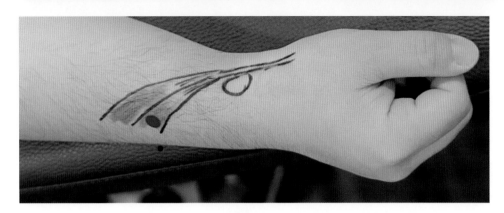

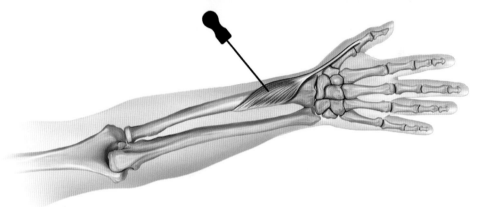

→ 단모지신근(Extensor pollicis brevis) 도침치료

📋 **촉진**	• 장모지 외전근 근복 촉진 후 장모지외전근보다 손쪽에 위치함, 엄지손가락을 신전시킬 때 도드라지는 근육으로, 근복상의 압통점에 자입한다.
📋 **기시**	• 전완골간막(interosseous membrane of forearm) • 요골(radius)의 뒷면 안쪽 1/3
📋 **종지**	• 엄지손가락 근위지골 바닥(base of the 1st proximal phalanx)
📋 **도침치료**	• 칼날 방향: 인체 종방향 • 자입 깊이: 1.5–2 cm • 자극 횟수: 1–2회, 경결이 심할 경우 자극량을 추가합니다.

4-4. 수근관 증후군

키워드: Carpal tunnel syndrome

한 장 차트 요약

📋 특징
- 가장 흔한 손저림의 원인으로 1–4지 손가락만 저린 증상이 나타남. 간혹 경추 신경근 병증이나 흉곽출구 증후군과 동반될 경우 팔이나 손바닥의 저림이 동반될 수 있음
- 대부분 환자에 따라 본인의 증상을 명확히 인지하지 못하기 때문에 손 전체가 저리다고 하기도 함

📋 O/S
- 주로 여성, 손목의 과사용 후에 발생

📋 C/C
- 손가락 엄지에서 4지 medial side 절반에서 저림 증상
- 주로 야간에 심한 경우가 많음
- 심할 경우 무지구 근육의 위축

📋 P/E
- Phalen test+
- Tinel sign+

📋 Imaging
- 초음파나 MRI 상 신경의 부종 관찰

📋 R/O
- 손목 터널 증후군(G560)

📋 Plan
- 치료 기간: 1–3회(약 2–3주)
- 치료 목표: 정중신경의 압박 해소
- 통증부위: 횡수근인대(transverse carpal ligament) 부분 절개
- 주변부: 횡수근인대 부착부, 전완부 굴곡 근육에 대한 침치료, 굴곡근 이완을 위한 물리치료 시행
- 티칭: 손의 과한 사용을 제한해야 통증의 호전이 빠르게 나타남

최신 연구 동향 및 임상 포인트

☑ 일반적인 신경 포착질환에서, 수면 중이나 새벽에 저림을 호소하는 간헐적인 저림인 경우 예후가 좋습니다. 다만 근육위축과 하루종일 지속적인 지림을 호소하는 경우는 100% 좋아지지 않을 수도 있기 때문에 예후 상담에서 주의해야 합니다.[3]

→ 도침치료 포인트

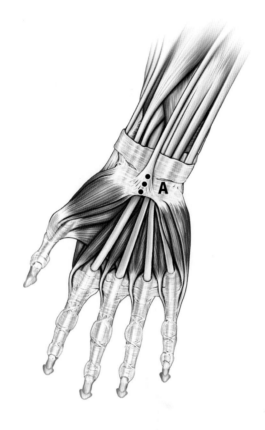

치료 포인트

환자가 첫 치료인 경우, 모든 포인트를 치료하지 않고 가장 압통이 심한 포인트를 선정하여 치료합니다.
A점은 대략적인 위치로, 자세한 자입법과 자입 위치는 자입법 페이지를 참고합니다.

4-4-1. 횡수근인대 압통점	A	p. 190

 압통점 찾기 팁

횡수근인대의 압통점은 근위부, 원위부, 가운데 총 3군데로 나누어서 촉진하시면 됩니다.
1회 시술 시 그 한 부위만 시술하시면 됩니다. 주로 근위부나 원위부에 압통점이 많이 발생합니다.
다만 수근관 증후군이 발생한지 1개월 이내이고, 증상이 심하지 않으면 횡수근인대 부착점 침치료와
전완굴곡근에 대한 근복부 도침치료를 시행합니다.

수근관 증후군 절개 수술 후 부작용의 종류와 발생률

수술받은 55개의 손을 20.2개월 동안 추적[4]	
5.5%	수술부위를 두드릴 때 찌릿거리는 통증
7.3%	수술흉터의 통증
12.7%	잘려나간 손목횡인대가 말려 들어가며 결절을 형성해 유발되는 통증(pillar pain)
18%	화끈거리는 통증

수근관 증후군에 대한 절개 수술은 비교적 간단한 수술로 인식되나, 수술 후 20개월 동안 추적관찰한 경과 약 12.7%에서는 pillar pain으로 인해 손목을 움직일 때 지속적인 수술부위에 통증을 호소하였고, 18%는 수술 이후에도 화끈거리는 불편감을 호소하였습니다. 이런 점을 종합할 때 근력저하가 없다면 최소침습으로 치료하는 것이 가장 좋습니다.

수근관 증후군에서 정중신경 포착 다발 부위

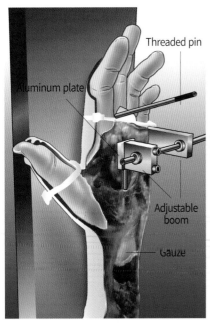

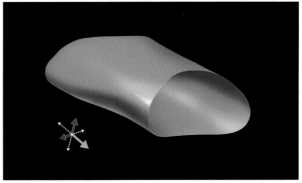

가데바의 손목에서 특히 좁아지는 수근관을 3D 분석

원위부 중앙, 척측부와 근위부 요측부에서 신경 포착이 다발

정중신경의 포착이 수근관 전체에서 나타나기보다는, 위 연구처럼 횡수근 인대의 원위부나 근위부에서 나타나는 경우가 많아 원위부 근위부의 압통점만 선택적으로 도침으로 절개해도 증상이 많이 호전됩니다.

→ 수근관 증후군 포인트 찾기

수근관 증후군은 수근관 내부를 지나는 힘줄들에 염증이 생겨 내부압력이 증가해 신경이 눌리는 경우가 많습니다. 그래서 비교적 발병 초기에는 수근관 내부에 침과 약침치료와 함께 전완 굴곡근 근복을 함께 이완시켜주는 방법을 시행하게 됩니다. 하지만 이러한 방법으로 환자가 호전되지 않으면 직접적으로 도침을 통해 횡수근 인대를 절개하여 수근관 내부의 압력을 낮추는 것이 효과적입니다.

도침을 통해 횡수근 인대를 절개할 때, 모든 인대를 전체적으로 절개할 필요가 없으며, 가장 중요한 포인트를 선정해 선택적으로 절개하는 것이 효율적입니다.

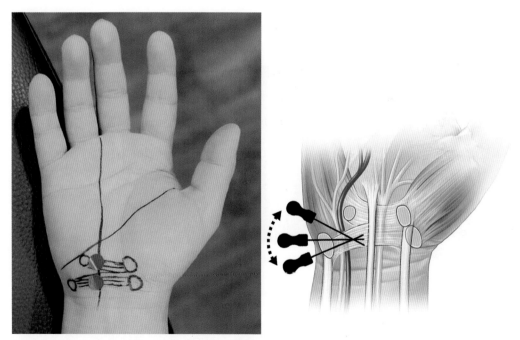

🏷 그림 4-4-1. 횡수근 인대 부착점과 도침 자입점. 붉은 스티커를 부착한 부분이 정중신경을 피하면서 횡수근인대를 절개할 수 있는 부위

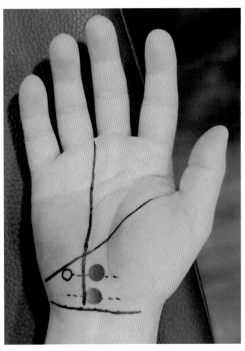 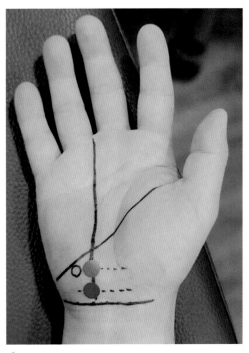

🔖 그림 4-4-2. 신경을 직접 자극하는 횡수근 인대 절개 포인트

🔖 그림 4-4-3. 안전한 횡수근 인대 절개 포인트

첫 번째로 자입 위치를 선택할 때, 그림 4-4-2처럼 안전하게 횡수근 인대를 자극할지 아니면 정중신경을 직접 타겟팅하며 자극할지 선택해야 합니다. 정중신경을 피해서 자입하면 안전하지만, 임상적으로 정중신경을 직접 자극해 줬을 때 치료효과를 더 크게 올릴 수 있었습니다.

두 번째로 환자의 압통을 조사해서 횡수근 인대의 원위부를 절개할지 근위부를 절개할지 선택해야 합니다. 두 부분 모두에서 압통이 발견되면 한 번에 하지 말고 날짜를 나눠 2회 이상 시술하시길 권유합니다.

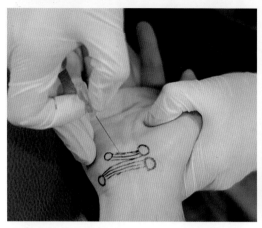 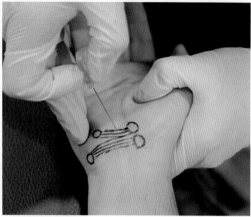

→ 횡수근 인대(Transverse carpal ligament) 압통점 도침치료

📖 **촉진**	• 손목 중앙에서 원위 수근 피부선(distal wrist crease) 위쪽으로 횡수근 인대가 촉진됩니다. 횡수근 인대의 중앙부분, 정중신경이 지나가는 위쪽, 혹은 정중신경 외측의 압통점을 찾아 도침치료를 시행합니다.
📖 **인대부착**	• 유구골 갈고리(hook of hamate) • 두상골(pisiform) • 주상골 결절(scaphoid tubercle) • 대능형골 결절(trapezium tubercle)
📖 **도침치료**	• 칼날 방향: 인체 종방향 • 자입 깊이: 1.5 cm 정도 충분한 깊이까지 자입합니다. • 도침 조작: 정중신경 위 포인트를 자극할 경우, 정중신경을 자극하여 찌릿한 느낌이 들 때까지 아주 천천히 자입한 후, 도침을 약간 뒤로 후퇴시켜 신경 위에 위치한 횡수근 인대를 2–3회 제삽 절개합니다. 정중신경을 피한 포인트를 자입할 경우 횡수근 인대의 저항감이 느껴지면 해당 부위 앞뒤를 2–3회 제삽 절개합니다. • 주의 사항: 절피 후 자입 속도를 충분히 느리게 유지하여 신경손상을 예방합니다.

치료 포인트

정확한 위치에, 정확한 깊이까지 한 번 들어갔다 나오는 것

키워드: Ulnar tunnel syndrome Guyon's tunnel syndrome, Cyclist palsy

한 장 차트 요약

특징 손에서 척골신경 포착으로 인한 4, 5지 손가락의 저림 증상

O/S
- 무별무 원인, 자전거를 많이 타고 저리기도 함

C/C
- 손바닥 척측과 새끼손가락, 4지 lateral 절반의 저림

P/E
- Tinel sign+
- Guyon's tunnel 압통+ (hook of hamate와 pisiform 사이)

Imaging
- 초음파나 MRI 상 신경의 부종 관찰

R/O
- 척골신경의 병변(G562)

Plan
- 치료 기간: 2-4주, 통증 관리의 개념
- 치료 목표: 척골신경 압박 해소
- 통증부위: Guyon's tunnel 도침치료
- 주변부: 저림을 호소하는 손가락에 대한 침치료
- 티칭: 자전거를 타거나 땅바닥을 짚는 등 증상을 악화시킬 수 있는 동작을 제한시킴

최신 연구 동향 및 임상 포인트

- ✓ 경추 추간판 탈출증이나 흉과출구 증후군, 주관 증후군과 같이 손목보다 근위부에 위치한 신경 포착이 의심되면 근위부를 먼저 치료하고 원위부를 치료합니다.
- ✓ 주로 다른 증상 없이 손의 4, 5지 저림을 호소하는 경우 진단하며, 다른 신경포착과 병발하는 경우 모두 치료합니다.

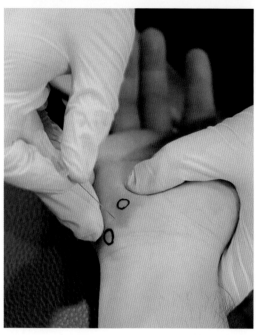

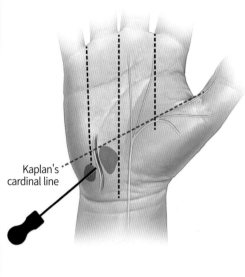

Kaplan's cardinal line

→ 척골관(Ulnar tunnel)증후군 압통점 도침치료

📋 촉진	• Kaplan's cardinal line과 4지의 척측에서 내린 선이 교차하는 곳에서 hook of hamate를 촉진합니다. hook of hamate와 pisiform 사이 압통점을 찾습니다.[6]
📋 인대부착	• 유구골 갈고리(hook of hamate) • 두상골(pisiform)
📋 도침치료	• 칼날 방향: 인체 종방향, 척골신경 주행 방향 • 자입 깊이: 1 cm(뼈까지 자극하지 않게 주의합니다.) • 도침 조작: 척골신경을 자극하여 찌릿한 느낌이 들 때까지 천천히 자입한 후, 도침을 약간 뒤로 후퇴시켜 신경 위에 위치한 인대를 2-3회 제삽 절개합니다. • 주의 사항: 절피 후 자입 속도를 충분히 느리게 유지하여 신경손상을 예방합니다.

4-6. 손가락 퇴행성 관절염

키워드: hand osteoarthritis

한 장 차트 요약

특징
- 손가락의 퇴행성 관절염은 주로 근위지절(PIP)관절이나 원위지절(DIP)관절에 나타나며 중수지(MCP)관절에는 잘 나타나지 않습니다.
- MCP관절에 통증을 호소하는 경우 류마티스 관절염의 가능성도 의심해야 합니다.

O/S
- 오래됨

C/C
- 손가락마디의 통증, 아침에 강직감(OA에서도 조조강직이 나타날 수 있음)

P/E
- PIP, DIP관절의 변형
- 관절 압통+

Imaging
- X-ray와 MRI에서 퇴행성 관절 소견(관절 간격 감소, 골극, 연골하골 경화 등)

R/O
- 관절통, 손가락(M2554)

Plan
- 치료 기간: 2-4주. 통증 관리의 개념
- 치료 목표: 관절 통증 감소 및 기능 회복
- 통증 부위: 관절 압통점 도침치료
- 주변부: 관절 압통점 침치료 및 손가락 신전근에 대한 침, 부항, 물리치료 시행
- 티칭: 치료기간 동안은 과한 사용을 금지해야 합니다. 치료 후 하루 정도는 시술 부위를 물에 닿지 않게 알려줍니다.

최신 연구 동향 및 임상 포인트

- ✓ 조조강직은 OA, RA 모두 비슷한 비율로 발생합니다. 염증수치보다는 환자의 자각적인 통증 정도와 밀접한 관련이 있다고 합니다.[7]
- ✓ 3개월 이상 통증을 호소할 경우 도침치료 석능승입니다. 핀딘이 이려우면 침치료 먼저 시행하여 증상의 개선이 없으면 도침치료를 시행합니다.

─→ 도침치료 포인트

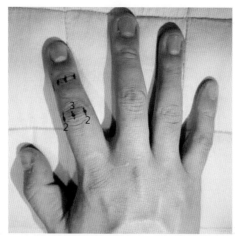

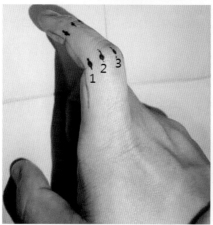

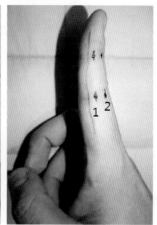

치료 포인트

환자가 첫 치료인 경우, 모든 포인트를 치료하지 않고 가장 압통이 심한 포인트를 선정하여 치료합니다.

4-6-1. 측부 인대	1	p. 197
4-6-1. 결절 형성 부위	2	p. 197
4-6-1. 신근 건 부착부	3	p. 197

 TIPS 압통점 찾기 팁

환자가 가장 아파하는 곳을 찾습니다. 1,2번에 압통점이 많이 발생하며, 3번은 굴곡장애가 있을 시 촉진하여 자입합니다.

손가락 관절염의 병리

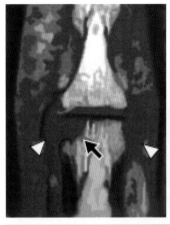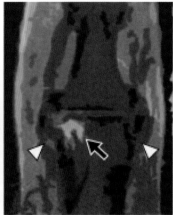

손가락 관절염 발생 기전[8]

인대의 손상과 인대 조직의 비대화
→ 인대와 골조직과 마찰
→ 골부종
→ 연골손상

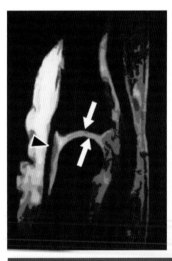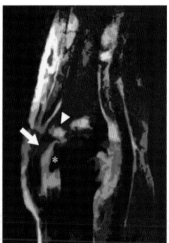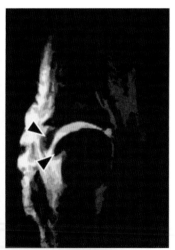

고해상도 MRI 이용한 손가락 관절염 관찰 논문[9]

PIP 관절에서 손가락 신근 건 부착부의 골극형성, 건병증, 골부종 등을 확인할 수 있습니다.

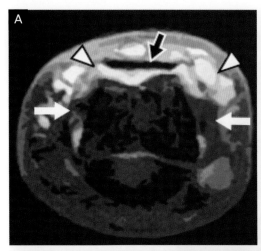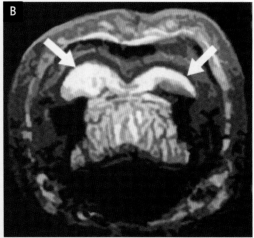

헤베르덴 결절의 형성[10]

그림 A에서 연조직 돌출(arrowheads)되었던 부위에 시간이 지나면 그림 B와 같이 결절(arrow)이 형성
된다.

최근 MRI연구에 따르면, 손가락 관절염은 바로 관절연골의 손상에서부터 시작하
는 것이 아니라, 인대의 손상으로 인해 속발하는 경우가 많다는 것을 알 수 있습니다.
이를 통해 초기에 손가락 관절의 인대만 잘 치료해도 관절염을 막을 수 있음을 알 수
있습니다.

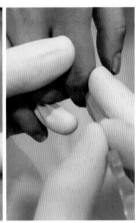

1. 측부 인대   2. 결절, 골극   3. 신근 건

→ 손가락 측부인대, 골극, 신근 건 부착부 도침치료

촉진
- 손가락 관절의 측부인대, 결절, 신전 건 부착부에서 환자가 호소하는 압통점에 자입합니다.

도침치료
- 칼날 방향: 인체 종방향
- 자입 깊이: 뼈까지
- 자극 횟수: 1–2회 제삽 자극 후 발침합니다. 결절, 골극 부위의 유착이 심할 경우 2–3회 제삽 자극도 가능합니다.
- 주의 사항: 측부인대 자침 시, 적백육제를 기준으로 살짝 손등 방향에 정점한 후 자입해주셔야 신경과 혈관의 손상을 막을 수 있습니다.

키워드: trigger finger

한 장 차트 요약

📋 **특징**   손가락 신전할 때 손에서 걸리는 느낌과 함께 통증이 나타나는 것이 주 증상. 다만 걸리는 정도에 따라 단계가 나뉘며, 초기 경증은 침치료로 가능하나 걸리는 느낌이 나타나기 시작하면 도침치료가 필요

📋 **O/S**
- 손을 많이 사용하고 나서 발생하나 별무 원인일 때도 있음

📋 **C/C**
- 손가락을 펼 때 걸리는 느낌과 함께 소리가 나기도 함. 통증은 있을 때도 있고 없을 때도 있음

📋 **P/E**
- A1 pulley 압통 및 걸림

📋 **Imaging**
- 손가락 굴곡건의 thickness

📋 **R/O**
- 방아쇠 손가락, 손가락(M6534)

📋 **Plan**
- 치료 기간: 2–4주
- 치료 목표: 통증완화 및 건의 걸림 해결
- 통증부위: 초기 경증은 침치료 및 사혈, 만성은 도침
- 주변부: 손가락 굴곡근에 대한 부항 및 물리치료
- 티칭: 과사용을 금지시키며 필요하면 splint도 적용하지만, 손가락은 3주 이상 splint 시 강직이 쉽게 오므로 초기 1–2주만 사용, 중간중간 스트레칭을 시행. 어느 정도 통증이 완화되면 손가락 굴곡근에 대한 등척성 운동을 시행함

최신 연구 동향 및 임상 포인트

✓ 탄발지의 도침치료 시 통증을 많이 수반할 수 있습니다. 이럴 땐 섬수약침 0.3 cc를 피하 주입하여 30초 정도 이후에 도침치료를 시행하면 통증을 완화시킬 수 있습니다.[10]

→ 도침치료 포인트

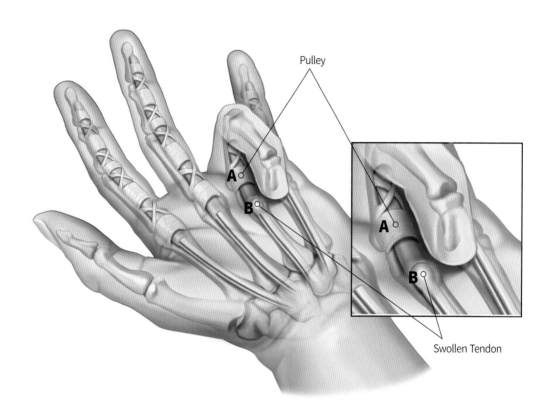

Pulley

A

B

A

B

Swollen Tendon

치료 포인트

환자가 첫 치료인 경우, 모든 포인트를 치료하지 않고 가장 압통이 심한 부위 2포인트를 선정하여 치료합니다.

4-7-1. A1 pulley	A	p. 202
4-7-1. 힘줄 부종 및 압통점	B	p. 202

 압통점 찾기 팁

아픈 손가락의 굴곡과 신전을 반복하며 힘줄이 부은 부분을 정확히 찾습니다.
힘줄이 부은 부분과 pulley 두 군데 압통점을 모두 치료해야 합니다.

→ 탄발지를 위한 표면 해부학

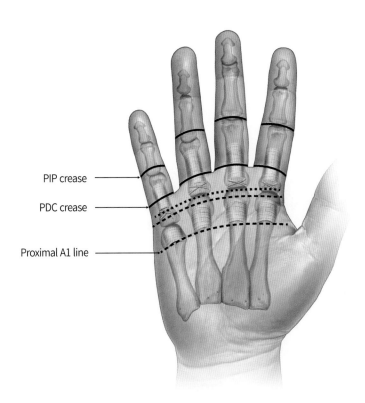

PIP crease

PDC crease

Proximal A1 line

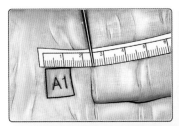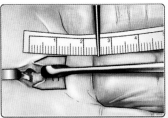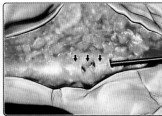

2000년, 하버드 의대 성형외과, 64구 시체, 266 손가락 해부[11]

손가락 첫마디 길이 = 손가락 주름에서 A1 pulley line

→ 엄지손가락 탄발지 도침치료 연구

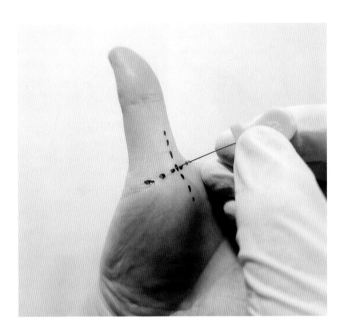

	도침 (46)	STEROID (47)
초기 VAS	7.4	7.3
1개월 후	0.8	4.6
12개월 후	0.4	6.9

2009년 중국의 CHAO 등은 엄지손가락 관절에서 발생한 탄발지 환자에 대해 도침 치료(n = 46)와 스테로이드 주사치료(n = 47)의 효과를 비교하였습니다. 그 결과 위 표 처럼 도침치료는 시술 후 1년간 거의 통증이 없어진 상태를 유지한 반면 스테로이드 치료는 1개월 후 통증이 완화되었다가 다시 돌아오는 것을 확인할 수 있었습니다.[12]

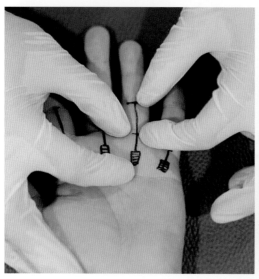 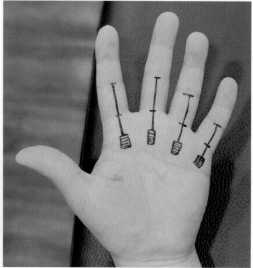

→ A1 pulley 및 건 압통점 도침치료

📋 **촉진**	• 탄발지를 일으키는 A1 pulley의 근위부는 손바닥에 위치합니다. 그림과 같이 손바닥과 손가락의 주름에서, 손가락 1마디 길이만큼 몸 쪽으로 오면 A1 pulley의 근위부입니다. 그 곳에 시술자의 손 끝을 대고, 환자가 손가락을 움직일 때 힘줄이 걸리는 것을 확인합니다.
📋 **도침치료**	• 칼날 방향: 인체 종방향 • 자입 깊이: 건까지, 건을 뚫지 않고 2-3제 제삽 절개합니다. • 도침 조작: 건 위의 건초를 절개하는 느낌으로 2-3회 제삽절개합니다. 환자의 손가락을 움직여 보며 움직임의 개선을 확인합니다.

→ A1 pulley 절개를 위한 도침 조작

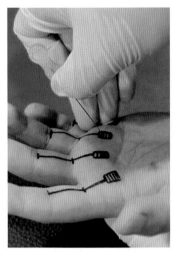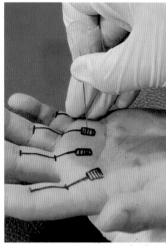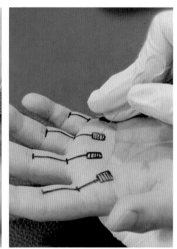

부어있는 힘줄 부위 압통점 이외에 A1 pulley를 정확히 찾아 자입해야 합니다. 그래서 위 촉진에 따라 정확히 A1 pulley를 찾은 뒤, 펜을 통해 절개할 범위를 미리 체크하는 것이 좋습니다. 그 후 A1 pulley에 직자한 후, 환자에게 손가락의 굴곡 및 신전을 시켜봅니다. 그때 건에 제대로 자입하면 손가락의 움직임에 따라 도침이 움직이게 됩니다.

움직임을 확인한 뒤, 건의 절개는 최대한 피하면서 A1 pulley를 조심스럽게 절개합니다. 강한 저항감이 있는 건을 절개하지 않으며, 그 위 투둑하는 느낌을 느끼며 A1 pulley를 아래 위로 절개합니다. 약 3-4회 제삽자극하여 A1 pulley 절개를 마치면 발침 후 환자에게 손가락을 굴곡 신전하며 호전도를 살펴봅니다.

완전히 증상이 사라지면 좋지만, 어느정도 호전이 있다면 추가 절개하지 않고 다음 예약을 잡습니다.

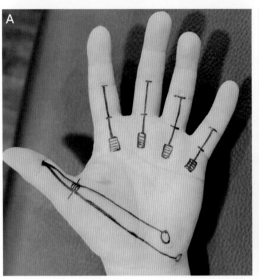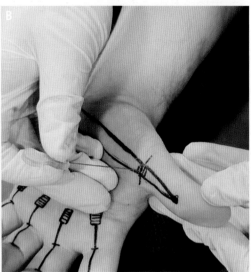

→ 엄지손가락 A1 pulley 및 건 도침치료

📋 **촉진**
- 엄지손가락의 A1 pulley는 엄지 근위지절의 중간부위의 건이 움직이는 것을 촉진하여 위치를 찾습니다. 보다 정확하게는 그림 A와 같이 hook of hamate에서 엄지 원위지절 중간지점을 이은 선과 pisiform에서 엄지 원위지절 중간지점을 이은 선 사이에 위치합니다.

📋 **도침치료**
- 칼날 방향: 인체 종방향
- 자입 깊이: 건까지, 건을 뚫지 않고 2-3제 제삽 절개합니다.
- 도침 조작: 건 위의 건초를 절개하는 느낌으로 2-3회 제삽절개합니다. 환자의 손가락을 움직여 보며 움직임의 개선을 확인합니다.

참고문헌

1. Cleland JA. 통증치료를 위한 알기 쉬운 근골격계 이학적 검사법. 제3판. 메디안북; 2017.

2. 김지형. 일차진료의를 위한 정형외과: 진단과 치료. 제2판. 대한의학; 2016.

3. Dellon AL. Review of treatment results for ulnar nerve entrapment at the elbow. J Hand Surg Am 1989;14:688-700.

4. Boya H, Özcan Ö, Özteki N HH. Long-term complications of open carpal tunnel release. Muscle Nerve 2008;38:1443-6.

5. Pacek CA, Chakan M, Goitz RJ, Kaufmann RA, Li ZM. Morphological analysis of the transverse carpal ligament. Hand 2010;5:135-40.

6. Vella JC, Hartigan BJ, Stern PJ. STERN, Peter J. Kaplan's cardinal line. J Hand Surg Am 2006;31:912-8.

7. Yazici Y, Pincus T, Kautiainen H, Sokka T. Morning stiffness in patients with early rheumatoid arthritis is associated more strongly with functional disability than with joint swelling and erythrocyte sedimentation rate. J Rheumatol 2004;31:1723-6.

8. Tan AL, Grainger AJ, Tanner SF, Shelley DM, Pease C, Emery P, et al. High-resolution magnetic resonance imaging for the assessment of hand osteoarthritis. Arthritis Rheum 2005;52:2355-65.

9. Tan AL, Toumi H, Benjamin M, Grainger AJ, Tanner SF, Emery P, et al. Combined high-resolution magnetic resonance imaging and histological examination to explore the role of ligaments and tendons in the phenotypic expression of early hand osteoarthritis. Ann Rheum Dis 2006;65:1267-72.

10. Lee DJ, Kwon K, Seo HS. A case of epidermal cyst using surgical method after bufonis venenum pharmacopuncture anesthesia. J Korean Med Ophthalmol Otolaryngol Dermatol 2017;30:165-9.

11. Wilhelmi BJ, Snyder N 4th, Verbesey JE, Ganchi PA, Lee WP. Trigger finger release with hand surface landmark ratios: an anatomic and clinical study. Plast Reconstr Surg 2001;108:908-15.

12. Chao M, Wu S, Yan T. The effect of miniscalpel-needle versus steroid injection for trigger thumb release. J Hand Surg Eur Vol 2009;34:522-5.

5 요추

● 5-1. 요추 최소침습 도침요법 안전 가이드라인

→ 요추부 위험구역과 안전구역[1]

(1) K-K구역

K-K구역은 요추 횡돌기 내측으로, 상대 위험 구역입니다. 깊게 자입할 때 척수, 경

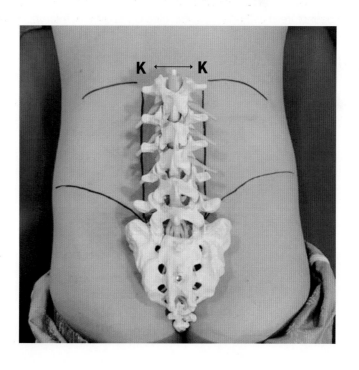

추 신경근 등의 손상 위험이 있으므로, 극돌기 간이나 횡돌기 간에 자입 시에는 정해진 깊이 이내로 자입합니다. 자입 시 속도를 느리게 조절하여 신경 손상 발생 확률을 줄입니다.

(2) K 외측 구역

K 외측 구역은 요추 횡돌기 외측 구역으로 고위험 구역입니다. 근육층을 뚫고 심자할 경우 신장을 비롯한 장기를 손상시킬 가능성이 있어 깊이에 주의합니다. BL52를 기준으로 33.3 mm 이상 자입 시 신장손상의 위험이 있으므로 70% 이내로 자입합니다.

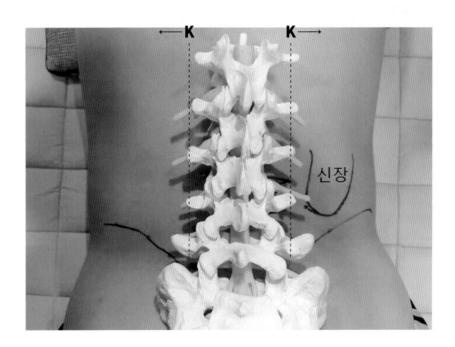

→ 안전 자입 거리 및 깊이

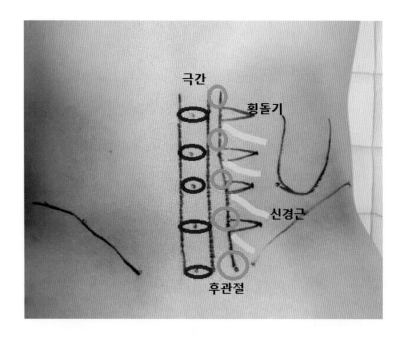

표 5-1-1. 피부-경막 외 공간까지 깊이(mm)[2]

	남	여
BMI < 30	44.4 ± 4.7	38.8 ± 5.5
BMI > 30	51.4 ± 6.0	52.5 ± 4.5

표 5-1-2. 요추부 치료 시 안전 가이드라인

붉은 원– 극간	[척수, 경막 주의] 깊이(최소 3 cm*) 심자하지 않도록 주의
초록 원– 후관절	안전 구역, 천천히 뼈까지 심자 가능(평균 5 cm)
노란 선– 요추 신경근	추간공의 상부에서 나옴, 후관절 자입 시 신경 손상 주의

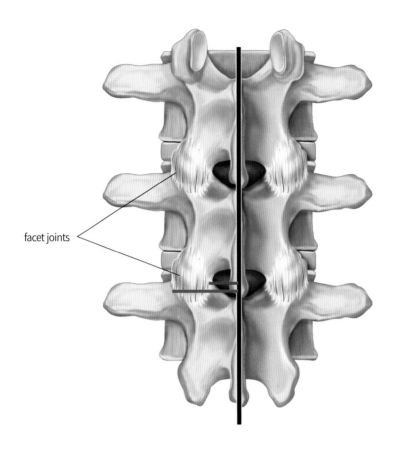

facet joints

표 5-1-3. 후관절의 수평 거리(단위, mm)[3]

	극간-후관절 외측 거리(파란선)	극간-후관절 내측 거리(붉은선)
L1	18.6 ± 2	7.5 ± 2
L2	18.6 ± 3	7.3 ± 3
L3	22.0 ± 3	6.8 ± 3
L4	22.0 ± 3	8.6 ± 3
L5	26.3 ± 2	10.5 ± 2

요추 주변 조직은 구조물도 많고 병의 원인도 다양하지만 증상은 비슷해 감별진단은 참으로 어렵습니다. 이러한 이유로 관련된 연구도 많이 진행되었습니다. 2001년 NEJM에 게재된 Deyo RA의 연구 따르면, 요통환자 중 10%는 후관절이나 디스크의 퇴행, 4%는 압박골절, 4%는 sciatica(좌골신경통), 3%는 척추관 협착증과 관련되었다고 합니다.

가장 많은 비율인 70%를 차지하는 것은 비특이적 요통(idiopathic low back pain, nonspecific LBP로 분류되기도 함)이었습니다.[4] 이러한 비특이적인 요통은 요추의 근육이나 인대의 손상, 디스크의 퇴행성 변화와 연관이 되어 있는 것으로 보이지만 명확히 원인이 진단되지 않는 경우를 나타냅니다.

한편 『척추학 2판』에 의하면 만성요통의 유병률 중 척추후관절통을 15–40%, 내재성 추간판 통증(추간판성 내장증, 디스크성 통증, internal disc disruption)을 39%, 천장관절의 통증을 13%, 증상적 신경근통을 0.8–3.2%로 분류하였습니다.[5] 하지만 내재성 추간판 통증이 정말 요통의 원인인지 논란이 있는 만큼[6], 이 부분을 비특이적 요통으로 볼 수도 있습니다.

요추 질환의 유병률은 연구마다 매우 다르게 보고됩니다. 이것은 연구에 따라 질환의 정의 및 분류에서의 차이, 환자군이 다름에서 오는 bias 등 여러 연구의 한계가 존재하기 때문일 것입니다. 하지만 정확한 퍼센테이지에 관계 없이, 요통은 비교적 명료하게 치료 원칙을 세울 수 있습니다. 하지만 요통은 여러 가지 질환과 상태가 중첩되는 경우가 많아(예; 후관절 증후군+협착증+근육과 인대의 문제) 복합적으로 생각해야 합니다.

1) Red flag Sign을 감별(압박골절, 마미증후군, 강직성척추염, 종양, 감염 등)
2) 신경학적 손상의 유무, 특히 운동신경의 저하(수술 적응증)
3) 1), 2)가 없다면 6가지 원인(비특이적 요통, 후관절 증후군, 천장관절 증후군, 추간판 탈출증, 디스크 내장증, 협착)으로 분류해 6주간 보존적 치료를 진행하며 치료에 반응하지 않으면 영상진단(척추 불안정증, 전방전위 등 감별) 시행

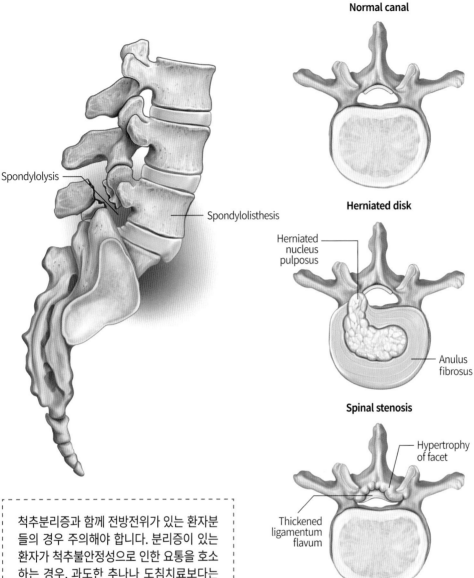

Normal canal

Herniated disk

Herniated
nucleus
pulposus

Anulus
fibrosus

Spinal stenosis

Hypertrophy
of facet

Thickened
ligamentum
flavum

Spondylolysis

Spondylolisthesis

척추분리증과 함께 전방전위가 있는 환자분
들의 경우 주의해야 합니다. 분리증이 있는
환자가 척추불안정성으로 인한 요통을 호소
하는 경우, 과도한 추나나 도침치료보다는
강화 위주의 보존적 치료를 시행합니다. 통
증이 너무 심하거나 근력이 저하되면 수술
이 필요할 수 있습니다.

첫 번째 가장 위 그림은 정상적인 척추관이며,
두 번째는 요추 추간판의 수핵이 급성으로 탈출
한 모습, 세 번째는 후관절의 비대와 황색인대
의 비대로 척추관 협착증이 진행된 그림입니다.
주간판 탈술승의 성우 안징이 필수직이며 근력
이 정상이면 보존적 치료가 가능합니다. 협착증
의 경우 초기엔 치료가 가능하지만, 중앙성 협
착증이 심한 경우 수술이 필요할 수 있습니다.

표 5-2-1. 요통의 Red flag sign의 감별진단

질환	증상	이학적 검사 및 징후
압박골절	50대 이상 환자의 넘어진 후 통증, 흉요추 이행부 다발, 스테로이드 기왕력	등의 타진통
마미증후군	말안장 형태의 감각저하, 하지의 마비	대소변 문제
강직성척추염	40세 이하, 누워도 지속되는 요통, 3개월 이상 지속됨, 운동 시 완화	조조강직
척추감염	혈관주사 기왕력, 최근의 감염, 일반적 치료에 무반응	발열
종양	암의 기왕력, 50세 이상, bed rest에도 지속되는 통증, 일반적 치료에 무반응	급작스러운 체중저하

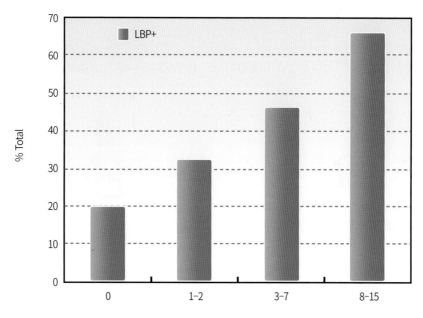

그림 5-2-1. DDD score와 2주 이상 지속된 요통의 상관 관계

DDD score: 각 레벨 요추간판의 퇴행화 정도를 Schneiderman's score를 통해 계산한 뒤 모든 추간판의 점수를 합한 값

1,043명의 MRI와 요통의 관계를 분석한 연구에서, 요추간판의 퇴행화와 요통의 발생 빈도는 높은 상관 관계가 있음이 밝혀졌습니다.[7] 하지만 인과관계가 아닌 상관

관계인 만큼, 디스크의 퇴행화로 인해 요통이 발생하는 것인지, 아니면 근육이나 인대의 역학적 균형이 깨져 디스크 퇴행화가 결과적으로 나타난 것인지에 대한 고민은 필요합니다. 한의원에 내원하는 대다수의 요통은 아래 표 5-2-2에 해당합니다. 아래 질환들의 특징과 이학적 검사는 확실히 알아두는 것이 좋습니다.

표 5-2-2. 상견 요추 질환의 병력 및 감별진단[8,9]

진단	병력	이학적 검사
비특이적 요통	영상이나 이학적 진단에서 별다른 문제가 없는 만성요통	근육의 압통
요추 후관절 증후군	허리를 신전할 때나 회전, 측굴 시 악화되는 요통이나 둔통, 조조강직	후관절의 압통
천장관절 증후군	천장관절부위의 통증, 앉으면 완화되는 통증	Compression test+
척추관 협착증	보행 시 악화되는 하지의 저림, 앉으면 통증이 경감되거나 사라짐	Romberg test+
요추간판탈출증	하지의 저림과 이상감각, 요통이 함께 나타남	Straight-leg raising test+
내재성 추간판 통증	오래 앉아있거나 동일한 자세를 오래하면 심해지는 통증	별무
척추 불안전성	자세 변경 시 극심한 요통, 허리가 딱 맞히는 느낌	수동요추신전검사+

– 비정상 Romberg test: 환자가 눈을 감고 10초간 서있는다. 이때 자세가 틀어지거나 보상적 움직임이 생기면 양성

– 수동요추신전검사: 엎드린 자세에서 환자의 무릎을 신전시킨 상태로 무릎의 높이를 30 cm 정도까지 들어올린다. 이때 환자가 통증을 호소하고 다시 내려놓았을 때 통증이 사라지면 양성

키워드: nonspecific low back pain 🔍

한 장 차트 요약

📋 **특징**
이학적검사나 영상검사상 특별한 진단이 되지 않는 요통. 추간판 탈출증이나 협착증도 아니고, 그렇다고 후관절 증후군이나 천장관절 통증도 아닌 경우. 전체 요통의 70% 정도가 이에 해당하며, 영상검사나 이학적 검사로 특정되지 않는 근육이나 인대를 포함한 다양한 조직의 문제가 포함된다고 볼 수 있음

📋 **O/S**
• 다양함

📋 **C/C**
• 요통

📋 **P/E**
• 방사통 –/–, SLRT –/–

📋 **Imaging**
• 이상이 없거나 퇴행성 소견

📋 **R/O**
• 요통, 요추부

📋 **Plan**
• 치료 기간: 2–3주
• 치료 목표: 통증 완화
• 통증 부위: 압통점 도침치료 및 침치료
• 주변부: 부항, 물리치료를 통한 근이완
• 티칭: 땅바닥에 앉거나 허리를 구부리는 자세들 금지

최신 연구 동향 및 임상 포인트

✓ 비특이적 만성요통이 요통에서 차지하는 비율은 70%입니다.[10] 명확히 원인이 구분되지 않는 요통이 모두 포함되기 때문이며, 이는 근육이나 인대 등의 손상으로 여겨집니다. 더 나아가 요추 추간판 탈출증처럼 명확히 원인이 구분된 질환 역시 인대와 근육의 문제가 겸해져 있다고 생각됩니다.

✓ 다열근이 척추의 안정화에 중요하며, 요통환자에게 다열근의 약화가 많이 보고되었습니다.[11]

➔ 도침치료 포인트

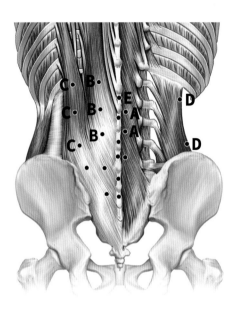

치료 포인트

환자가 첫 치료인 경우, 모든 포인트를 치료하지 않고 가장 압통이 심한 부위 2포인트를 선정하여 치료합니다. 위 그림의 치료포인트를 참고로만 하고, 환자가 가장 아파하고 불편해하는 압통점을 개별적으로 찾아야 합니다.

5-3-1. 다열근 압통점	A	p. 218
5-3-2. 흉최장근 압통점	B	p. 221
5-3-3. 요장늑근 압통점	C	p. 223
5-3-4. 요방형근 압통점	D	p. 225
5-3-5. 극간인대 압통점	E	p. 227
5-3-6. 장요근 압통점(추나치료)	–	p. 229

 압통점 찾기 팁

비특이적 요통의 압통점 찾기 핵심은 꼼꼼함입니다. 가장 빠르고 정확한 방법은 환자가 동작 시
통증을 호소하면 해당 동작을 하면서 아픈 부위를 직접 가르켜보라고 하는 것입니다.
움직이기 힘든 상황이라면 어디가 가장 아픈지 직접 찾아보라고 한 뒤, 그 부위를 세세히 촉진합니다.
도침 포인트 수를 환자의 증상, 체력에 따라 조절합니다. 마지막으로 요추부 통증을 호소하더라도,
고관절의 가동성을 높여주면 요추가 무리하지 않는 만큼 중둔근, 대둔근과 같은 골반 근육까지
꼼꼼히 촉진해 압통이 있다면 도침치료를 해줍니다.

→ 요통 환자의 흉요추 근막 변화

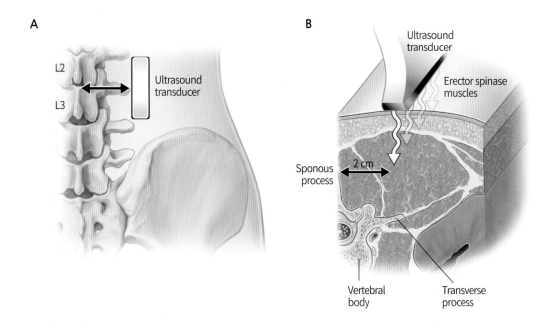

Examples of ultrasound images illustrating thin (A), thick (B) and multilayered (C) perimuscular connective tissue morphology.

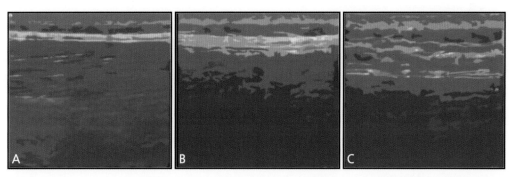

60명의 요통환자와 47명의 정상인의 요추 근막을 초음파를 통해 비교[12]

요통을 가진 환자들이 정상인에 비해 근육을 감싸는 근막의 두께가 25% 정도 두꺼워진 것을 확인할 수 있었습니다. 이렇게 근막이 두꺼워지면 근육의 가동성이 저하되고 혈액순환이 떨어져 부상의 확률 이 증가합니다.

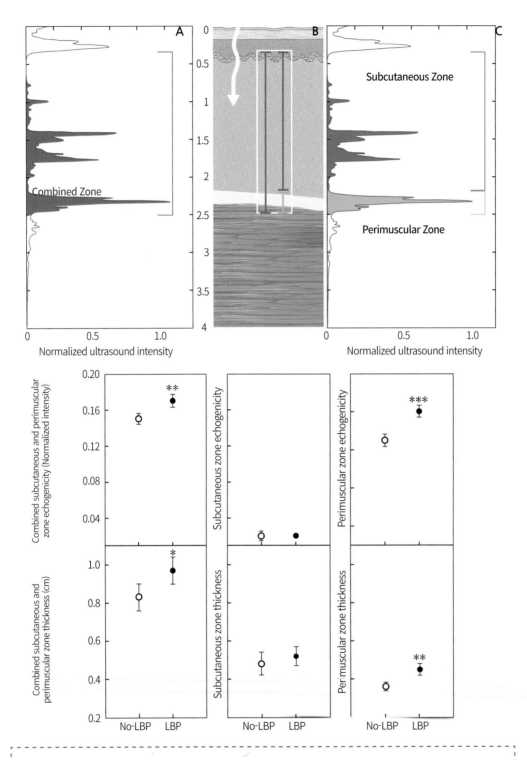

요통 환자의 근막이 정상인에 비해 더 두꺼워졌으며, 근막의 변화는 피하 근막(subcutaneus)보다 근육 주위근막(perimuscular)에 집중적으로 나타났습니다.[12]

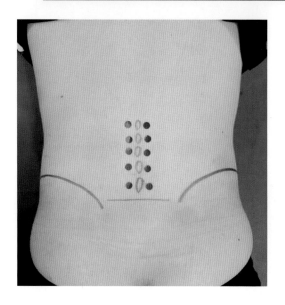
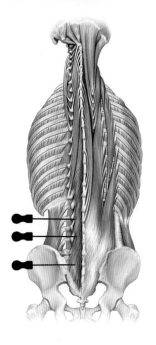

다열근(Multifidus) 압통점의 도침치료

📋 **촉진**	• 환자가 엎드린 자세에서 극돌기 바로 옆을 깊숙이 눌렀을 때 촉진되는 근육이 척추 심부근육인 다열근. 극돌기 바로 옆에서 압통점을 촉진하여 자입
📋 **기시**	• 요추의 유두돌기(mammillary process) • 천골(sacrum)의 뒷면 • 후천장인대(posterior sacroiliac ligament) • 후상장골극(posterior superior iliac spine)
📋 **종지**	• 상부요추와 하부흉추의 극돌기(spinous process)
📋 **도침치료**	• 칼날 방향: 인체 종방향 • 자입 깊이: 남자 4 cm, 여자 3 cm 이내 • 자극 횟수: 3–4회 제삽 및 좌우 요동 가능 • 주의 사항: 추궁간을 향해 깊이 자입하여 황색인대를 뚫지 않도록 주의 요망

→ MRI로 보는 다열근 도침치료

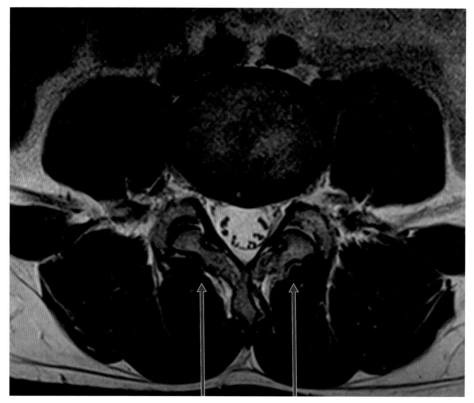

🏷 그림 5-3-1. 다열근 도침치료. 붉은 색 화살표; 도침 진입 방향(수평면, transverse plane)

　다열근은 도침치료가 정말 많이 시행되는 부위입니다. 다열근은 초기에 지속적인 허리 염좌로 인한 손상 및 과긴장이 나타나고, 최후에는 다열근의 약화로 근섬유는 적어지고 지방 변성이 나타나는 근육입니다. 그래서 초기 도침치료로 압통을 잡고, 이후에는 지속적인 전침을 통한 강화가 필요합니다.

　압통점을 제대로 찾아 자입하는 것이 중요하며, 정중앙에서 1 cm 외측 정도에서 자입하시면 됩니다. 극간외측에 자입하면 후궁산으로 들어가 황색인대를 뚫을 수 있으므로, 극돌기 옆으로 들어가 후궁(lamina)을 맞추는 것이 좋습니다.

→ 다열근의 손상과 회복

정상군과 비교했을 때 만성요통환자의 다열근의 위축이 관찰되었으며, 특히 L5 레벨에서의 차이가 가장 심했습니다.[13]

일반적인 염좌 후, 통증은 사라져도 다열근은 회복되지 않았습니다. 10주 후에 근육의 면적을 측정해본 결과 운동을 하지 않은 군은 양측 다열근의 비대칭이 심해졌으며, 특히 요추 5번 다열근의 비대칭이 심했습니다.[14]

　　요통 후 다른 근육은 운동이나 활동을 통해 회복되어도, 다열근은 잘 회복되지 않습니다. 다열근은 큰 동작을 하는 근육이 아니라 척추의 안정화에 작용하기 때문의 별도로 운동을 하기 어렵습니다. 위와 같이 여러 연구에서 요추의 손상 후에 다열근이 위축된 것을 보고하였으며, 이러한 다열근의 위축은 척추 안정화를 해치기 때문에 꼭 치료하고 강화해야 합니다. 다열근의 강한 압통과 긴장이 있다면 도침을 통해 먼저 압통을 제거하고 긴장을 이완시킨 뒤, 향후 지속적인 전침치료를 강화를 시켜줘야 합니다.

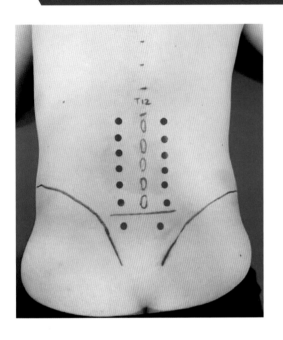 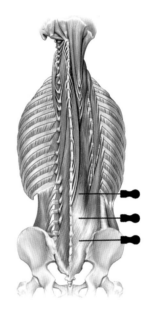

→ 흉최장근(Longissimus thoracis) 압통점의 도침치료

촉진
- 극돌기 외측 2–3 cm, 척주기립근에서 가장 불룩한 부분을 확인하고, 흉곽에 수직으로 밀어넣듯 촉진하여 압통점을 찾습니다.

기시
- L1–L5 극돌기와 횡돌기
- 정중천골능(median sacral crest)과 천골 후면
- 후천장인대(posterior sacroiliac ligament)
- Lumbar intermuscular aponeurosis

종지
- L1–L5, T1-T12 횡돌기
- L1–L5 부돌기(accessory processes)
- 7-12 늑골의 늑골각(angles of ribs)

도침치료
- 칼날 방향: 인체 종방향
- 자입 깊이: 남자 4 cm, 여자 3 cm 이내
- 자극 횟수: 3–4회 제삽 및 좌우 요동
- 주의 사항: 극간에 자입하여 황색인대를 뚫지 않도록 주의 요망

→ MRI로 보는 흉최장근 도침치료

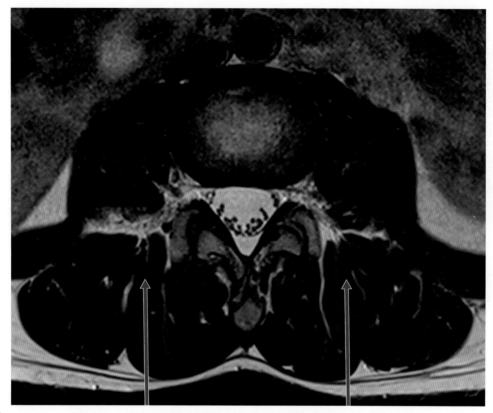

🏷 그림 5-3-2. 흉최장근 도침치료. 붉은 색 화살표; 도침 진입 방향(수평면, transverse plane)

최장근은 요통에서 압통과 근긴장이 많이 나타나는 근육입니다. 다열근이 약화가 많이 나타나는 반면 최장근과 요장늑근은 과긴장이 많아 이완이 필요한 근육입니다. 극돌기 외측 2-3 cm 정도에서 자입합니다. 하지만 무엇보다 요추에서는 '최장근'을 치료하는 것보다 '압통점'에 자입하는 것이 중요합니다. 근육에 매달리지 말고 꼼꼼한 압통점 체크가 중요합니다. 그럼에도 불구하고 압통점을 찾았다면 내가 찾은 그 압통점이 어디 근육에 있고 어떤 신경, 혈관을 자극할 수 있는지 아는 것이 바탕입니다.

5-3-3. 요장늑근 압통점 도침치료

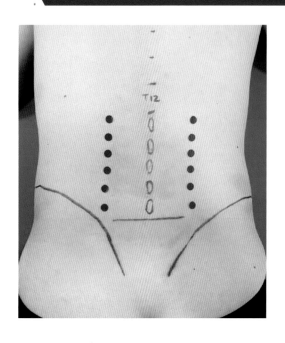
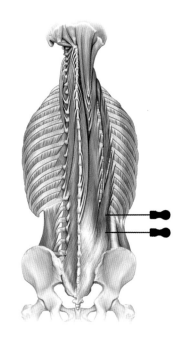

→ 요장늑근(Iliocostalis lumborum) 압통점의 도침치료

📋 **촉진**	• 가장 불룩한 최장근의 가쪽 모서리와 장늑근의 안쪽 모서리가 이루는 근육 사이 확인하고, 손가락으로 수직으로 근육 사이를 힘껏 누릅니다.
📋 **기시**	• 외측천골릉(lateral sacral crest) • 장골능(iliac crest)의 내측 끝 흉요근막(thoracolumbar fascia)
📋 **종지**	• 제5–12늑골의 늑골각(angle of rib) • L1–L4 횡돌기
📋 **도침치료**	• 칼날 방향: 인체 종방향 • 자입 깊이: 4 cm 이내 • 자극 횟수: 3–4회 제삽자극 좌우 요동 가능 • 주의 사항: 신장에 대한 자극을 주의하며 가능한 얕게 자입

→ MRI로 보는 요장늑근 도침치료

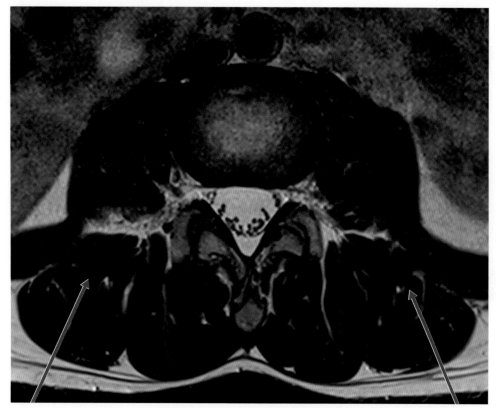

🏷 그림 5-3-3. 요장늑근 도침치료. 붉은 색 화살표; 도침 진입 방향(수평면, transverse plane)

    요장늑근은 표층의 척추 기립근 중 가장 외측에 있습니다. 최장근까지만 압통을 체크하고 요장늑근은 안하는 경우가 종종 있기 때문에 요장늑근 압통점까지 꼼꼼히 체크합니다. 특히 허리를 비틀 때 통증으로 호소하면 요장늑근과 요방형근을 의심합니다.

    자입 시 수직으로 직자하면 신장을 자극할 수 있기 때문에, 붉은색 화살표처럼 바깥에서 안쪽으로 척추체를 향해 자입하는 것이 좋습니다.

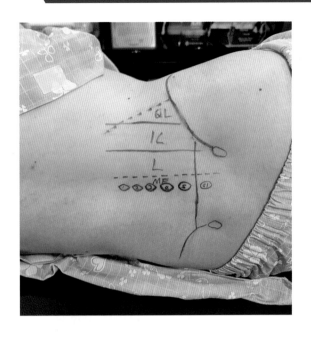 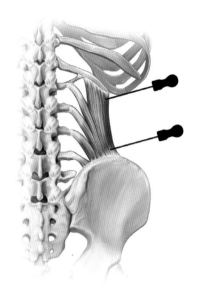

→ 요방형근(Quadratus lumborum) 압통점의 도침치료

📋 **촉진**	• 옆으로 누워 요장늑근 바깥 쪽, 심부에 만져지는 근육입니다. 12번째 늑골과 장골능을 이어주는 근육을 촉진하면 좀더 확실하게 확인이 가능합니다. 요방형근 상 압통점에 자입합니다.
📋 **기시**	• 장골능(iliac crest) • 장요인대(Iliolumbar ligament)
📋 **종지**	• 제12늑골(rib)의 아래부분 경계 • 제1–4요추의 횡돌기(trasverse process)
📋 **도침치료**	• 체위: 측와위에서 • 칼날 방향: 인체 종방향 • 자입 깊이: 2–3 cm 이내 • 자극 횟수: 2–3회 제삽자극 • 주의 사항: 신장손상에 유의하며, 촉진한 상태에서 측와위에서 자입 요망

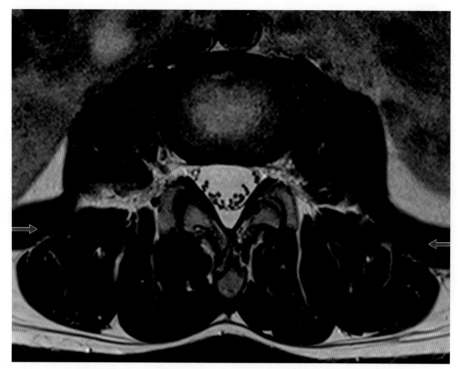

🏷 그림 5-3-4. 요방형근 도침치료. 붉은 화살표; 도침 진입 방향(수평면, transverse plane)

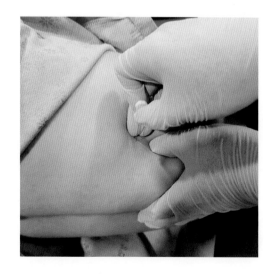

요방형근은 요통에서 장요근과 함께 과긴장이 많이 나타나는 근육입니다. 그래서 이완치료가 필요하지만 비교적 심부에 위치하여 어려움이 있습니다. 측와위에서 치료하는 것이 기본이며, 추나를 통해 요방형근 압통점을 잡는 연습을 많이 한 뒤 도침치료를 시행하는 것이 좋습니다. 도침치료 시 측와위에서 요방형근의 압통점을 찾은 뒤 보조수로 요방형근을 완전히 고정합니다. 그 후 붉은색 화살표처럼 바깥에서 안쪽으로 자입하는 것이 좋습니다.

5-3-5. 극간인대 압통점 도침치료

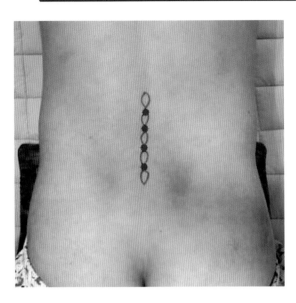
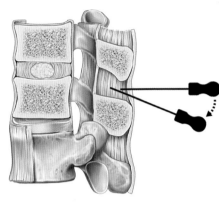

→ 극간인대 도침치료

📑 **촉진**	• 요추의 상, 하 극돌기 사이에서 촉진합니다.
📑 **도침치료**	• 칼날 방향: 인체 종방향 • 자입 깊이: 3 cm 이상 자입 금지 • 자극 횟수: 1–2회 제삽자극 후 발침 • 주의 사항: 너무 깊게 자입할 경우 황색인대 및 경막의 손상가능성이 있음

→ MRI로 보는 극상, 극간인대 도침치료

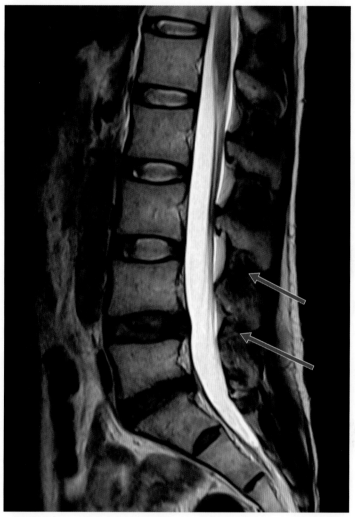

🏷 그림 5-3-5. 극상, 극간인대 도침치료. 붉은 화살표; 도침 진입 방향(시상면, sagittal plane)

극간인대는 많이 치료하는 부위는 아닙니다. 다만 굴곡 시 허리 정 가운데 극간인대 부위에 긴장이나 단축을 느낀다면 도침을 통한 이완이 필요합니다. 위치는 극간에 자입하면 되므로 어렵지 않습니다. 다만 두 가지를 꼭 지켜야 합니다. 첫째로 칼날을 인체 종방향으로 위치해 극간인대나 극상인대를 완전히 절개하지 않도록 주의해야 합니다. 둘째로 너무 깊이 자입하여 황색인대를 뚫지 않도록 3–4 cm 이내로 자입해야 합니다.

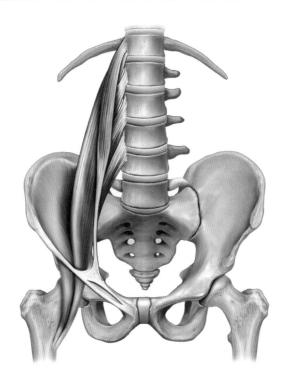

─→ 장요근(Iliopsoas muscle) 압통점 치료

📋 **촉진**	• 대요근: 복직근 및 복사근을 충분히 이완시킨 후, 복직근의 가쪽 모서리에서 요추의 몸체 방향으로 밀어넣듯 촉진합니다. • 장골근: 전상장골근(ASIS) 안쪽으로 장골와를 촉진합니다. 장골와 쪽으로 손을 누르면 촉진되는 근육이 장골근입니다.

📋 **기시**	• 장골근(iliacus m.)
	• 장골와(Iliac fossa)
	• 대요근(psoas major m.)
	  - T12–L4의 척주 몸통 가쪽면
	  - L1–L5 횡돌기(transverse process)

📋 **종지**	• 대퇴골(femur) 소결절(lesser trochanter)
📋 **도침치료**	• 추나치료를 주로 활용합니다.

→ 장요근 추나요법

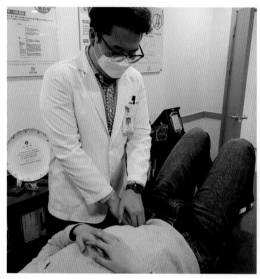

　　요통에서 장요근의 문제는 이론적이기보다는 임상적으로 많이 느꼈습니다. 요통으로 허리를 펴기 힘든 경우, 특히 앉았다 일어날 때 허리가 쫙 펴지지 않아 천천히 펴야 하는 경우, 장요근을 풀어주면 환자가 빠르게 호전되는 것을 많이 경험하였습니다. 장요근에 후방으로 접근해 약침을 주입하거나 침치료를 할 수도 있지만, 추나요법을 통해 손으로 풀어주는 방법이 위험대비 효과가 가장 좋았습니다. 하지만 1-2일 내의 급성염좌로 인해 돌아눕거나 움직이기도 힘든 경우에, 근육을 너무 풀어주면 염좌 증상이 심해질 수 있기 때문에 과하게 풀어주지 않는 것이 좋습니다.

[대요근 추나]

　　환자는 앙와위로 똑바로 누워 고관절과 무릎을 구부려줍니다. 그 상태에서 의사는 두손으로 대요근을 압박해 줍니다. 이때 복직근을 살짝 넘어 바깥쪽에서 안쪽 척추체를 향해 지긋이 눌러주는 것이 중요합니다. 압이 너무 세면 환자는 오히려 통증을 느껴 근육이 더 경직될 수 있으므로 부드럽게 눌러주며, 호흡에 따라 내쉴 때 압을 더 가합니다. 5번 정도 압을 가하며 양측 모두 시행합니다.

[장골근 추나]

　환자는 앙와위로 누운 후, 슬관절 굴곡, 고관절을 90도로 굴곡시켜 줍니다. 저자는 보조수로 환자의 다리를 잡아 고정시키고, 환자는 몸에 힘을 완전히 뺍니다. 저자는 환자의 전상장골극 안쪽의 장골근을 촉진후 가볍게 압박합니다. 역시 호흡에 따라 5회 정도 점점 근육을 압박해 들어갑니다. 양측 모두 시행합니다.

키워드: lumbar facet joint pain 🔍

한 장 차트 요약

📄 특징
허리통증이 오래되었으며, 특히 허리를 뒤로 젖히거나 돌릴 때 심해짐. 관절염의 일종이기 때문에 아침에 자고 나서 허리가 뻣뻣해지기도 함

📄 O/S
• 오래됨

📄 C/C
• 후관절 주변의 통증 호소, 가끔 둔부나 대퇴부 통증을 호소
• 허리를 뒤로 젖힐 때 악화
• 아침에 통증이 심했다가 활동을 함에 따라 통증이 경감

📄 P/E
• 후관절의 압통
• 측굴 및 신전 시 통증 발생

📄 Imaging
• Joint space가 감소
• Articular process가 비대해짐
• 골극 형성

📄 R/O
• 요통, 요추부

📄 Plan
• 치료 기간: 4주
• 치료 목표: 통증 감소
• 통증 부위: 도침치료 및 전침치료
• 주변부: 부항, 텐스 등을 통한 근긴장 완화
• 티칭: 통증이 최근 심해진 경우, 통증을 유발할 수 있는 자세를 피함

최신 연구 동향 및 임상 포인트

✓ 후관절이 척추관절 통증의 주요 원인인 것은 맞습니다. 하지만 특히 요추의 경우 오직 후관절의 병변만이 문제가 되는 경우는 드물고, 디스크와 근육, 근막 등 여러 요인이 병발된 경우가 더 많은 것으로 보입니다. 여러 상태가 중첩되었다고 생각하고 복합적으로 치료해야 합니다.

→ 도침치료 포인트

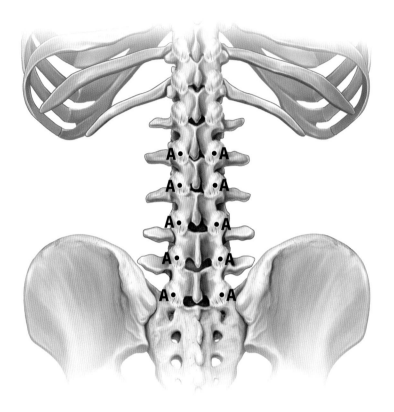

치료 포인트

환자가 첫 치료인 경우, 모든 포인트를 치료하지 않고 가장 압통이 심한 부위 2포인트를 선정하여 치료합니다.

| 5-4-1. 요추 후관절 압통점 | A | p. 237 |

 압통점 찾기 팁

후관절은 관절까지 깊게 늘어가기 위해 0.5 mm × 50 mm 도침을 사용하고, 골막을 자극하기 때문에 통증이 근육치료에 비해 더 발생합니다. 그래서 가장 압통이 심하고 아픈 곳 위주로 2포인트 정도만 자극합니다. 근육은 아픈 곳을 찌르는 것이 정답이지만 후관절은 딱 후관절 위치를 찾는 것이 중요합니다. 그래서 미리 극돌기, 장골능과 같은 랜드마크를 충분히 촉진하여 각 레벨의 후관절의 위치를 먼저 찾은 뒤, 후관절을 눌러서 후관절끼리의 압통을 비교하는 것이 좋습니다.

(1) 척추 후관절통은 정말 요통의 주요 원인일까?

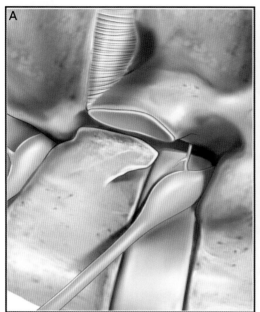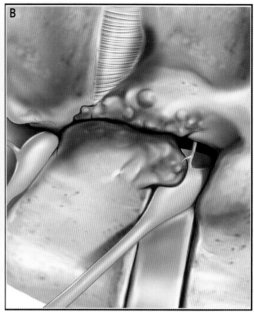

🏷 그림 5-4-1. A. 정상적인 후관절, B. 퇴행화가 진행된 후관절. 관절돌기가 비대해지고 관절 간격이 좁아진다.

척추 후관절은 1990년대 이전부터 영국 JBJS 저널 등에서 만성 척추통의 원인 중 하나로 생각되었습니다. 하지만 확실한 이학적 진단방식의 부재, 그 당시(1990)의 영상장비 발달의 미약 등과 더불어 진단적 BLOCK 결과 역시 차이가 있어서 정확한 유병률을 구하고 원인을 규명하는 데 어려움이 있었습니다.[15]

그러던 2004년, Manchikanti가 비교적 신뢰도가 높은 이중 비교 마취(controlled comparative local anesthetic blocks)라는 방법으로 후관절통의 유병률을 밝혀냈습니다. 그는 만성 척추 통증 환자 중 경항통의 55%, 흉추통의 42%, 요통의 31%는 후관절의 통증에서 기인한 것으로 보았습니다.[16]

임상적으로 보면, 후관절이 척추관절 통증의 주요 원인인 것은 맞습니다. 하지만 특히 요추의 경우 오직 후관절의 병변만 문제가 되는 경우는 드물고, 디스크와 근육, 근막 등 여러 요인이 병발된 경우가 더 많은 것으로 보입니다. 여러 상태가 중첩되었다고 생각하고 복합적으로 치료해야 합니다.

(2) 요추 후관절통의 패턴

후관절통은 관절 후면 국소통증이 가장 흔하나, 때에 따라 하지부에도 통증이 함께 나타날 수 있습니다. 이때 통증은 dermatome과 상관이 없는 경우가 많고, 대개 허벅지에 국한된 경우가 많습니다.[17-19]

아래에 세 그림은 여러 연구에서 보고된 후관절 방사통 영역입니다. 차이가 있는 만큼 참고하시면 좋습니다.

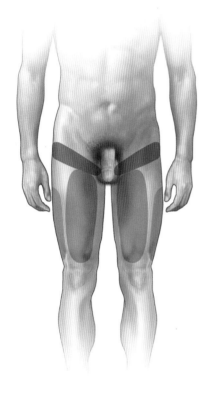 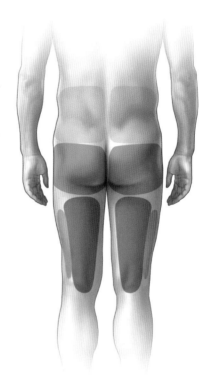

- Lumbar (L1–L5)
- Lower lumbar/gluteal (L2–S1)
- Posterior thigh (L3–S1)
- Lateral thigh (L2–S1)
- Anterior thigh (L3–S1)
- Groin (L3–S1)

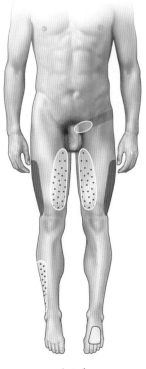

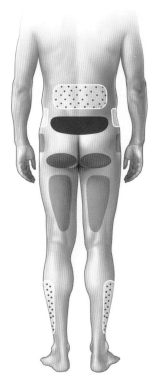

Anterior   Posterior

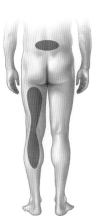

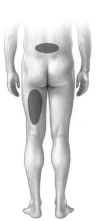

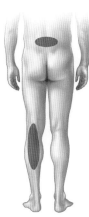

Type A   Type B-1   Type B-2   Type B-3

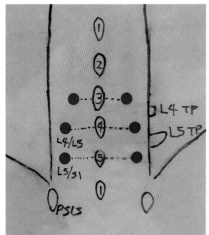

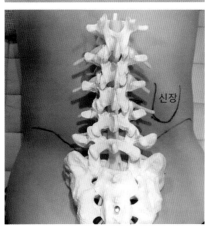

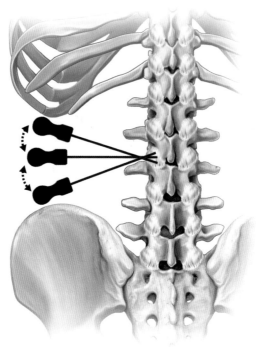

→ 요추 후관절 도침치료

📑 촉진	• 척추 극돌기 촉진 후, 극돌기 외측으로 2–3 cm에 위치합니다. L4/L5, L5/S1 후관절은 외측 3 cm에서 촉진하며 L3/L4후관절은 외측 2 cm에서 촉진합니다. 후관절 압통점은 강하게 눌러 확인합니다.
📑 도침치료	• 칼날 방향: 인체 종방향 • 자입 깊이: 4–6 cm • 자극 횟수: 1–3회 제삽 후 발침 • 주의 사항: 너무 안쪽에서 자입하면 후궁간으로 자입해 경막을 손상시킬 수 있습니다. 최소 2 cm 외측에서 자입하는 것이 좋습니다.

→ MRI로 측정한 후관절 자입 깊이[20]

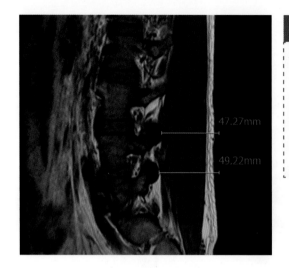

후관절 자입 깊이(n=158, MRI)

L4/L5: 40–65 mm
L5/S1: 40–60 mm

-BMI 26 이상은 평균 자입 깊이가 50 mm
 이상, 80 mm 길이의 도침 사용
-BMI 26 이하는 대부분 50 mm 이내

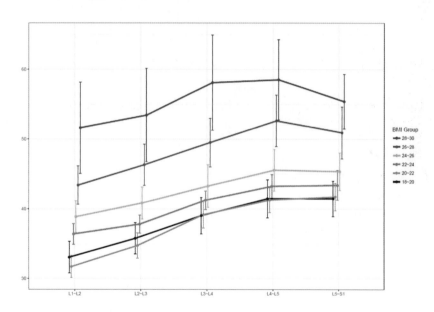

후관절의 정확한 깊이를 알아보기 위해, MRI 데이터를 이용해 제가 직접 시행한 연구입니다.[20] 정상체중 범위에 속하는 하늘색, 파란색, 초록색, 노란색 선(BMI 18-26)에서 후관절의 깊이는 4-4.5 cm입니다(L4/5, L5/S1). 비만에 속하는 핑크색과 붉은색 선(BMI 26-30)에서는 평균적으로 5-6 cm 깊이에 후관절이 위치하였으나 개인별 차이가 컸습니다. 침 도구 선택과 치료에 참고하시길 바랍니다.

→ MRI로 보는 후관절 도침치료

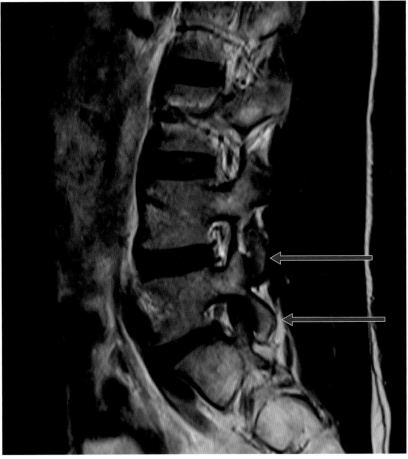

🔖 그림 5-4-2. 요추 후관절 도침치료. 붉은 화살표; 도침 진입 방향(시상면, sagittal plane)

후관절은 자입 후 2-3회 정도 제삽을 하면서 정확한 위치를 다시 찾아야 하는 구조물입니다. 첫 번째로 극돌기를 정확히 촉진한 후, 극돌기 외측 2-3 cm에서 압통점을 확인한 후 진입점을 마커로 표시합니다.

환자의 BMI가 26 이하로 정상 체중이면 대게 5 cm 이내에 모든 분절의 후관절을 컨택할 수 있습니다. 다소 체격이 좋다면 요추 4/5번 후관설은 너 깊이 자입해야 합니다.

이렇게 자입 전에 도침의 길이를 결정하고, 정확한 위치를 찾아 천천히 자입하면 뼈에 닿습니다. 뼈에 닿기 직전 우두둑하고 관절낭이 절개되는 것이 느껴지면 후관절에

잘 컨택된 것이고, 그런 느낌 없이 바로 뼈에 닿는 느낌이 난다면 후관절이 아니니 좌우나 아래위로 도침을 제삽하며 이동하여 후관절을 찾습니다. 단 3회 이상 자극하면 환자가 통증을 느낄 수 있으니, 환자와 잘 소통하여 과하게 자극하지 않게 주의합니다.

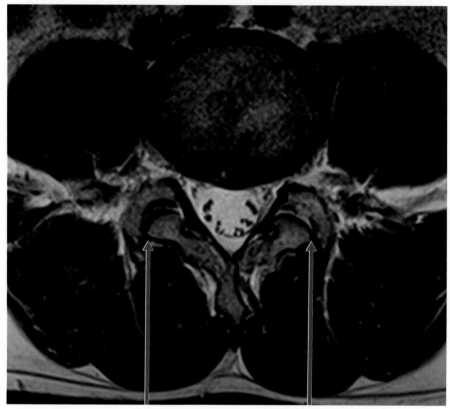

그림 5-4-3. 요추 후관절 도침치료. 붉은 화살표; 도침 진입 방향(수평면, transverse plane)

도침을 정확히 후관절 관절 사이에 넣으면, 도침날이 관절 틈 사이로 �꽉 물리면서 들어가는 것을 느낄 수 있습니다. 다만 이렇게 강하게 후관절을 절개, 박리하는 치료는 협착증이나 몇년 동안 지속된 후관절통 같이 완전히 후관절의 퇴행성 변화와 관절낭의 유착이 심한 환자를 대상으로 시행해야 효과가 좋으며, 그런 환자들만을 대상으로 시행해야 합니다. 단순한 관절의 염증이나 통증만 있는 젊은 환자에게 후관절 틈을 벌려주는 시술을 하게 되면 관절의 불안정성이 증가되니 주의해야 합니다.

키워드: Sacroiliac Joint Pain

한 장 차트 요약

특징
후관절통과 유사하지만, 환자는 천장관절 부위의 통증을 호소하며, 통증은 둔부와 고관절로 퍼져감. 허리를 펼 때 통증이 증가하는 것은 후관절통과 유사하지만 앉아있을 때 후관절통 만큼 통증이 심하지 않음

O/S
- 오래됨

C/C
- 요천부의 통증, 신전하거나 자세를 바꿀 때 심해짐

P/E
- Compression test+
- 천장관절 부위 압통

Imaging
- 천장관절의 퇴행성 변화

R/O
- 관절통, 천장관절(M2555)

Plan
- 치료 기간: 4주
- 치료 목표: 통증완화
- 통증 부위: 도침치료 및 침치료
- 주변부: 대둔근 도침치료 및 부항, 물리치료
- 티칭: 통증을 일으키는 자세를 피하며 꾸준한 치료 필요

최신 연구 동향 및 임상 포인트

- ✓ 천장관절 통증이 만성요통에서 차지하는 비율은 연구에 따라 10-26%까지 다양하게 보고되고 있습니다.[21]
- ✓ 관절의 퇴행성 변화로 인한 통증으로 분류할 수 있습니다.[21]

→ 천장관절통의 연관통 패턴[19]

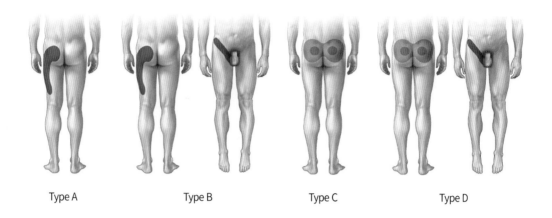

Type A   Type B   Type C   Type D

　　10명의 지원자에게 천장관절에 통증을 유발하는 주사 후, 통증 발생 범위를 관찰한 연구입니다. 주로 천장관절 부위의 통증과 함께 고관절, 허벅지 측면으로 통증이 퍼지는 것을 볼 수 있습니다.[22]

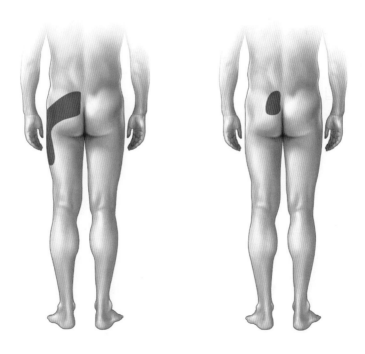

5-5-1. 천장관절 압통점 도침치료

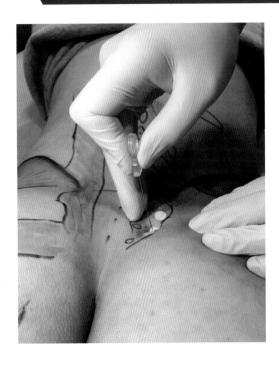 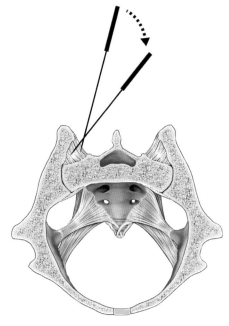

─→ 천장관절 압통점 도침치료

📋 촉진 • PSIS 하단, 천골과 장골이 만나는 부분의 압통점

📋 도침치료 • 칼날 방향: 인체 종방향
• 자입 깊이: 뼈까지
• 자극 횟수: 2–3회 제삽 자극
• 주의 사항: 감염에 주의하여 자입합니다.

TIPS 압통점 찾기 팁

천장관절은 관절 자체가 크고 인대가 많기 때문에, 꼼꼼히 압통점을 찾아야 합니다.
위부터 아래까지 3부분으로 나눠 꼭 눌러본 뒤 가장 아픈 곳을 치료해야 합니다.

키워드: lumbar herniated nucleus pulposus 🔍

한 장 차트 요약

📄 **특징**
요통과 함께 다리쪽에 저림을 일으키는 대표적인 질환. 만성적인 요추 추간판 탈출증은 도침치료의 전형적인 적응증임. 급성인 경우 한의원 외래치료가 가능한지 감별 후 치료

📄 **O/S**
• 급성인 경우 허리를 구부린 상태에서 무거운 물건을 들다가 내지는 아침에 세수하다가도 발생할 수 있음

📄 **C/C**
• 급성인 경우 심한 요통과 하지방사통으로 동작이 어려움
• 만성인 경우 요통과 함께 하지방사통 호소

📄 **P/E**
• SLRT+ (민감도가 높은 검사, 30도 이하 양성 시 특이도 높음)
• 하지방사통

📄 **Imaging**
• X-ray 상 IVDS의 감소
• CT, MRI 상 요추 추간판의 돌출 및 탈출

📄 **R/O**
• 신경뿌리병증을 동반한 요추 및 기타 추간판 장애(M511)
• 척수병증을 동반한 요추 및 기타 추간판 장애(M510)

📄 **Plan**
• 치료 기간: 최소 2–12주
• 치료 목표: 통증 완화, 기능회복
• 통증 부위: 도침, 필요시 봉침, 추나치료
• 주변부: 부항 및 물리치료
• 티칭: 급성디스크인 경우, 절대 안정이 중요. Bed rest를 필히 주지시키고, 허리를 구부리는 동작을 하지 않도록 주의요망. 초반 2주가 지나면 통증이 많이 완화되며 그때까지 환자를 잘 끌고 가는 것이 중요함

최신 연구 동향 및 임상 포인트

✓ 하지부의 근력저하(엄지발가락의 족저굴곡이나 족배굴곡력의 약화, 까치발이나 뒷꿈치로 서기)가 관찰되는 경우, MRI 촬영 후 전원하는 것이 좋습니다. 근력저하가 나타나는 경우 보존적 치료만으로 회복되는 경우도 있지만 혹시 시기를 놓쳐 회복되지 않는 경우도 있기 때문입니다. 근력저하가 나타나지 않는다면 충분히 보존적치료로 예후가 좋습니다.

→ 도침치료 포인트

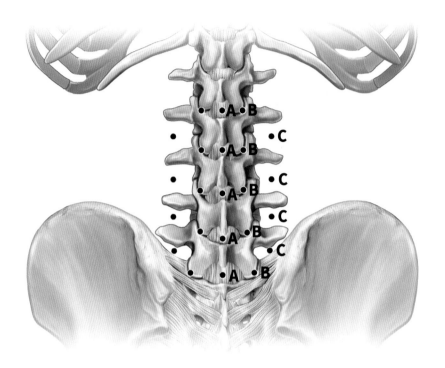

치료 포인트

환자가 첫 치료인 경우, 모든 포인트를 치료하지 않고 가장 압통이 심한 부위 2포인트를 선정하여 치료합니다.

5-3-5. 극상, 극간인대 압통점	A	**p. 227**
5-4-1. 요추 후관절 압통점	B	**p. 237**
5-6-1. 요추 횡돌간 치료점	C	**p. 246**

 압통점 찾기 팁

주간판 탈출증 치료에서 치료점은 크게 두 가지로 나뉩니다. 첫 번째로 실제 추간판이 탈출되어 신경학적 증상을 일으키는 레벨에 대한 치료입니다. 이 부위에 대해 횡돌간 치료점(C) 부위에 도침을 자입하여 치료해야 합니다. 그리고 두 번째로 주변 근육 압통점을 꼼꼼히 찾아 치료합니다. 마지막으로 추간판 탈출증이 6개월 이상 만성화된 경우, 골성변화가 함께 있기 때문에 극간인대 압통점(A)과 후관절 압통점(B)도 함께 치료해 줍니다.

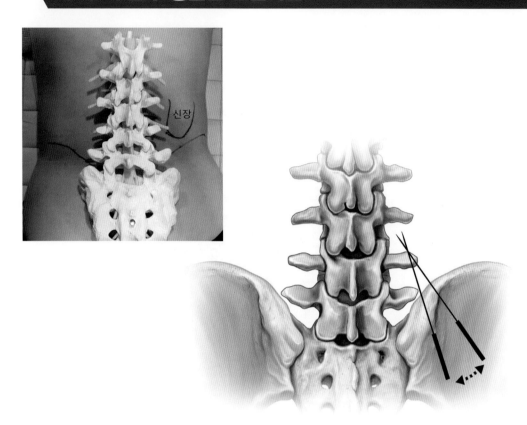

신장

→ 요추 횡돌간 도침치료

📑 **촉진**	• 요추 극돌기를 중심으로, 외측으로 • L4/5 횡돌기 간은 요추4번 극돌기 중앙에서 외측으로 4 cm • L5/S1 횡돌기 간은 요추 5번 극돌기 중앙에서 외측으로 5 cm
📑 **도침치료**	• 도침 선택: 1.0 × 80 mm 도침 이용 • 칼날 방향: 인체 종방향으로 진입 후, 5 cm 이상 진입 시 칼날을 신경주행방향과 평행하게 45도 정도 기울입니다. • 자입 깊이: 7–8 cm • 자극 횟수: 2–3회 • 주의 사항: 진입 시 속도를 천천히 하여 신경과 혈관의 손상을 최소화합니다. 횡돌기에 닿으면 도침을 후퇴시킨 뒤, 도침의 진행방향을 위나 아래로 바꾸어 진입합니다.

→ MRI로 보는 요추 횡돌간 도침치료

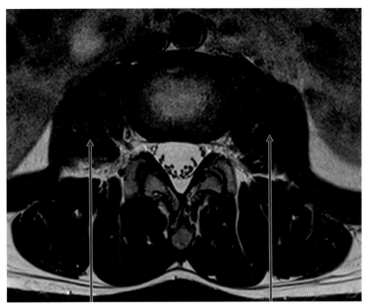

🏷️ 그림 5-6-1. 요추 횡돌간 도침치료. 붉은 화살표; 도침 진입 방향(수평면, transverse plane)

붉은 화살표처럼 횡돌간으로 좀 더 깊게 도침을 자입하면 장요근까지 풀어줄 수 있습니다. 이때 도침을 너무 lateral로 진입시켜 신장을 자극하지 않게 주의합니다. 또한 요추 신경근이 과하게 손상되지 않게 5 cm 이상 도침이 들어가면 진입속도를 더욱 느리게 하며, 요추 신경근 주행방향과 일치하게 도침날을 45도 정도 기울여 줍니다.

→ 요추 추간판 탈출증 치료전략

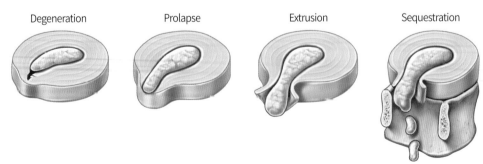

🏷️ 그림 5-6-2. Four stages to a disc hemiation[23]

요추 추간판 탈출증은 한의원에 흔히 내원하는 질환 중 하나입니다.

추간판 탈출증은 환자마다 증상의 강도와 예후가 매우 다르기 때문에, 단일한 질환으로 접근하기보다는 크게 3가지 단계로 나눠서 접근하는 것이 좋습니다.

1단계는 디스크의 퇴행화 단계(degeneration, grade 1)에 해당하며, 디스크의 돌출이나 탈출로 인한 신경근 증상은 극심하지 않으나, 섬유륜 파열로 인해 극심한 요통을 호소하며, SLRT가 양성으로 나타나는 등 디스크의 팽륜으로 인한 대퇴부의 저림 등이 함께 나타나는 경우입니다. 이전에 추간판 탈출증 과거력이 없다면 절대 안정과 요추부 침, 추나 치료 등으로 많이 호전됩니다. 하지만 이런 1단계가 오래 지속되어 만성적으로 요추 주변 근육의 긴장과 단축이 고착화되면 긴장된 근육에 대한 도침치료가 필요합니다.[24]

2단계는 디스크 돌출(prolapse)로 디스크가 터져나오지는 않았으나 돌출되어 명확한 하지 방사통을 호소하는 경우입니다. 2단계는 수핵이 터져나오지 않았으므로,

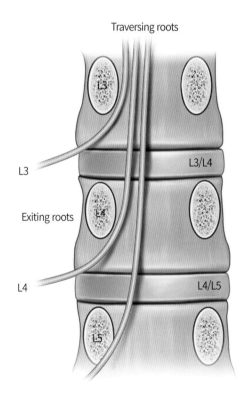

🔖 그림 5-6-3. 추간판 레벨과 신경근. 같은 레벨이라도 탈출된 디스크의 위치에 따라 눌리는 신경근이 달라집니다. 주로 L4/5추간판의 돌출로 인해 L5신경근이 눌리는 경우가 많습니다.

3, 4단계에 비해 통증이나 증상이 완만합니다. 외래에서 치료하기는 용이하지만 그만큼 완전히 낫는 데 시간이 오래 걸립니다.

3, 4단계는 디스크 수핵이 완전히 탈출된 상태입니다. 이 상태는 통증이 아주 극심하고, 환자가 움직이기 힘들어하는 경우가 많습니다. 하지만 초반 2-3주의 위기를 넘기면 극적으로 좋아지는 경우가 많습니다. 경막외 스테로이드 주사치료에 반응이 좋은 편으로, 필요하다면 협진을 통해 주사치료 후 한방치료를 병행하는 것도 방법입니다.

일단 방사통이 있으면서 하지직거상 검사상 양성이면 요추 추간판 탈출을 의심합니다. 이후 까치발 보행 및 뒷꿈치 보행이 가능한지 확인하여 근력이 정상인지 체크합니다. 만약 까치발이나 뒷꿈치로 체중을 부하하면서 서있는 자세가 불가능하거나 foot drop이 나타나면 바로 MRI 검사를 의뢰하는 것이 좋습니다.

근력저하와 같은 운동신경에 대한 압박 없이 통증과 저림만 호소하는 경우는 보존적 치료가 우선이며 한의학적 치료에 반응이 좋습니다.

요추부의 통증만 있는 경우에 반해 방사통이 있는 경우는 횡돌간에 대한 침치료나 도침치료를 하는 것이 효율적입니다. 다만 그림 5-6-3처럼 디스크가 나오는 위치에 따라 압박하는 신경근이 다를 수 있으니, 영상 검사를 참고하거나 위 아래 분절을 동시에 치료하는 것이 효과적일 수 있습니다.

키워드: lumbar spinal stenosis

한 장 차트 요약

📑 **특징**
척추관 협착증의 가장 큰 특징은 보행 시 증상이 심해지다 앉아서 쉬면 호전되는 간헐적 파행임. 다만 젊은 층에서는 흔하지 않으니 주의

📑 **O/S**
- 만성

📑 **C/C**
- 특정시간 보행 시 양하지 저림
- 앉아서 쉬면 나아짐
- 요통을 주로 동반

📑 **P/E**
- Romberg test+

📑 **Imaging**
- 척추관 central 및 transverse foramen 공간의 감소

📑 **R/O**
- 척추협착, 요추부(M4806)

📑 **Plan**
- 치료 기간: 2–3개월, 혹은 평생 관리
- 치료 목표: 증상 완화
- 통증 부위: 도침치료
- 주변부: 물리치료, 복부 및 코어 강화 운동 티칭
- 티칭: 척추관 협착증은 수술 이전에 보존적으로 관리하는 질환이며, 지속적으로 관리와 치료가 필요함을 환자분께 인식시켜야 함

최신 연구 동향 및 임상 포인트

✓ 70대 이상 노년층의 경우, 치료해서 낫는다기보다는, 지속적으로 관리하는 질환임을 환자에게 알려줍니다. 다만 50대 후반에서 60대 초반까지 비교적 젊은 나이로 협착증이 시작된지 얼마되지 않은 경우, 2–3개월간의 지속적인 치료와 복근 운동, 거꾸리와 같은 감압치료를 통해 증상이 호전될 수 있음을 알리고 적극적으로 치료합니다.

→ 도침치료 포인트

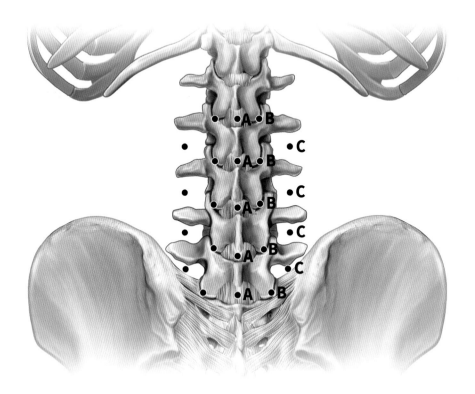

치료 포인트

환자가 첫 치료인 경우, 모든 포인트를 치료하지 않고 가장 압통이 심한 부위 2포인트를 선정하여 치료합니다.

5-3-5. 극상, 극간인대 압통점	A	p. 227
5-4-1. 요추 후관절 압통점	B	p. 237
5-6-1. 요추 횡돌간 치료점	C	p. 246

 압통점 찾기 팁

협착증은 척추의 퇴행성 변화가 이미 심하게 나타난 경우입니다. 그래서 협착증이 진행된 레벨에 대해 극간, 후관절, 횡돌간, 근육 등에 대해 모두 도침치료를 시행해야 합니다.
다만 횡돌간과 후관절은 자입 시 통증이 있는 만큼, 시술 부위가 많은 경우 적절히 나눠서 시행합니다.

Grade A	Grade B	Grade C	Grade D

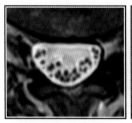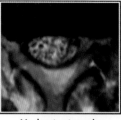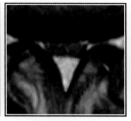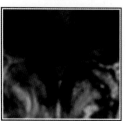

No or minor stenosis	**Moderate stenosis**	**Severe stenosis**	**Extreme stenosis**
Clearly CSF visible inside the dural sac shown as white areas.	Rootiets occupy the whole of the dural sac, but can still be individuailzed. Some CSF is still present giving a grainy appearance to the sac.	No rootiets can be recognized, the dural sac demonstrates a homogenous gray signal with no CSF signal visible. There is epidural fat present posteriorly.	In addition to no rootlets being recognizable, there is no epidural fat posteriorly.

협착증은 치료가 어려운 대표적인 퇴행성 질환입니다. 요추관 협착증의 치료의 시작은 보존적 치료로 치료가 가능한 환자와 수술적 접근이 필요한 환자를 구분하는 것입니다.

MRI가 꼭 증상이나 예후와 일치하는 것은 아니지만, 그림의 grade D와 같이 중심성 협착이 심한 경우는 보존적치료에 반응하기 어렵습니다. 그리고 환자의 나이가 많은 경우도 치료가 쉽지 않습니다.[25-26]

보존적으로 협착증 증상을 없앨 수 있는 환자층은 50대 후반, 60대 초중반입니다. 이 때 환자가 어느 정도 코어운동이 가능한 상태여야 합니다. 환자에게 지속적인 도침과 전침치료와 함께 복근운동을 통한 코어의 강화와 거꾸리 같은 견인치료를 함께 시행하면 양호한 치료결과를 얻을 수 있습니다.

참고문헌

1. Jo HG, Song MY, Yoon SH, Jeong SY, Kim JH, Baek EH, et al. Proposal of checklists for patient safety in miniscalpel acupuncture treatment of cervical and lumbar spine: pilot trial. J Korean Med Rehabil 2018;28:61-72.

2. Ravi KK, Kaul TK, Kathuria S, Gupta S, Khurana S. Distance from skin to epidural space: correlation with body mass index (BMI). J Anaesthesiol Clin Pharmacol 2011;27:39-42.

3. 庞继光. 针刀医学基础与临床. 中国 深圳: 海天出版社; 2006. pp 8.

4. Deyo RA, Weinstein JN. Low back pain. N Engl J Med 2001;344:363-70.

5. 대한척추신경외과학회. 척추학. 제2판. 군자출판사; 2008.

6. Carragee EJ, Tanner CM, Khurana S, Hayward C, Welsh J, Date E, et al. The rates of falsepositive lumbar discography in select patients without low back symptoms. Spine 2000;25:1373-80.

7. Cheung KM, Karppinen J, Chan D, Ho DW, Song YQ, Sham P, et al. Prevalence and pattern of lumbar magnetic resonance imaging changes in a population study of one thousand forty-three individuals. Spine 2009;34:934-40.

8. Cleland JA. 통증치료를 위한 알기 쉬운 근골격계 이학적 검사법. 제3판. 메디안북; 2017.

9. 김지형. 일차진료의를 위한 정형외과: 진단과 치료. 제2판. 대한의학; 2016.

10. Deyo RA, Weinstein JN. Low back pain. N Engl J Med 2001;344:363-70.

11. Hides JA, Richardson CA, Jull GA. Multifidus muscle recovery is not automatic after resolution of acute, first-episode low back pain. Spine 1996;21:2763-9.

12. Langevin HM, Stevens-Tuttle D, Fox JR, Badger GJ, Bouffard NA, Krag MH, et al. Ultrasound evidence of altered lumbar connective tissue structure in human subjects with chronic low back pain. BMC Musculoskelet Disord 2009;10:151.

13. Wallwork TL, Stanton WR, Freke M, Hides JA. The effect of chronic low back pain on size and contraction of the lumbar multifidus muscle. Man Ther 2009;14:496-500.

14. Hides JA, Richardson CA, Jull GA. Multifidus muscle recovery is not automatic after resolution of acute, first-episode low back pain. Spine 1996;21:2763-9.

15. Bogduk N, Mcguirk B. Medical management of acute and chronic low back pain: an evidence-based approach. Elsevier Health Sciences; 2002.

16. Manchikanti L, Boswell MV, Singh V, Pampati V, Damron KS, Beyer CD. Prevalence of facet joint pain in chronic spinal pain of cervical, thoracic, and lumbar regions. BMC Musculoskelet Disord 2004;5:15.

17. Gellhorn AC, Katz JN, Suri P. Osteoarthritis of the spine: the facet joints. Nat Rev Rheumatol 2013;9:216-24.

18. Cohen SP, Raja SN. Pathogenesis, diagnosis, and treatment of lumbar zygapophysial (facet) joint pain. Anesthesiology 2007;106:591-614.

19. Kim, HI, Shin DG. Causes and diagnostic strategies for chronic low back pain. J Korean Med Assoc 2007;50:482-93.

20. Yoon SH, Kim SA, Lee GY, Kim H, Lee JH, Leem J. Using magnetic resonance imaging to measure the depth of acupotomy points in the lumbar spine: a retrospective study. Integr Med Res 2021;10:100679..

21. 대한척추신경외과학회. 척추학. 제2판. 군자출판사; 2008.

22. Fortin JD, Dwyer AP, West S, Pier J. Sacroiliac joint: pain referral maps upon applying a new injection/arthrography technique. Spine 1994;19:1475-82.

23. Griffith JF, Wang YX, Antonio GE, Choi KC, Yu A, Ahuja AT, et al. Modified Pfirrmann grading system for lumbar intervertebral disc degeneration. Spine 2007;32:E708-12.

24. Harris RI, Macnab I. Structural changes in the lumbar intervertebral discs: their relationship to low back pain and sciatica. J Bone Joint Surg Br 1954;36-B:304-22.

25. Lønne G, Ødegård B, Johnsen LG, Solberg TK, Kvistad KA, Nygaard ØP. MRI evaluation of lumbar spinal stenosis: is a rapid visual assessment as good as area measurement? Eur Spine J 2014;23:1320-4.

26. Genevay S, Atlas SJ. Lumbar spinal stenosis. Best Pract Res Clin Rheumatol 2010;24:253-65.

6 골반 및 고관절

6-1. 골반 및 고관절의 감별진단

표 6-1-1. 골반 및 고관절 통증의 감별진단[1,2]

진단	병력	이학적 검사
대전자동통증후군 (대전자 점액낭염)	고관절과 대퇴 바깥쪽의 통증 앉았다 일어날 때 통증 악화	FABER test+
이상근증후군(deep gluteal syndrome)	엉덩이 부위 통증과 함께 허벅지 및 종아리 후면의 통증, 저림	Seated piriformis stretch test+ FADIR test+
좌골 점액낭염	앉아있을 때 악화되는 둔부통증	좌골 점액낭 부위 압통
대퇴골두무혈성 괴사	비교적 젊은 남자의 엉덩이 서혜부 통증. 보행 시 악화, 스테로이드 사용력	FABER test+ Trendelenburg's gait+
고관절의 골관절염	60세 이상에서 고관절 및 둔부, 서혜부의 통증, 가동범위 감소	고관절 가동범위 감소, FABER test+
대퇴 절구 충돌	서혜부의 날카로운 통증	Straight leg raise against resistance
관설순 찢김	고관질에서 달깍거리는 소리, 완전히 신전시키거나 굴곡시킬 때 통증	FADIR test+

키워드: greater trochanteric pain syndrome, Trochanteric Bursitis 🔍

한 장 차트 요약

특징
고관절 주변의 통증을 일으키는 비교적 흔한 질환이지만, 임상에서 놓치기 쉬운 질환 중 하나

O/S
- 과사용이 많지만, 아무 이유 없기도 함

C/C
- 둔부 및 대퇴부 측면의 통증
- 보행이나 활동 시 심해지는 통증

P/E
- 고관절 대전자 주변의 압통
- FABER test+

Imaging
- MRI 상 중둔근, 소둔근 힘줄의 힘줄염 소견

R/O
- 기타 윤활막염 및 힘줄윤활막염, 고관절(M6585)
- 관절통, 고관절(M2555)

Plan
- 치료 기간: 4주
- 치료 목표: 통증완화 및 기능 개선
- 통증 부위: 둔부 압통점 및 점액낭 도침치료
- 주변부: 둔부 부항 및 물리치료
- 티칭: 초반에는 과사용 금지

최신 연구 동향 및 임상 포인트

☑ 둔부의 통증은 흔히 요추부 통증에서 방사되는 통증으로 오인됩니다. 퇴행성 척추질환 환자 중 20.2%가 대전자동통증후군을 겸하고 있다는 보고도 있습니다.[3] 둔부의 통증과 함께 FABER test가 양성이며, 고관절을 움직일 때 통증을 호소하는 환자는 고관절이 원인일 수 있음을 꼭 명심해야 합니다.

→ 도침치료 포인트

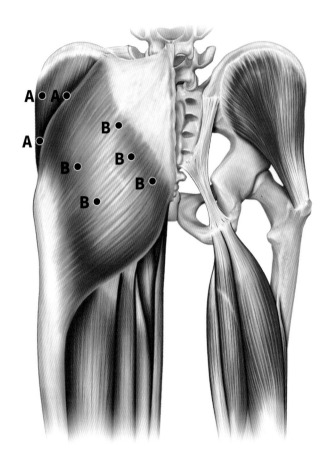

치료 포인트

환자가 첫 치료인 경우, 모든 포인트를 치료하지 않고 가장 압통이 심한 부위 2포인트를 선정하여 치료합니다.

6-2-1. 중둔근 압통점	**A**	**p. 258**
6-2-2. 소둔근 압통점	**A**	**p. 259**
6-2-3. 대둔근 압통점	**B**	**p. 260**

 압통점 찾기 팁

중둔근과 소둔근을 중점으로 압통점을 찾습니다. 그 후 대둔근의 압통점도 체크해 봅니다.
중소둔근은 굳이 구분할 필요 없이, 깊게 자입해 모두 한번에 치료하면 됩니다. 대퇴근막장근도 환자가
통증을 호소하면 치료합니다.

6-2-1. 중둔근 압통점 도침치료

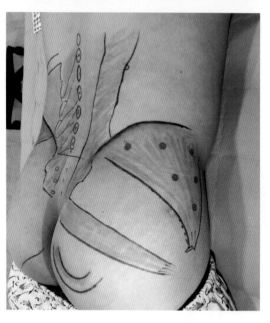
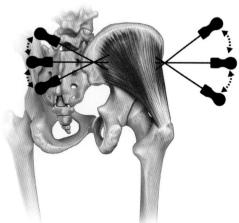

→ 중둔근(Gluteus medius) 압통점 도침치료

📋 촉진	• 장골능 후외측면에서 대전자 사이 압통점 촉진
📋 기시	• 장골의 둔근면(gluteal surface of ilium)
📋 종지	• 대퇴 대결절(greater trochanter) 외측면
📋 도침치료	• 칼날 방향: 인체 종방향
	• 자입 깊이: 3–4 cm
	• 자극 횟수: 3–4회
	• 주의 사항: 둔부는 혈종이 잘 생길 수 있습니다. 루틴하게 압박지혈하여 혈종발생을 예방합니다.

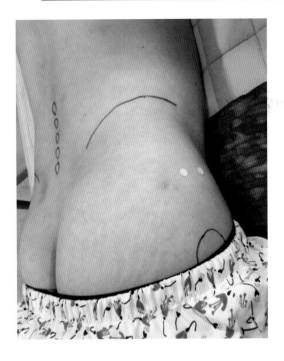

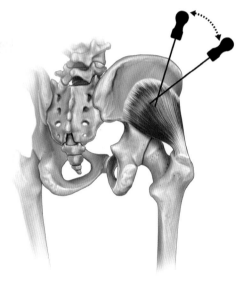

→ 소둔근(Gluteus minimus) 압통점 도침치료

📋 **촉진**	• 중둔근 안쪽, 장골능과 대전자 중앙위치에 깊은 곳에서 촉진되는 압통점
📋 **기시**	• 장골의 둔근면(gluteal surface of ilium)
📋 **종지**	• 대퇴 대결절(greater trochanter of femur) 전면
📋 **도침치료**	• 칼날 방향: 인체 종방향 • 자입 깊이: 5 cm • 자극 횟수: 3–4회 • 주의 사항: 둔부는 혈종이 잘 생길 수 있습니다. 루틴하게 압박지혈하여 혈종발생을 예방합니다.

6-2-3. 대둔근 압통점 도침치료

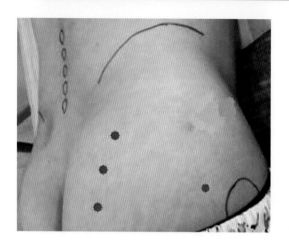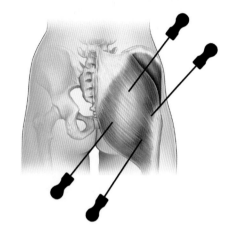

→ 대둔근(Gluteus maximus) 압통점 도침치료

📖 촉진	• 중둔근과의 경계 부위 안쪽, 둔부 후면을 전체적으로 덮고 있으며, 그 중 압통점을 촉진합니다. 환자에게 가장 불편한 곳을 먼저 지정하라고 하는 것이 좋습니다.
📖 기시	• 천골과 미골의 후외측 • 장골의 둔근면 • 흉요근막(thoracolumbar fascia) • 천결절인대(sacrotuberous ligament)
📖 종지	• 장경인대(Iliotibial tract) • 대퇴 둔근조면(gluteal tuberosity)
📖 도침치료	• 칼날 방향: 대둔근 근섬유 방향과 일치하게 자입 • 자입 깊이: 3–4 cm • 자극 횟수: 3–4회 • 주의 사항: 둔부는 혈종이 잘 생길 수 있습니다. 루틴하게 압박지혈하여 혈종발생을 예방합니다.

> **주의**
> 천골 바로 옆쪽은 큰궁둥구멍(greater sciatic foramen)이 위치합니다. 심자하면 내부장기의 손상이 있을 수 있으니 4 cm 이상 자입하지 않게 주의합니다.

6-3. 이상근증후군(Deep Gluteal Syndrome)

키워드: Deep Gluteal Syndrome, Piriformis syndrome

한 장 차트 요약

특징
환자는 다리 뒤쪽의 저림과 통증을 호소하는데, 요통은 없는 경우가 많고 SLRT검사도 음성임. 20-30분 이상 앉아 있기도 힘들어 함

O/S
- 주로 외상 이후에 많이 발생하지만 외상이 없이 발생하는 경우도 있음

C/C
- 고관절이나 둔부의 통증
- 하지 후면의 저림

P/E
- Seated piriformis stretch test+
- FADIR test+
- 이상근의 압통

Imaging
- 별무

R/O
- 좌골신경통, 천추 및 천미추부(M5437)

Plan
- 치료 기간: 2-4주
- 치료 목표: 이상근 긴장 완화, 통증 완화
- 통증 부위: 도침치료
- 주변부: 둔부 근육 부항 및 물리치료
- 티칭: 지갑을 뒷주머니에 넣고 앉거나, 자전거를 타는 등 좌골신경을 압박할 수 있는 행위를 하지 않게 티칭

최신 연구 동향 및 임상 포인트

☑ 이전에는 이상근증후군이라고 불렸지만, 최근 연구나 보고들에 따르면 이상근뿐만 아니라 대퇴방형근(quadratus femoris), 외폐쇄근과 내폐쇄근(obturator internus and externus), 햄스트링 근육들(hamstring muscles)도 좌골신경을 압박할 수 있음이 알려져 최근에는 deep gluteal syndrome으로도 불리우고 있습니다.[4]

→ 좌골신경을 압박할 수 있는 구조물들

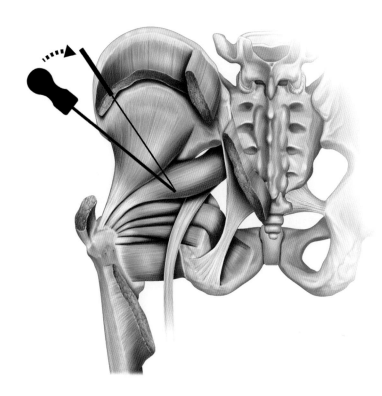

Deep gluteal syndrome	둔부에서 좌골신경이 압박되면서 발생한 모든 증상[5]
유형	좌골신경 주변 섬유 및 섬유혈관 밴드에 의한 유착, 이상근 증후군, 내폐쇄-대퇴 증후군, 햄스트링에 의한 압박, 둔부 장애 또는 정형외과적 원인

TIPS **압통점 찾기 팁**

좌골신경을 압박하는 구조물은 이상근을 중심으로 다양합니다. 결국 둔부 전체에서 꼼꼼히 압통점을 찾는 것이 중요합니다. 엎드린 자세에서는 압통점이 쉽게 나오지 않습니다.
옆으로 누워 고관절을 90도 굴곡, 무릎을 90도 굴곡시킨 후 압통점을 찾아 정확히 자입합니다.

6-3-1. 이상근 압통점 도침치료

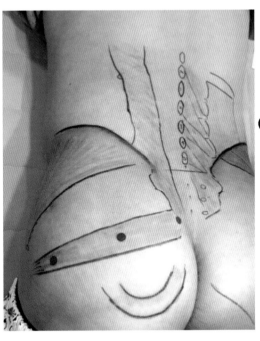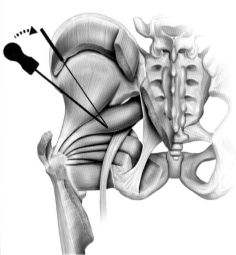

→ 이상근(Piriformis m.) 압통점 도침치료

📋 촉진	• 천골 외측면 중앙과 대퇴골 대전자의 위쪽을 이은 가상의 선으로 이상근을 촉진할 수 있습니다. 이상근의 압통점을 꼼꼼히 촉진하며, 주로 안쪽 1/3부터 바깥쪽 1/3에 해당하는 가운데 부분에 압통점이 다발합니다.
📋 체위	• 측와위로 누워 골반과 슬관절을 각각 90도로 굴곡하면 촉진과 자입 시 유리합니다.
📋 기시	• 천골(sacrum)의 전면
📋 종지	• 대퇴 대결절(greater trochanter)의 위 모서리
📋 도침치료	• 칼날 방향: 인체 종방향 • 자입 깊이: 5 cm 이상 • 자극 횟수: 2-3회 제삽자극 • 주의 사항: 가볍게 신경을 자극하는 것은 좋지만, 너무 빠른 속도로 자입하면 신경을 손상시킬 수 있습니다. 신경과 평행하게 칼날을 유지하고, 천천히 자입합니다.

키워드: Ischial bursitis 🔍

한 장 차트 요약

📋 **특징**　둔부의 통증이 있으며 특히 앉았을 때 심해짐. 환자는 거의 정확히 좌골 점액낭 부위를 아프다고 하며, 다른 둔부 근육의 통증으로 오인하는 경우가 많음. 좌골 점액낭 부위의 통증인 경우 꼭 의심해야 함

📋 **O/S**
- 지나치게 딱딱한 바닥에 오래 앉아있는 경우
- 골반 불균형으로 한 쪽 좌골결절에만 압력이 가해지는 경우
- 다리를 꼬고 오래 앉아있는 경우

📋 **C/C**　앉았을 때 좌골 점액낭 부위의 통증

📋 **P/E**　좌골 점액낭 부위 압통(고관절 굴곡 체위에서 촉진)

📋 **Imaging**　MRI상 좌골 점액낭의 염증소견

📋 **R/O**　좌골윤활낭염(M707)

📋 **Plan**
- 치료 기간: 1–3개월, 오래 걸리는 경우 많음
- 치료 목표: 통증완화
- 통증 부위: 도침치료 및 봉약침
- 주변부: 부항 및 물리치료
- 티칭: 점액낭의 자극을 줄여 염증을 줄이는 것이 가장 첫 번째. 가운데 구멍이 뚫린 방석을 이용해, 점액낭이 눌리지 않도록 꼭 티칭

최신 연구 동향 및 임상 포인트

✓ 좌골점액낭염은 햄스트링 힘줄염에 의해 이차적으로 속발하는 경우와 좌골 한쪽에만 부하가 걸리게 틀어져서 앉은 자세로 인해 발생하게 됩니다. 그래서 생활습관 교정과 햄스트링 스트레칭이 중요합니다. 오래 앉아있을 수밖에 없는 직업의 경우 푹신푹신한 쿠션이나 좌골부위에 압력이 가지 않게 좌골부위에 구멍이 난 쿠션을 사용하는 것이 좋습니다. 또한 스트레칭을 통해 햄스트링의 긴장을 풀어주어 힘줄 부착부의 부하를 줄여주는 것도 도움이 됩니다.

→ 도침치료 포인트

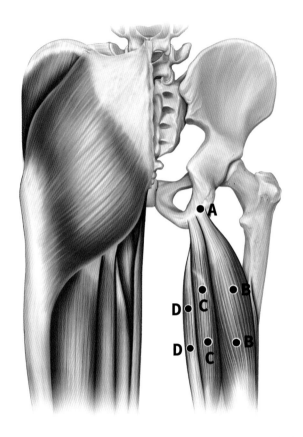

치료 포인트

환자가 첫 치료인 경우, 모든 포인트를 치료하지 않고 가장 압통이 심한 부위 2포인트를 선정하여 치료합니다.

6-4-1. 좌골 점액낭 압통점	A	p. 266
6-4-2. 대퇴이두근 압통점	B	p. 267
6-4-3. 반막양근 압통점	D	p. 268
6-4-4. 반건양근 압통점	C	p. 269

 압통점 찾기 팁

좌골점액낭염 포인트를 기본으로 합니다. 환자가 햄스트링 부위에 당기는 통증으로 호소하거나 보행 시,
서있을 때도 좌골점액낭 부위에 통증을 호소하면 햄스트링 근육의 압통점도 찾아서 치료합니다.
또한 대둔근과 이상근에 압통점이 있다면 함께 풀어줘야 합니다.

6-4-1. 좌골점액낭 압통점 도침치료

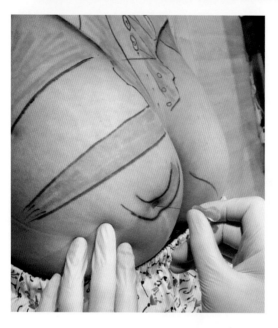 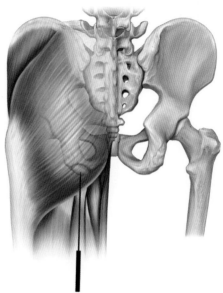

→ 좌골점액낭(Ischial bursa) 압통점 도침치료

📋 **촉진**	• 좌골결절 압통점
📋 **체위**	• 복와위 혹은 측와위 • 측와위에서 고관절을 90도로 굴곡시키면 좌골결절까지 도침이 진입하는 거리가 줄어들어 복와위에서 자입하는 것보다 안전한 치료가 가능합니다.
📋 **도침치료**	• 칼날 방향: 인체 종방향 • 자입 깊이: 5 cm 이상 • 자극 횟수: 3–5회 제삽 • 주의 사항: 압통점을 정확하게 파악하고 강하게 압박하여 도침이 지방층을 지나가는 깊이를 줄여줍니다. 도침치료 시 햄스트링 힘줄이 손상되지 않게 주의합니다.

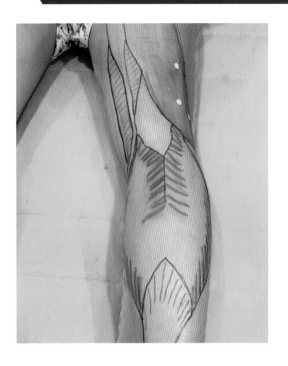
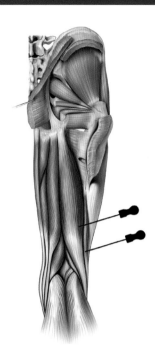

→ 대퇴이두근(Biceps femoris) 압통점 도침치료

📋 **촉진**	• 비골두에 부착된 대퇴이두근 건을 확인한 후, 오금 부위의 가쪽을 힘껏 누르듯 촉진합니다. • 허벅지 후면, 외측면에서 압통점을 촉진합니다.
📋 **기시**	• 장두: 좌골결절(ischial tuberosity), 천골결절인대(sacrotuberous ligament) • 단두: 대퇴골조선(linea aspera femoris)과 대퇴골외측관절융기위선
📋 **종지**	• 비골두의 외측면 • 경골의 외측관절융기(lateral condyle of tibia)
📋 **도침치료**	• 칼날 방향: 인체 종방향 • 자입 깊이: 2-4 cm • 지극 횟수: 1-3회 제삽자극 • 주의 사항: 자입 시 신경과 혈관이 손상되지 않도록 천천히 자입하고 통증을 호소하면 발침합니다.

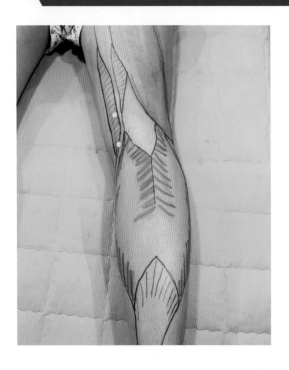
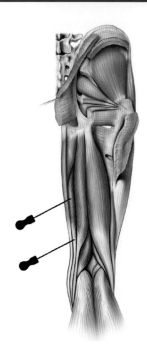

→ 반막양근(Semimembranosus m.) 압통점 도침치료

📋 **촉진**	• 대퇴의 안쪽에서 반건양근의 심부로 진입하듯 근복을 모아 대퇴골로 밀어 넣듯 촉진하여 압통점 촉진합니다.
📋 **기시**	• 좌골결절(ischial tuberosity)
📋 **종지**	• 경골내측융기(medial condyle of tibia) • 내측측부인대(medial collateral ligament) • 사슬와인대(oblique popliteal ligament) • 슬와근(popliteus muscle)
📋 **도침치료**	• 칼날 방향: 인체 종방향 • 자입 깊이: 2–4 cm • 자극 횟수: 1–3회 제삽자극 • 주의 사항: 자입 시 신경과 혈관이 손상되지 않도록 천천히 자입하고 통증을 호소하면 발침합니다.

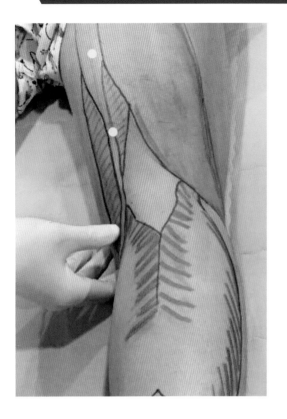
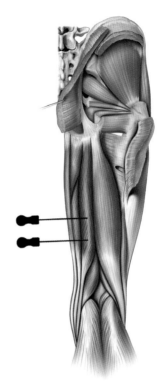

→ 반건양근(Semitendinosus m.) 압통점 도침치료

촉진	• 대퇴 후면 내측, 반막양근 위쪽에 뚜렷히 촉진되는 건
기시	• 좌골결절(ischial tuberosity)의 후면
종지	• 경골의 내측관절융기(medial condyle of tibia)의 후내측부
도침치료	• 칼날 방향: 인체 종방향
	• 자입 깊이: 2–4 cm
	• 자극 횟수: 1–3회 제삽자극
	• 주의 사항: 자입 시 신경과 혈관이 손상되지 않도록 천천히 자입하고 통증을 호소하면 발침합니다.

참고문헌

1. Wilson JJ, Furukawa M. Evaluation of the patient with hip pain. Am Fam Physician 2014;89:27-34.

2. 김지형. 일차진료의를 위한 정형외과: 진단과 치료. 제2판. 대한의학; 2016.

3. Tortolani PJ, Carbone JJ, Quartararo LG. Greater trochanteric pain syndrome in patients referred to orthopedic spine specialists. Spine J 2002;2:251-4.

4. Kay J, de Sa D, Morrison L, Fejtek E, Simunovic N, Martin HD, et al. Surgical management of deep gluteal syndrome causing sciatic nerve entrapment: A systematic review. Arthroscopy 2017;33:2263-78.

5. Hernando MF, Cerezal L, Pérez-Carro L, Abascal F, Canga A. Deep gluteal syndrome: anatomy, imaging, and management of sciatic nerve entrapments in the subgluteal space. Skeletal Radiol 2015;44:919-34.

7 무릎

7-1. 무릎 질환의 감별 진단

표 7-1-1. 한의원 다빈도 무릎 통증의 감별진단

진단	병력	이학적 검사
무릎 골관절염	중장년층 이상, 만성, 보행 시 통증 등	
슬개대퇴통증증후군	계단을 올라가거나, 쪼그려 앉을 때 통증	Patellar compression test+ Patellar tilt test+
슬개건염	완전히 무릎을 구부렸을 때 무릎 앞쪽 통증	Passive flexion-extension sign+
장경인대증후군	운동할 때 무릎 바깥쪽 통증	Ober test+
거위발활액낭염	비만의 여성, 쪼그려 앉을 때 무릎 안쪽의 통증	거위발 고활액낭 압통+
반월판 손상	외상으로부터 시작, 내외측 관절면의 압통, 부종	McMurray test+ joint line tenderness+
측부인대 손상	외상으로부터 시작, 내외측 인대부위 압통	Valgus stress test+ Varus stress test+

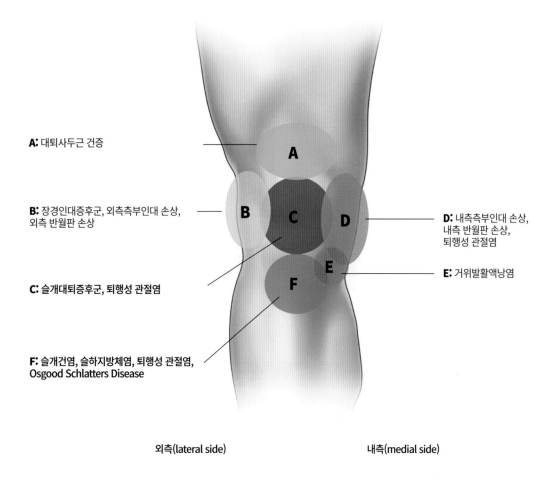

A: 대퇴사두근 건증

B: 장경인대증후군, 외측측부인대 손상,
외측 반월판 손상

C: 슬개대퇴증후군, 퇴행성 관절염

D: 내측측부인대 손상,
내측 반월판 손상,
퇴행성 관절염

E: 거위발활액낭염

F: 슬개건염, 슬하지방체염, 퇴행성 관절염,
Osgood Schlatters Disease

외측(lateral side)   내측(medial side)

무릎부위 통증 역시 원인이 다양하기 때문에 정확한 감별이 가장 중요합니다. 무릎의 통증을 감별하기 위해서는 첫 번째로 위와 같이 통증 위치를 파악하여 대략적인 원인을 유추할 수 있습니다. 크게 슬개골 주변의 통증인지, 아니면 내외측 반월판 부위 통증인지, 인대나 건 부착부 통증인지 분류할 수 있습니다. 슬 내측의 경우 거위발활액낭염 위치와 반월판 손상 위치, 내측 측부인대 손상 위치가 다르기 때문에 환자에게 대략적으로 물어보지 말고 정확히 가장 아픈 곳을 가르키라고 한 뒤 꼼꼼히 촉진해야 합니다.

위치를 통해 의심할 수 있는 질환군이 정해지면, 이학적 검사를 시행해 정확한 원인을 감별합니다. 이렇게 정확한 진단을 통해 질환별로 예후를 제시하고, 치료 포인트를 잡아야 통증을 제거할 수 있습니다.

키워드: Iliotibial band syndrome

한 장 차트 요약

📄 특징 무릎 바깥쪽 통증에 주요한 원인이 되는 질환

📄 O/S
- 과사용 후 많이 발생

📄 C/C
- 무릎 외측의 통증, 반복적인 사용 후 통증 악화
- 무릎을 완전히 펴면 통증이 줄어듦

📄 P/E
- 30도 굴곡 시 심해지는 통증
- 외측 무릎 관절면 상부의 대퇴골 외측상과 압통

📄 Imaging
- Distal iliotibial band의 두꺼워짐(thickened)

📄 R/O
- 장경골띠증후군, 무릎관절(M7636)

📄 Plan
- 치료 기간: 2-4주
- 치료 목표: 통증완화 및 기능개선
- 통증 부위: 도침치료
- 변부: 장경인대부위 부항, 물리치료, 스트레칭
- 티칭: 통증을 유발하는 동작을 꼭 피할 수 있게 티칭

최신 연구 동향 및 임상 포인트

✓ 자전거나 마라톤을 많이 하는 분들에게 다발하는 질환입니다. 보존적 치료에 반응이 좋으며, 대퇴근막장근뿐만 아니라 대둔근을 함께 이완시켜 줍니다.[1]

→ 도침치료 포인트

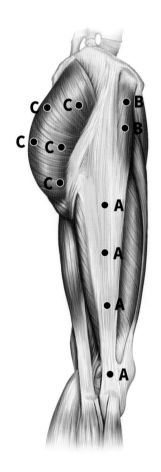

치료 포인트

환자가 첫 치료인 경우, 모든 포인트를 치료하지 않고 가장 압통이 심한 부위 2포인트를 선정하여 치료합니다.

7-2-1. 장경인대 압통점	A	p. 275
7-2-2. 대퇴근막장근 압통점	B	p. 276
6-2-3. 대둔근 압통점	C	p. 260

 TIPS 압통점 찾기 팁

압통점은 근육부위인 대퇴근막장근과 대둔근 부위에 많이 형성됩니다. 근육의 압통점을 제거해도 통증이 개선되지 않으면 장경인대 자체에 대한 자입도 필요합니다.

7-2-1. 장경인대 압통점 도침치료

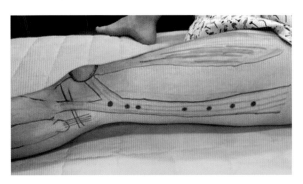

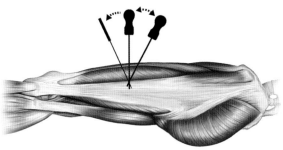

→ 장경인대(Iliotibial band) 압통점 도침치료

📑 촉진	• 대퇴골 외측 상과부 압통점
	• 대퇴골 외측 상과부 위쪽, 장경인대 상 압통점 2–3포인트
📑 기시	• 장골능(iliac crest)
	• 고관절낭(hip joint capsule)
	• 대둔근과 대퇴근막장근 근막
📑 종지	• 경골 외측 거디결절(Gerdy's tubercle)
📑 도침치료	• 칼날 방향: 인체 종방향, 강자극 시에는 횡방향도 가능
	• 자입 깊이: 1–2 cm
	• 자극 횟수: 2–3회 제삽
	• 주의 사항: 다른 포인트들보다는 강하게 하셔도 무방합니다. 나만 내퇴골 외측과 주변과 거디결절 주변은 무릎 외측으로 외측슬상동맥 및 외측 슬하동맥(superior & inferior lateral genicular artery)이 지나가므로, 뼈까지 자입하지 않습니다.

275

02 각론 | 7 무릎

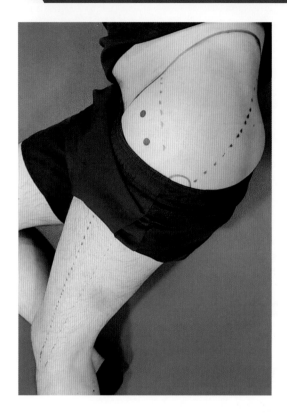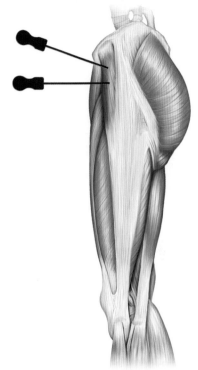

→ 대퇴근막장근(Tensor fasciae latae muscle) 압통점 도침치료

📋 촉진	• 전상장골극과 대전자 사이에 볼록튀어 나온 대퇴근막장근을 깊게 눌러 압통점을 찾습니다.
📋 기시	• 장골능(iliac crest) • 전장장골극(anterior superior iliac spine)
📋 종지	• 경골 외측 거디결절(Gerdy's tubercle)
📋 도침치료	• 칼날 방향: 인체 종방향 • 자입 깊이: 5 cm • 자극 횟수: 2–3회 제삽 • 주의 사항: 출혈 및 혈종에 주의합니다.

7-3. 거위발활액낭염

키워드: pes anserinus tendinitis, pes anserinus bursitis

한 장 차트 요약

특징
무릎 내측, 경골조면의 내측부 봉공근과 반건양근, 박근이 부착하는 부착부의 압통을 호소합니다.

O/S
- 과사용 이후(쪼그려 앉아서 일한 후) 발생하나 별무 이유로 발생하기도 합니다.

C/C
- 무릎 내측의 통증
- 계단을 오르내리거나 차에서 내릴 때 통증

P/E
- 거위발활액낭 부위의 압통

Imaging
- 거위발활액낭 부위의 염증소견, 힘줄염 소견

R/O
- 힘줄염NOS, 무릎관절(M7796)

Plan
- 치료 기간: 2-4주
- 치료 목표: 통증완화
- 통증 부위: 거위발활액낭 도침치료
- 주변부: 반건양근 및 박근, 봉공근 침, 물리치료, 부항
- 티칭: 쪼그려 앉거나 무리하는 동작을 최대한 피하며, 통증이 심하면 아이스팩을 하도록 티칭합니다.

최신 연구 동향 및 임상 포인트

- ✓ 골관절염을 가지고 있는 환자의 46.8%, 역으로 거위발활액낭염을 가지고 있는 환자의 83.3%에서 골관절염이 발견되는 만큼 두 질환은 밀접한 관계를 가지고 있습니다.[2]
- ✓ 최근 2주간의 통증 + 거위발활액낭의 압통 + (계단 오르내릴 때 통증 or 체중 부하 시 통증 or 차에서 내릴 때 통증)을 호소하면 진단이 가능합니다.[3]

→ 도침치료 포인트

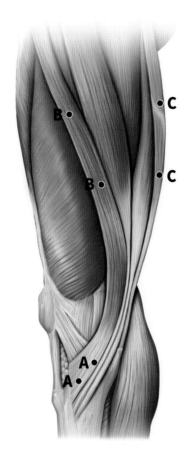

치료 포인트

환자가 첫 치료인 경우, 모든 포인트를 치료하지 않고 가장 압통이 심한 부위 2포인트를 선정하여 치료합니다.

7-3-1. 거위발활액낭 압통점	A	p. 279
7-3-2. 봉공근 압통점	B	p. 280
6-4-4. 반건양근 압통점	C	p. 269

TIPS 압통점 찾기 팁

거위발활액낭염의 핵심은 봉공근과 거위발 활액낭 부근의 압통점 입니다.

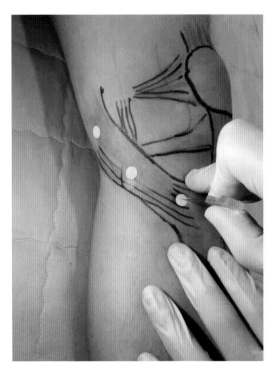
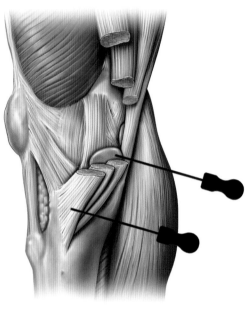

⟶ 거위발활액낭 도침치료

📋 **촉진**	• 경골조면 내측 거위발활액낭 주변 압통점
📋 **도침치료**	• 칼날 방향: 건 부착방향과 일치하게 45도 정도 사선으로 자입
	• 자입 깊이: 뼈까지
	• 자극 횟수: 1-2회
	• 주의 사항: 칼날방향에 주의하며, 활액낭과 건 부착부 근처의 압통점을 꼼꼼히 촉진합니다.

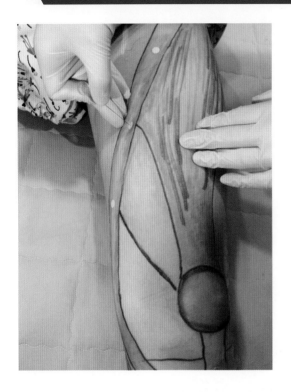 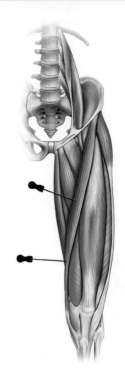

→ 봉공근(Sartorius) 압통점 도침치료

📖 **촉진**	• 대퇴 아래부분 안쪽에서 내측광근의 표층을 아래로 힘껏 눌러 봉공근의 가쪽 모서리를 확인합니다. 그런 다음 기시부 또는 종지부까지 근육의 주행을 가정한 뒤, 가쪽모서리부터 근복을 모으듯 촉진한 후 압통점을 찾습니다.
📖 **기시**	• 전상장골극(ASIS)
📖 **종지**	• 경골조면 내측(tuberosity of tibia)
📖 **도침치료**	• 칼날 방향: 인체 종방향 • 자입 깊이: 2 cm 내외 • 자극 횟수: 1–2회 • 주의 사항: 내퇴 내측은 복재신경(saphenous nerve)과 혈관이 주행하는 만큼, 천천히 자입하여 손상을 예방합니다.

7-4. 슬개건염

키워드: patellar tendinitis, jumper's knee

한 장 차트 요약

📋 **특징**
무릎 전면 하단부, 슬개건(슬개인대) 주변에 통증을 호소하는 경우. 한의원에 내원하는 무릎환자 중 개인적으로는 굉장히 많은 비율로 이 부위에 통증을 호소함

📋 **O/S**
과도한 운동이나 과사용 후

📋 **C/C**
무릎 전면 하단부 통증

📋 **P/E**
Passive flexion-extension sign+

📋 **Imaging**
MRI 상 슬개건의 두꺼워짐(thickening)

📋 **R/O**
무릎뼈 힘줄염(M765)

📋 **Plan**
- 치료 기간: 2–4주
- 치료 목표: 통증완화
- 통증 부위: 슬개건 및 슬하지방체, 대퇴사두근 압통점 도침
- 주변부: 대퇴사두근 부항 및 물리치료
- 티칭: 과사용을 제한하면서 지속적인 치료 요망

최신 연구 동향 및 임상 포인트

✓ Passive flexion-extension sign은 똑바로 누워 무릎을 편안히 신전시킨 상태에서는 슬개건을 누르면 압통이 나타나지만, 90도 굴곡한 상태나 대퇴사두근에 힘을 준 후 슬개건을 압박하게 되면 통증이 사라지는 증상입니다.[4] 슬개건염을 감별하는 검사입니다.

✓ 슬개건 자체뿐만 아니라 슬개건 주위의 슬하지방체, 대퇴사두근도 함께 치료해 줍니다. 슬개하 지방체의 염증은 만성 슬개건염과 관련이 있고, 섬유화를 촉진할 수도 있다고 알려져 있습니다.[5]

→ 도침치료 포인트

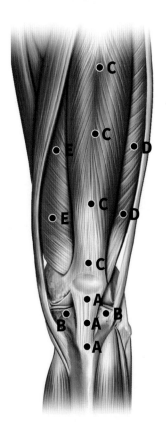

치료 포인트

환자가 첫 치료인 경우, 모든 포인트를 치료하지 않고 가장 압통이 심한 부위 2포인트를 선정하여 치료합니다. 위 포인트는 예시이며, 환자에 따라 치료포인트를 찾아야 합니다. 슬개골 주변의 환자가 아파하는 포인트와, 대퇴사두근 근육 중 눌러서 아픈 포인트를 찾아 치료합니다.

7-4-1. 슬개건 및 부착부 압통점	A	p. 283
7-4-2. 슬개하 지방체 압통점	B	p. 284
7-4-3. 대퇴직근 압통점	C	p. 285
7-4-4. 외측광근 압통점	D	p. 286
7-4-5. 내측광근 압통점	E	p. 287

TIPS 압통점 찾기 팁

슬개건 부착부, 슬개골 주변 압통점을 찾습니다. 대퇴직근과 내외측광근의 압통점도 함께 체크합니다.

7-4-1. 슬개건 및 부착부 압통점 도침치료

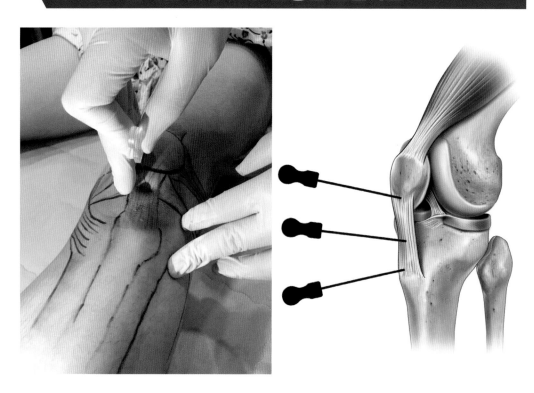

➡ 슬개인대(Patellar tendon) 압통점 도침치료

📑 **촉진**	• 슬개골과 경골조면에 부착하는 슬개건 상 압통점과 경골 조면의 슬개건 부착부 압통점
📑 **도침치료**	• 칼날 방향: 인체 종방향, 슬개건 주행방향과 평행하게 • 자입 깊이: 1–2 cm • 자극 횟수: 1회 • 주의 사항: 너무 깊이 심자하여 관절강을 뚫지 않도록 주의하며, 과자극하여 슬개인대에 손상을 주지 않습니다. 1회 정도 살짝 자극하고 발침합니다.

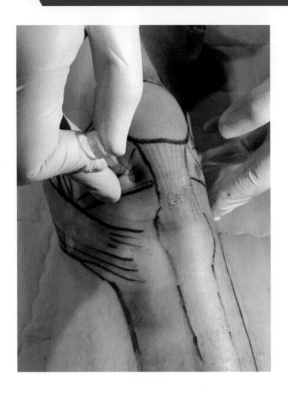
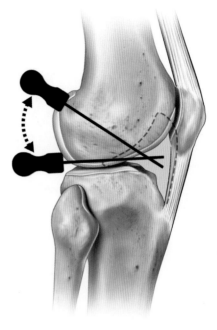

→ 슬개하 지방체(Infrapatellar fat pad) 압통점 도침치료

촉진	• 슬개건 경계 내측과 외측의 함몰점, 경우에 따라 부어있을 수 있습니다. 압통점을 찾아 자입합니다.
도침치료	• 칼날 방향: 인체 종방향 • 자입 깊이: 1–2 cm, 자입방향을 반대편 슬하지방체를 향해 • 자극 횟수: 2–3회 제삽자극 • 주의 사항: 직자 시 너무 깊이 자입하여 연골과 인대에 손상을 주지 않게 주의합니다. 감염에 특별히 주의합니다.

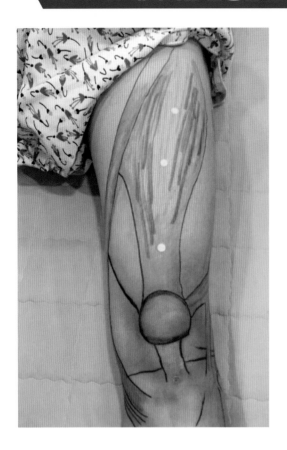
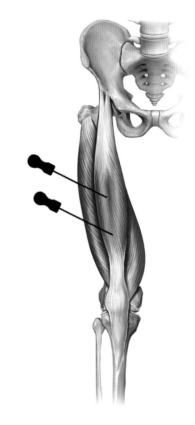

→ 대퇴직근(Rectus Femoris) 압통점 도침치료

📄 **촉진**	• 대퇴 전면 정중앙, 대퇴골 방향으로 밀어넣듯이 촉진하여 압통점을 찾습니다.
📄 **기시**	• 대퇴직근 직두: 전하장골극(AIIS) • 대퇴직근 후두: 관골구상구(supra-acetabular groove)
📄 **종지**	• 경골 조면(tubersity of tibia) • 슬개골
📄 **도침치료**	• 칼날 방향: 인체 종방향 • 자입 깊이: 3–4 cm • 자극 횟수: 2–3회

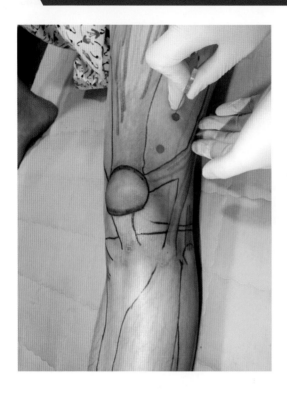 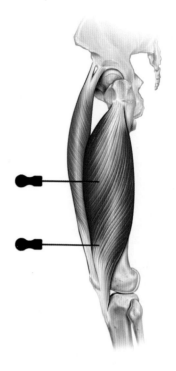

→ 외측광근(Vastus lateralis m.) 압통점 도침치료

📋 **촉진**	• 안쪽으로 대퇴직근, 가쪽으로 장경인대가 있습니다. 양쪽 근육 사이에서 밀어넣 듯 촉진하여 압통점을 찾습니다.
📋 **기시**	• 대전자(greater trochanter) • 대퇴조선(linear aspera) • 전자간선(intertrochanteric line) • 둔근조면(gluteal tuberosity)
📋 **종지**	• 경골 조면(tubersity of tibia) • 슬개골
📋 **도침치료**	• 칼날 방향: 인체 종방향 • 자입 깊이: 3–4 cm • 자극 횟수: 2–3회

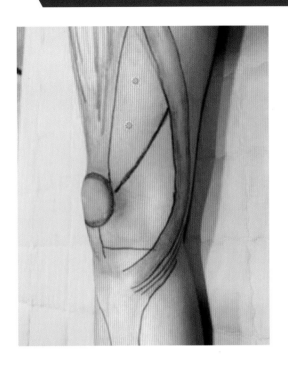
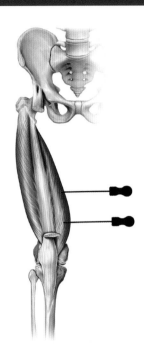

→ 내측광근(Vastus medialis m.) 압통점 도침치료

📑 **촉진**	• 봉공근의 가쪽 모서리와 대퇴직근의 안쪽 모서리의 근육. 대퇴골 쪽으로 밀어넣 듯 촉진하여 압통점을 찾습니다.
📑 **기시**	• 대퇴조선(linear aspera) • 전자간선(intertrochanteric line) • 대퇴외측상과선(medial supracondylar line of femur) • 대퇴치골근선(pectineal line of femur)
📑 **종지**	• 경골 조면(tubersity of tibia) • 슬개골
📑 **도침치료**	• 칼날 방향: 인체 종방향 • 자입 깊이: 3 cm • 자극 횟수: 2–3회 제삽 • 주의 사항: 내측광근 치료 시 뼈까지 자입하면 상내측슬동맥 및 신경을 손상시 킬 수 있으므로, 뼈까지 자입하지 않고 근복부만 자입하는 것이 좋습니다.

7-5. 슬개대퇴통증증후군

키워드: chondromalcia patellar, anterior knee pain

한 장 차트 요약

특징
무릎 슬개골 부위에 전체적인 통증, 속에서 나오는 통증을 호소. 환자는 계단을 오르거나 쪼그려 앉으면 통증이 심해지고, 평지를 걸어 다니면 오히려 통증이 덜하다고 함. 슬개골 연골연화증, 전방 슬관절 통증이라고도 불림

O/S
• 별무

C/C
• 슬개골 주변, 안쪽의 전체적인 통증
• 쪼그려 앉거나 계단 오를 때 심해지는 통증

P/E
• Patellar compression test+
• Patellar tilt test+

Imaging
• 슬개골 외측 편위

R/O
• 관절통, 무릎관절(M2556)

Plan
• 치료 기간: 2–4주
• 치료 목표: 통증 완화
• 통증 부위: 슬개골 주변 압통점 도침치료
• 주변부: 슬개골 외측편위에 대한 추나교정, 외측 대퇴부 근육에 대한 물리치료, 부항치료
• 티칭: 초기, 급성인 경우 최대한의 휴식과 함께 열심히 치료하면 금방 나을 수 있음을 티칭

최신 연구 동향 및 임상 포인트

✓ 국내 한 연구에서 슬관절 전방의 통증과 압박검사 시 양성인 100명과 그렇지 않은 100명을 비교한 연구가 있었습니다. 전방에 통증을 호소하고, 압박검사에서 통증을 호소한 군은 그렇지 않은 사람들에 비해 슬개골이 외측편위되어 있었으며, X-ray와 내시경 상 연골이 손상된 경우가 통계적으로 유의하게 많았다고 보고하였습니다.[6]

⟶ 도침치료 포인트

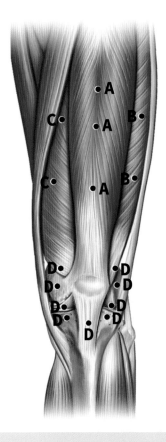

치료 포인트

환자가 첫 치료인 경우, 모든 포인트를 치료하지 않고 가장 압통이 심한 부위 2포인트를 선정하여 치료합니다. 슬개골 주변은 자입 시 통증이 다른 곳보다 큽니다. D점 같은 경우 환자가 가장 아파하는 곳 위주로 2포인트 이내로 자입합니다.

7-4-3. 대퇴직근 압통점	A	p. 285
7-4-4. 외측광근 압통점	B	p. 286
7-4-5. 내측광근 압통점	C	p. 287
7-5-1. 슬개골 주변 압통점	D	p. 290

 압통점 찾기 팁

주로 슬개골의 외측편위로 인한 통증이 많은 만큼, 대퇴직근을 기본으로 외측광근과 슬개골 외측에서 압통점을 찾아 자입합니다.

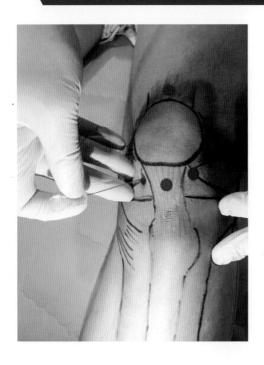
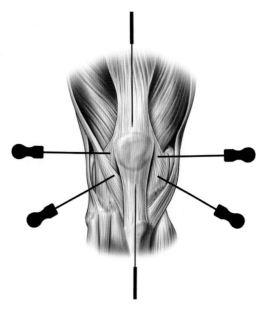

슬개골 주변 압통점 도침치료

📄 **촉진**	• 슬개골 주변 압통점: 내측이나 외측 아픈부위에 2-3포인트
📄 **도침치료**	• 칼날 방향: 인체 종방향 • 자입 깊이: 1 cm 내외 • 자극 횟수: 2-3회 • 주의 사항: 관절강 안으로 들어가지 않고, 근막만 살짝 절개합니다. 포비돈으로 소독을 철저히하면 관절낭 일부에 들어가도 큰 문제는 없습니다. 슬개골의 외측 편위가 많은 만큼, 외측에 보다 많은 압통점이 있습니다.

7-6. 퇴행성 무릎 골관절염

키워드: knee osteoarthritis

한 장 차트 요약

특징   중노년의 여성이 만성적인 무릎의 통증을 호소한다면, 대부분 퇴행성 무릎 관절염인 경우가 많음

O/S
- 만성, 퇴행성

C/C
- 보행 시 무릎의 통증
- 조조강직, 부종

P/E
- 기타 이학적 검사를 통해 국소 조직의 이상을 배제

Imaging
- X-ray 상 대퇴-경골 관절의 관절 간격 감소, 골극 및 연골하 경화

R/O
- 관절통, 무릎관절(M2556)
- 원발성 무릎 관절증 NOS(M171)

Plan
- 치료 기간: 지속 치료
- 치료 목표: 통증 완화
- 통증 부위: 압통점 도침치료 및 침치료
- 주변부: 무릎관절 주변의 근육을 이완시켜 관절에 가해지는 스트레스를 줄여주는 동시에, 무릎관절의 손상을 악화시키는 내반변형이나 외반 변형을 개선하기 위해 골반 및 슬관절에 대한 구조적 접근이 필요함
- 티칭: 부종 시 1시간 이상 아이스팩, 걷는 행위보다는 자전거 운동을 추천

최신 연구 동향 및 임상 포인트

✓ 퇴행성 무릎 골관절염의 초기에는 어느 정도 개선이나 치료가 가능하나, 결국 "수술을 택하기 전에 얼마나 통증을 완화시키고 기능을 개선시키느냐"가 중요합니다. 적극적인 치료와 관리가 핵심입니다. 통증과 부종이 심할 때는 약물복용과 아이스팩, 활동의 축소가 필수적이며, 상기적으로 체중감소와 대퇴사두근 강화를 통해 통증 감소와 기능 개선을 노려야 합니다.

1) 도침치료 포인트

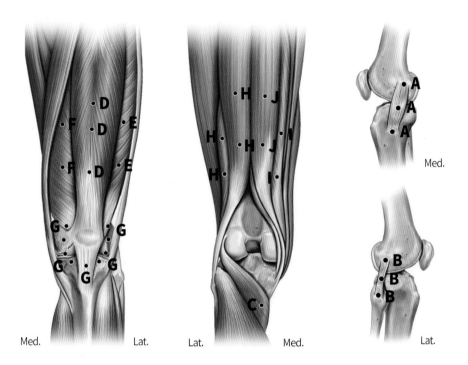

치료 포인트

환자가 첫 치료인 경우, 모든 포인트를 치료하지 않고 가장 압통이 심한 부위 2포인트를 선정하여 치료합니다. 퇴행성 관절염이 심한 부위에 따라 환자가 호소하는 통증 부위가 다릅니다. 통증부위가 1)무릎 내측이면 무릎 내측 압통점과 내측근육들, 2)무릎 외측이면 무릎 외측 압통점과 외측 근육들, 전면이면 슬개골 주변과 대퇴사두근을 치료합니다.

7-6-1. 내측측부인대 압통점	A	p. 296	7-4-5. 내측광근 압통점	F	p. 287
7-6-2. 외측측부인대 압통점	B	p. 297	7-5-1. 슬개골 주변 압통점	G	p. 290
7-6-3. 슬와근 압통점	C	p. 298	6-4-2. 대퇴이두근 압통점	H	p. 267
7-4-3. 대퇴직근 압통점	D	p. 285	6-4-3. 반막양근 압통점	I	p. 268
7-4-4. 외측광근 압통점	E	p. 286	6-4-4. 반건양근 압통점	J	p. 269

 압통점 찾기 팁

퇴행성 관절염 중에서도 슬개-대퇴 관절이 아픈 경우 대퇴사두근과 슬개골 주변에서 집중적으로 압통점을 찾고, 대퇴-경골 관절이 아픈 경우 내외측 측부인대와 햄스트링 근육에서 압통점을 찾습니다.

(1) 관절염은 연골 질환이 아니다?

> Osteoarthritis is not a cartilage disease
>
> ## Yet more evidence that osteoarthritis is not a cartilage disease
>
> K D Brandt, E L Radin, P A Dieppe, L van de Putte
>
> A better insight into the realities behind osteoarthritis
>
> See linked article, p 1267

2006년에 관절염에 대해 저명한 저널인 Annals of the Rheumatic Diseases에 흥미로운 논문이 실렸습니다. 제목은 관절염은 더이상 연골질환이 아니라는 내용이었습니다(원저: Yet more evidence that osteoarthritis is not a cartilage disease).[7]

존의 퇴행성 관절염의 알려진 병리는 연골의 손상에서부터 시작하는 일련의 과정이었습니다. 퇴행성으로 연골이 손상되면 관절낭의 염증과 극심한 통증, 그후 연골하골 경화와 골극이 나타난다고 믿었습니다. 즉 모든 시작이자 원인은 연골의 손상이기 때문에 이 연골의 손상을 예방하거나 치료하는 방법에 모든 연구가 집중되었습니다. 글루코사민과 같은 연골에 좋다는 영양제 섭취나 연골에 줄기세포를 넣거나 이식하는 등 연골을 재생시키기 위해 많은 치료법들이 개발되었지만 큰 효과를 거두지 못했습니다.

이 논문에서는 연골손상은 관절염의 원인이 아니라 2차적인 결과라고 주장합니다. 연골이 손상되기 전에 주변 인대의 약화와 고유수용성 감각의 저하, 골변형과 같이 주변조직에 변화가 먼저 나타나고 그 이후 연골이 손상되면서 본격적으로 관절염 증상이 나타난다는 것입니다.

즉 표 7-6-1과 같이 인대, 근육, 고유수용성 감각, 뼈, 그리고 관절 정렬에 문제가 발생하면 이로 인해 연골이 손상됩니다. 그래서 연골을 손상시키는 원인을 제대로 찾아 치료해야 관절염의 진행을 막고 승상을 개선시킬 수 있습니다.

결론적으로 기존의 관절염 치료의 패러다임이 연골치료에 집중되있다면, 새로운 패러다임은 관절 주변의 인대와 근육를 강화시키고 고유수용성 감각을 회복시키는 것, 그리고 올바른 정렬을 맞추는 것이라고 볼 수 있습니다.

표 7-6-1. 관절염을 일으킬 수 있는 주변 연조직에 관한 연구

	내용
인대	손가락 측부인대의 병변이 관절염을 유발할 수 있다(Tan AL. 2005). 무릎의 측부인대 질환은 무릎 관절염의 위험요소이다(Burr DB.1990).
근육	대퇴사두근이 약화되면, 무릎이 지면에 닿을 때 연골에 전달되는 충격이 증가한다(Jefferson RJ. 1990).
신경	고유 수용성 감각의 저하가 관절염을 야기할 수 있다(Lund H. 2004).
뼈	연골하골의 경화가 연골의 파괴를 야기시킬 수 있다(Hutton CW. 1986).
정렬	O다리일 경우 내측 관절염이, X다리일 경우 외측 관절염이 발생할 확률이 높아진다(Leena Sharma. 2011).

(2) 무릎 통증이 사라지면 변형이 호전된다.

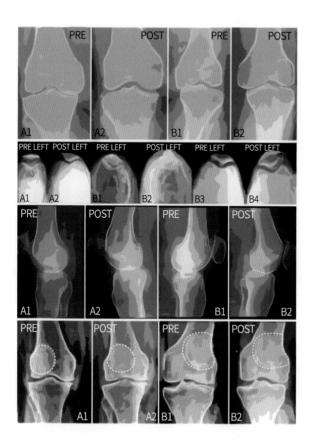

2014년에 무릎관절염에 관한 새로운 치료법에 관한 연구가 발표됩니다.[8] 무릎 관절염 통증이 있는 환자 10명을 대상으로 슬개골 주변부의 감각신경을 고주파를 통해 제거하는 시술을 한 이후 약 6개월 후에 관찰합니다. 흥미로운 점은 시술 후 통증의 감소뿐만 아니라 슬개골이 외측편위되어 있던 것이 안쪽으로 돌아오는 등 구조적인 개선이 함께 나타났다는 점입니다.

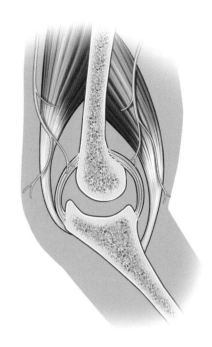

논문에서는 이것을 Hilton's law와 연관된 효과로 고찰했습니다. Hilton's law는 관절의 근육을 지배하는 운동신경은, 관절낭에 닿는 구심성 신경 가지를 낸다는 것입니다. 즉 관절의 관절낭을 지배하는 신경과 관절의 운동을 담당하는 근육이 같은 신경이기 때문에 관절 구조물에 염증이 생기면 통증으로 인해 구심성 반사가 생겨 근육이 자동으로 수축(contraction)되게 됩니다.[9]

결국 관절의 염증과 그로 인한 통증은 근육을 경축(spasm)시키고 환자는 해당 관절의 뻣뻣함(stiffness)을 호소합니다. 우리가 무릎이나 발목, 어깨를 다치면 운동성이 떨어지고 절뚝거리시는 것을 생각하면 쉽습니다.

이러한 반사는 초기에는 통증을 완화시키고 관절을 회복시키는데 도움을 주지만, 장시간 지속되면 굳은 근육은 관절운동을 방해해 염증을 더욱 심하게 하고, 그로 인해 통증은 더 심해져 말초, 중추 감작을 강화해 더욱 큰 통증 및 관절의 강직을 가져온다는 설명입니다.

이 고리를 끊기 위해 완전히 통증을 느끼지 못하게 신경에 시술을 하니 구조 또한 좋아졌다는 결론입니다.[10]

즉 관절염 환자는 냉찜질이나 한약 내지는 진통제를 통해 적극적으로 통증을 차단시키고, 이후 긴장된 근육을 풀어줘 관절을 정상궤도에 올려놔야 증상의 회복을 도모할 수 있습니다.

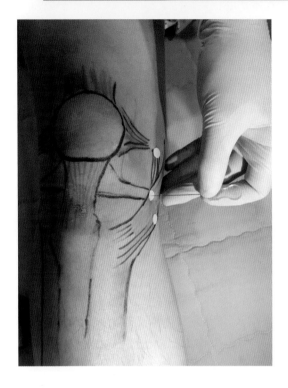
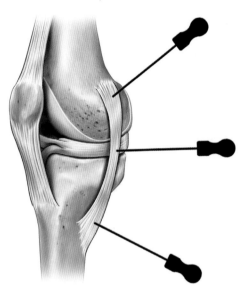

━● 내측측부인대(Medial collateral ligament) 압통점 도침치료

📋 촉진	대퇴골 하단의 내측 융기와 경골의 내측 융기 사이 측부 인대 부착점
📋 도침치료	• 칼날 방향: 인체 종방향 • 자입 깊이: 1 cm 이내 • 자극 횟수: 2-3회 • 주의 사항: 내측측부인대의 부착점인 대퇴골 내측과와 경골 내측과 관절면을 꼼꼼히 촉진하여 압통점에 정확히 자입하도록 합니다.

> **내측과 주변 신경 주의**
> 내측측부인대 상부인 대퇴골 내측과 부착부에서 관절면까지는 복재신경의 분지인 슬개하 신경(saphenous nerve infrapatellar branch)이 횡으로 지나가며, 관절면 하단으로는 내측슬하동맥(Inferior medial genicular artery)과 하내측슬신경(inferior medial genicular nerve)이 횡으로 지나갑니다. 주의하여 도침을 자입하고, 뼈까지 자입하지 않습니다.

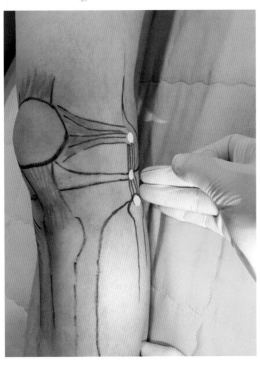
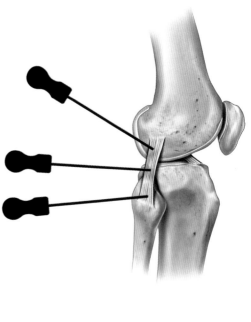

→ 외측측부인대(Lateral collateral ligament) 압통점 도침치료

촉진 • 비골두와 대퇴골 외측 융기 사이 인대상 압통점

도침치료 • 칼날 방향: 인체 종방향
• 자입 깊이: 1 cm 이내
• 자극 횟수: 2–3회
• 주의 사항: 비골두를 먼저 잘 촉진하고, 인대 중앙부와 비골 부착부, 대퇴골 외측과 부착부까지 촉진하여 압통점을 정확히 치료합니다.

주의
외측측부인대 중 관절면의 하단으로 외측슬하동맥과 신경(inferior lateral genicular artery & nerve)이 횡으로 지나갑니다. 자입에 주의하며 뼈까지 심자하지 않습니다.

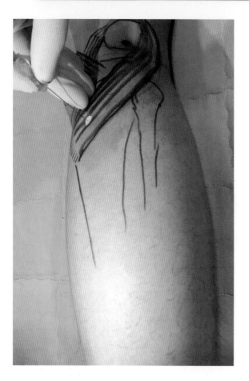

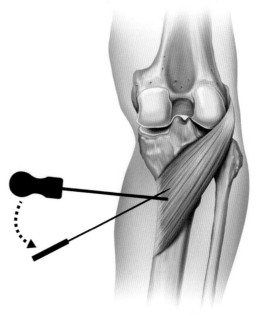

→ 슬와근(Popliteus) 압통점 도침치료

📖 **촉진**	• 오금에서 비복근 내측두와 외측두 사이부터 진입하여 심부에 있는 슬와근을 확인한 후, 바로 안쪽을 경골로 밀어 넣듯 촉진합니다.
📖 **기시**	• 대퇴골의 외측관절융기(lateral condyle of femur) • 외측반월판(meniscus lateralis) • 사슬와인대(oblique popliteal l.)
📖 **종지**	• 경골 근위부의 후면
📖 **도침치료**	• 칼날 방향: 인체 종방향 • 자입 깊이: 뼈까지 • 자극 횟수: 1–2회 자극 • 주의 사항: 슬와부 정중앙에는 중요신경과 혈관이 지나는 만큼, 중앙에서 내측으로 2–3 cm 떨어진 지점에서 진입하여, 안쪽 경골 골면을 향해 자입합니다.

참고문헌

1. Khaund R, Flynn SH. Flynn. Iliotibial band syndrome: a common source of knee pain. Am Fam Physician 2005;71:1545-50.

2. Cohen SE, Mahul O, Meir R, Rubinow A. Anserine bursitis and noninsulindependent diabetes mellitus. J Rheumatol 1997;24:2162-5.

3. Yoon HS, Kim SE, Suh YR, Seo YI, Kim HA. Correlation between ultrasonographic findings and the response to corticosteroid injection in pes anserinus tendinobursitis syndrome in knee osteoarthritis patients. J Korean Med Sci 2005;20:109-12.

4. Rath E, Schwarzkopf R, Richmond JC. Clinical signs and anatomical correlation of patellar tendinitis. Indian J Orthop 2010;44:435-7.

5. 경희수, 이병우, 정원주. 종설: 전방 슬관절 동통의 평가. 대한슬관절학회 2009;21:127-41.

6. 조우신, 이기원, 김민영, 이수원. 퇴행성 슬관절염에서 전방 슬관절 동통. 대한슬관절학회 2006;18:96-101.

7. Brandt KD, Radin EL, Dieppe PA, van de Putte L. Yet more evidence that osteoarthritis is not a cartilage disease. Ann Rheum Dis 2006;65:1261-4.

8. Vas L, Pai R, Khandagale N, Pattnaik M. Pulsed radiofrequency of the composite nerve supply to the knee joint as a new technique for relieving osteoarthritic pain: a preliminary report. Pain Physician 2014;17:493-506.

9. Hilton J, Jacobson WHA. On rest and pain: a course of lectures on the influence of mechanical and physiological rest in the treatment of accidents and surgical diseases, and the diagnostic value of pain. Delivered at the Royal College of Surgeons of England in the years 1860, 1861, and 1862. 2nd ed. New York: Wood; 1879.

10. Moore KL, Dalley AF. Clinically oriented anatomy. 6th ed. Philadelphia (PA): Lippincott Williams & Wilkins; 2009. p.633.

8 발목 및 발

8-1. 발목 및 발 질환의 감별진단

표 8-1-1. 발목 및 발 통증의 감별진단

진단	병력	이학적 검사
만성 발목관절 통증	발목 염좌 수개월 이후 지속되는 발목의 통증	
족저근막염	아침 첫 발 디딜 때 발바닥 통증, 보행 시 족근부 통증	족근부 압통+
아킬레스건염	보행 시 종아리 및 아킬레스 건 통증 족저굴곡 시 통증	Thompson test+ (완전파열인 경우)
족근관 증후군	발바닥의 이상감각	Triple compression stress test+
몰톤신경종	3, 4지간의 보행 시 통증 신발을 신으면 통증이 더 심해짐	Squeezing test+

Thompson test: 환자가 엎드린 상태에서 종아리 근육을 쥐어 잡음, 족저굴곡이 없거나 약하게 나타나면 양성

Triple compression stress test: 환자의 발목을 잡고 족저굴곡, 내번, 족근관 압박을 30초 동안 시행(posterior tibial nerve 압박)해 저림 발생하면 양성

Squeezing test: 중족골 전체를 쥐어짜듯이 잡아 통증이 유발되면 양성

키워드: chronic ankle pain 🔍

한 장 차트 요약

📋 **특징**   발목을 삔 이후, 몇 개월이 지나도 통증이 지속되는 경우. 자주 삐는 부분인 발목외과 주변부에 통증이 많이 발생함. 심한 경우 보행 시 발목이 전체적으로 아픈 발목 관절염으로 발전할 수도 있음

📋 **O/S**
- 오래 전 염좌 후 지속되는 발목의 통증

📋 **C/C**
- 오랜시간 걷거나 뛰면 발목의 통증

📋 **P/E**
- 발목의 최대 저굴이나 배굴에서 통증

📋 **Imaging**
- 영상검사상 발목 인대의 손상이나 관절의 퇴행화 소견

📋 **R/O**
- 관절통, 발목관절(M2557)

📋 **Plan**
- 치료 기간: 2-4주
- 치료 목표: 통증 개선
- 통증 부위: 압통점 도침치료
- 주변부: 종아리 부위 근육 이완을 위한 도침, 침치료, 물리치료
- 티칭: 외상 후 제대로 재생되지 않은 조직에 대한 재자극을 통해 조직의 재생을 유발하고, 유착을 박리함. 통증이 없는 범위 내에서 적절한 스트레칭과 운동을 격려

최신 연구 동향 및 임상 포인드

✅ 만성에 대한 기준이 애매할 수 있습니다. 통상 4-6주 이상이 시간이 지났는데도 염좌로 인한 발목의 통증이 지속되는 경우 도침치료를 시행하면 예후가 좋았습니다.

→ 도침치료 포인트

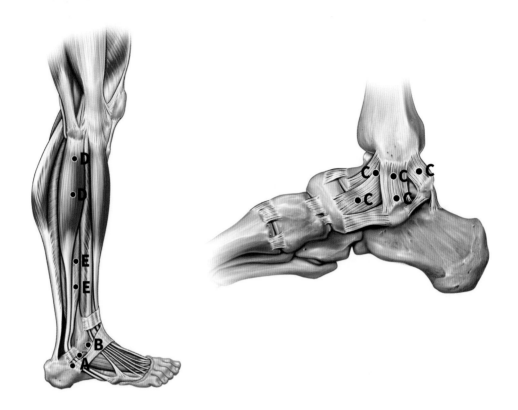

치료 포인트

환자가 첫 치료인 경우, 모든 포인트를 치료하지 않고 가장 압통이 심한 부위 2포인트를 선정하여 치료합니다.

 압통점 찾기 팁

1주 이내의 급성 발목염좌의 경우 발목인대부위의 압통점만 찾으면 되지만, 2주 이상 염좌나 만성 발목 통증은 주변 근육의 긴장이 있는 경우가 많아 장단비골근과 전경골근, 장지신근 등에서도 압통점을 찾아봅니다.

8-2-1. 발목 외측 종비인대 압통점 도침치료

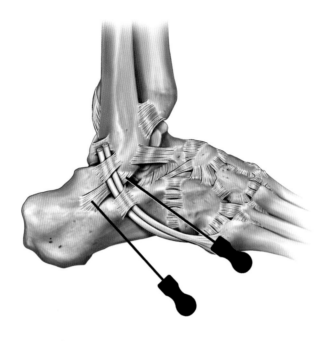

→ 발목 외측 종비인대 압통점 도침치료

📄 **촉진**	• 발목외과를 중심으로 외과 하단에는 종비인대를 촉진합니다. 인대의 압통점을 찾아 자입하지만, 힘줄을 손상하지 않게 주의합니다.
📄 **도침치료**	• 칼날 방향: 인대 섬유 주행 방향
	• 자입 깊이: 뼈까지
	• 자극 횟수: 1-2회
	• 주의 사항: 신경, 인대, 힘줄의 주행 방향에 특히 주의하여 자입합니다.

외측 인대 중에서도 전서비인대는 가장 많이 손상되기 때문에 다음 페이지에서 한 번 더 다루겠습니다.

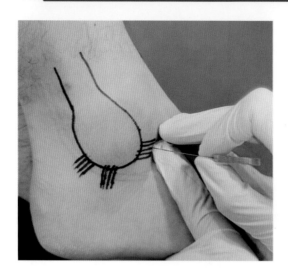

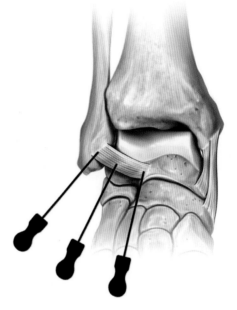

전거비인대 도침치료

전거비 인대 시 가장 주의해야 할 것은 도침의 방향입니다. 인체 종방향으로 자입하기 쉽지만, 전거비 인대는 횡으로 주행하기 때문에 횡방향으로 도침을 자입합니다. 방향에 주의하여 전거비 인대 압통점에 1~2회, 도침을 뼈까지 자입합니다.

임상포인트

- ☑ 족관질 염좌의 90%는 외측 인대 손상이고 1-10%는 전방 원위 경비인대 손상으로 알려져 있습니다. 외측인대 손상 중 대부분의 외측 인대 손상에서 가장 많이 손상되는 것은 전거비인대(80%)이고, 충격이 조금 강한 경우에는 종비인대 손상이 동반되기도 합니다.

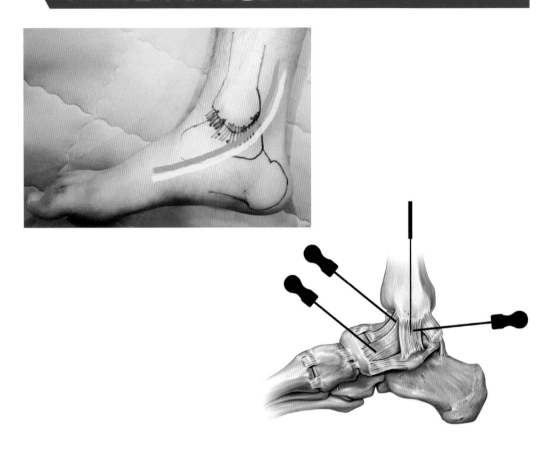

내측 삼각 인대 도침치료

촉진
- 발목 내과를 중심으로 전하방, 하방, 후하방에서 인대의 압통점을 촉진합니다. 종골신경과 후경골신경을 피해 자입합니다.

도침치료
- 칼날 방향: 인대 섬유 주행 방향
- 자입 깊이: 뼈까지
- 자극 횟수: 1–2회
- 주의 사항: 신경, 인대, 힘줄의 주행 방향에 특히 주의

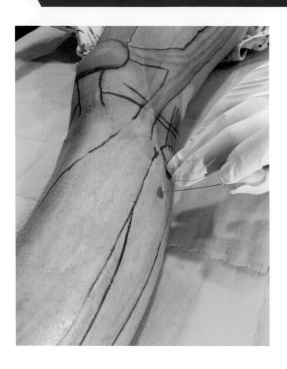

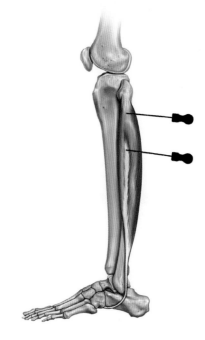

→ 장비골근(Peroneus longus) 압통점 도침치료

📋 **촉진**	• 비골두 하방 3횡지 정도 아래, 장비골근의 근복을 비골로 힘껏 누르듯 촉진하며 압통점을 찾습니다.
📋 **기시**	• 비골두 • 비골 근위부 외측 2/3 • 하퇴근간중격(intermuscular septum)
📋 **종지**	• 제1중족골(metatarsal bone) 기저부 • 설상골(cuneiform bone) 내측
📋 **도침치료**	• 칼날 방향: 인체 종방향 • 자입 깊이: 1–3 cm • 자극 횟수: 1–2회 자극 • 주의 사항: 비골신경 자극에 주의하여 천천히 자입합니다. 무엇보다 비골두 바로 아래쪽은 비골신경이 뼈 위를 바로 지나가는 구간인 만큼 신경손상이 발생할 수 있습니다. 비골두 바로 아래쪽은 도침치료 하지 않게 주의합니다.

8-2-5. 단비골근 압통점 도침치료

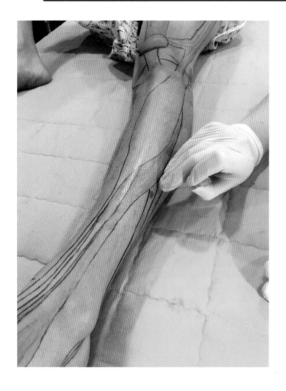 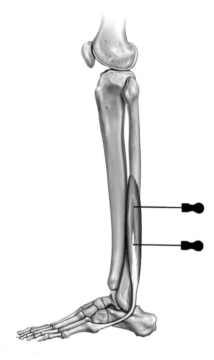

➞ 단비골근(Peroneus brevis) 압통점 도침치료

📋 촉진	• 종아리 외측면 하단 1/3 정도에서 장비골근의 건을 피하듯 심부를 주행하는 근복을 비골을 향해 힘껏 눌러 압통점을 촉진합니다.
📋 기시	• 비골 원위부 외측 2/3 • 하퇴근간중격(intermuscular septum)
📋 종지	• 제5중족골(metatarsal bone)의 결절(tubercle)
📋 도침치료	• 칼날 방향: 인체 종방향 • 자입 깊이: 1–3 cm • 자극 횟수: 1–2회 자극 • 주의 사항: 크게 위험한 구조물은 없지만 신경 손상에 주의하여 천천히 자입합니다.

키워드: Plantar Fasciitis

한 장 차트 요약

특징 아침에 첫 발을 디딜 때 발바닥 뒤쪽(족근부)에 심한 통증을 호소

O/S
- 많이 걷거나 서는 직업에서 발생하나, 별 연관성 없이 발생하기도 함

C/C
- 발을 디딜 때 발바닥의 통증
- 특히 아침 첫 발 디딜 때 발바닥의 통증이 특징

P/E
- 별무

Imaging
- 골극이 관찰될 수 있습니다.

R/O
- 발바닥 근막염(M722)

Plan
- 치료 기간: 2–4주
- 치료 목표: 통증 제거
- 통증 부위:만성은 도침치료, 2주 이내의 급성 통증은 침치료
- 주변부: 족저근막 및 비복근 물리치료, 부항, 침치료
- 티칭: 편한 신발을 착용하고, 테니스공을 이용한 족저근막의 스트레칭을 티칭

최신 연구 동향 및 임상 포인트

✓ 족저근막염에서 도침치료와 스테로이드 주사치료의 효과를 12개월 비교한 RCT 연구에서, 스테로이드는 통증이 다시 악화되는 반면 도침치료는 유지됨을 보고하였습니다. 단일연구이기에 일반화는 어렵지만, 임상에서도 족저근막염에서 도침치료의 효과는 뛰어났습니다. 다만 자입 시 통증이 심해 환자의 발을 강하게 고정하고 치료해야 합니다.[1]

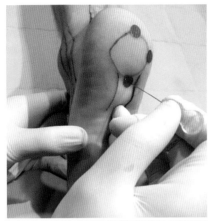

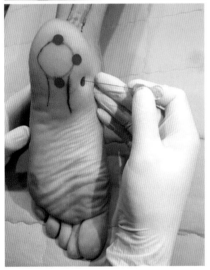

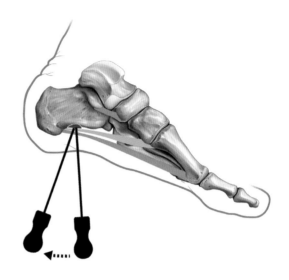

→ 족저근막 압통점 도침치료

촉진	• 종골(calcaneus) 바닥면에서 압통점 촉진
도침치료	• 칼날 방향: 인체 종방향
	• 자입 깊이: 뼈까지
	• 사극 횟수: 1-2회
	• 주의 사항: 환자에 따라 발바닥 면의 통증을 주로 호소하는 환자가 있고, 족근부 내측의 통증을 호소하는 환자가 있습니다. 압통점을 정확히 찾아 치료합니다.

키워드: Achilles tendinitis 🔍

한 장 차트 요약

📋 특징　발목 뒤쪽, 아킬레스건 부위의 통증을 일으키는 질환. 대표적인 건 병증으로 치료 기간이 다소 길고, 재활이 꼭 함께 이뤄져야 함

📋 O/S
- 과사용 후 발생

📋 C/C
- 아킬레스건 주변의 통증
- 활동이나 운동 뒤에 심해짐

📋 P/E
- 아킬레스건 압통

📋 Imaging
- 초음파상 건의 두꺼워짐
- 건 주변 염증

📋 R/O
- 아킬레스 힘줄염(M766)

📋 Plan
- 치료 기간: 4–12주
- 치료 목표: 통증완화 및 기능 개선
- 통증 부위: 아킬레스 건 주위 도침치료
- 주변부: 비복근 물리치료 및 침치료, 도침치료
- 티칭: 통증을 유발하는 과한 사용은 금지. 어느 정도 통증이 완화되면 비복근 스트레칭과 재활운동을 티칭. 다만 급성으로 아킬레스건이 찢어진 경우, 초반 3일 안에 깁스를 해야 보존적 치료가 성공할 수 있음

최신 연구 동향 및 임상 포인트

✓ 연구에 따르면 아킬레스건 병증에 대한 수술적 치료와 보존적 치료 모두 1년 후 큰 차이가 없는 깃으로 밝혀졌습니다. 그러므로 아킬레스건의 치료는 스트레칭과 같은 보존적 치료가 가장 우선적으로 이루어져야 합니다.[2] 하지만 건의 부종이 심하거나 스테로이드 치료 주기가 짧아지는 등 아킬레스건 파열의 징후가 보이면 보존적치료보다는 수술을 고려하는 것이 좋습니다.

→ 도침치료 포인트

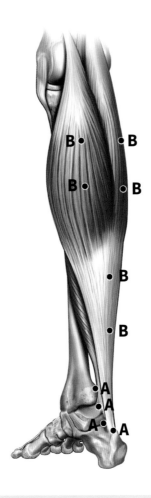

치료 포인트

환자가 첫 치료인 경우, 모든 포인트를 치료하지 않고 가장 압통이 심한 부위 2포인트를 선정하여 치료합니다.

8-4-1. 아킬레스건 주위 압통점	A	p. 312
8-4-2. 비복근 압통점	B	p. 313

 압통점 찾기 팁

아킬레스건 주위 압통점의 경우, 힘줄 자체보다는 건 주변부 염증에 의해 통증을 호소하는 건주위염이 많으니 건 주변부의 유착을 제거한다는 느낌으로 자입해주시면 됩니다.

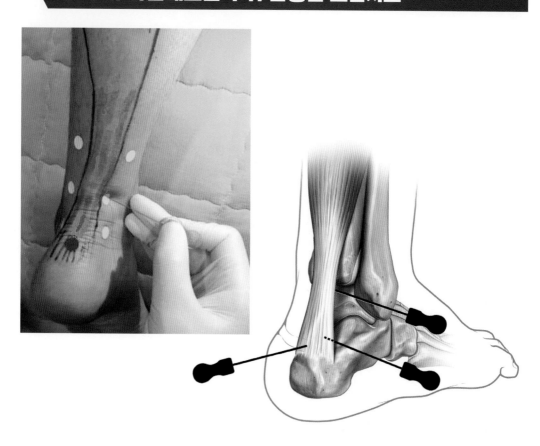

→ 아킬레스건(Achilles tendon) 주변 압통점 도침치료

📋 **촉진**	• 종골융기 주변 아킬레스 건 부착부 압통점이나 건 주변부 압통점을 찾아 자입합니다.
📋 **도침치료**	• 칼날 방향: 인체 종방향 • 자입 깊이: 1–2 cm • 자극 횟수: 1–2회 • 주의 사항: 아킬레스 건 부착부(붉은 점)는 1회 제삽 이내의 저자극으로 치료합니다. 아킬레스건 내측에 신경과 혈관이 지나기 때문에 자입속도와 자입중 통증에 한번더 주의를 기울입니다. 노란 점은 건 주위염으로 인한 건 주변부의 유착을 치료한다는 목적으로 자입해 주시면 됩니다.

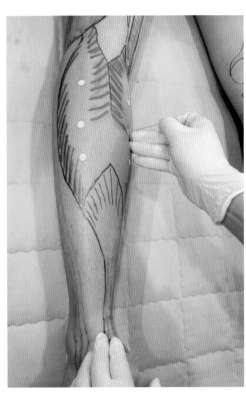

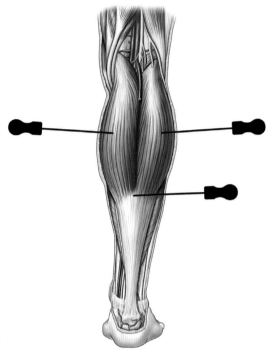

→ 비복근(Gastrocnemius m.) 압통점 도침치료

📑 **촉진**	• 발목을 족저굴곡시켰을 때 드러나는 근육, 근육상 압통점을 찾습니다.
📑 **기시**	• 외측두: 대퇴골 외측관절융기 후외측 • 내측두: 대퇴골 내측관절융기 후면
📑 **종지**	종골융기
📑 **도침치료**	• 칼날 방향: 인체 종방향 • 자입 깊이: 3–4 cm • 자극 횟수: 2–3회 • 주의 사항: 비복근 정중앙에서 뼈까지 심자하면 경골 후면 tibial nerve에 닿을 수 있습니다. 정중앙을 향하는 것을 피하며, 내외측 근복부 압통점을 찾아 천천히 속도를 조절하여 자입합니다.

한 장 차트 요약

특징
발바닥의 이상감각을 특징으로 하는 질환. 주로 노년층에서 발생하며, '발바닥이 화끈거린다, 모래알을 밟은 것 같다, 내 살 같지 않다' 등으로 표현함. 최종적으로 족근관 증후군을 진단하기 전에 이와 같은 신경이상을 일으킬 수 있는 척추관협착증과 당뇨합병증을 배제해야 함

O/S
• 특징적이지 않음

C/C
• 발바닥의 이상감각

P/E
• 족근관의 압통, Triple compression stress test+

Imaging
• 별무

R/O
• 발목터널증후군(G575)

Plan
• 치료 기간: 2–4주
• 치료 목표: 족근관 신경 포착 해소
• 통증 부위: 도침치료
• 주변부: 족근관 부위 침치료
• 티칭: 발목부위는 감염에 취약하기 때문에 시술 후 당일은 흐르는 깨끗한 물에 샤워만 하도록 하며, 빗물이나 진흙탕, 대중목욕탕 등에 시술부위가 닿지 않게 티칭

최신 연구 동향 및 임상 포인트

✓ 협착증이나 당뇨발과 같은 질환을 배제하고 진단이 확실하다면, 치료는 비교적 쉽습니다. 주 1회씩, 평균 3회 치료를 기본으로 하지만 고령에 당뇨 등이 있다면 시간이 더 오래 걸릴 수 있습니다. 또한 이상감각이나 감각저하가 24시간 내내 지속되는 경우에는 신경의 비가역적인 손상이 있을 수 있으므로 호전이 없을 수도 있습니다.

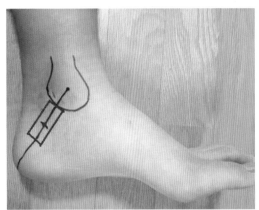
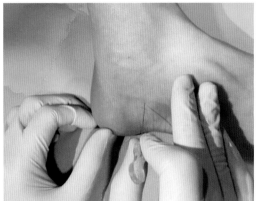

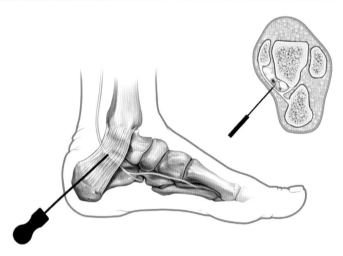

→ 족근관 도침치료

📋 촉진	• 내측 복사뼈 중점과 족근부 끝 모서리을 이은 가상의 선의 중점의 압통점
📋 도침치료	• 칼날 방향: 후경골신경 주행방향
	• 지입 깊이: 뼈까지
	• 자극 횟수: 1·2회
	• 주의 사항: 자입 중에 신경을 자극할 수 있습니다. 그렇기 때문에 신경주행 방향과 날의 방향을 일치시키고, 아주 천천히 자입하여 신경의 손상을 예방합니다. 그리고 당뇨환자의 경우 당뇨가 잘 조절되고 있는지 꼭 확인한 후 치료해야 합니다.

키워드: peroneal nerve entrapment 🔍

한 장 차트 요약

📋 **특징**　종아리 외측에 국한된 저림이나 감각이상을 호소

📋 **O/S**　직접적인 외상도 있으나, 발목염좌 이후 근긴장으로 나타나기도 함

📋 **C/C**　정강이 외측의 저림이나 통증
　　　　　심한경우 족배굴곡력 저하, foot drop

📋 **P/E**　Tiner's sign+

📋 **Imaging**　MRI나 초음파상 신경 주변 soft tissue mass가 있을 수 있음

📋 **R/O**　상세불명의 신경통 및 신경염, 아래다리(M7926)

📋 **Plan**
- 치료 기간: 2-3주
- 치료 목표: 신경 포착 완화
- 통증 부위: 도침치료
- 주변부: 전침 및 부항치료
- 티칭: 이전과 같이 일상생활을 하여도 무리는 없음. 다만 증상이 오래되거나 24시간 내내 저린 경우 신경의 비가역적 손상이 있을 수 있어 치료 기간이 오래 걸릴 수 있음을 고지함

최신 연구 동향 및 임상 포인트

✓ 요추 추간판 탈출증이나 이상근, 대퇴이두근에 의한 좌골신경의 포착 등을 잘 감별해야 합니다. 비골두 하단 비골신경 포착부위에 압통이 나타나고 다른 부위에 압통이 나타나지 않으면 비골신경포착을 의심하고 치료합니다.[3]

→ 도침치료 포인트

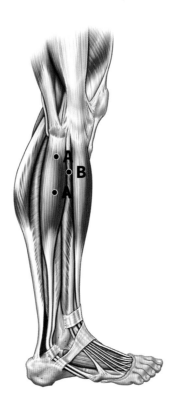

치료 포인트

장비골근과 장지신근 압통점을 찾아 치료합니다. 종아리 외측의 전체적인 저림은 장비골근, 엄지와 2지 사이 저림은 장지신근을 치료합니다.

8-2-4. 장비골근 압통점	A	p. 306
8-6-1 장지신근 압통점	B	p.318

주의
비골두 바로 아래쪽은 비골신경이 뼈 위를 바로 지나가는 구간인 만큼 신경손상이 발생할 수 있습니다. 비골두 바로 아래쪽은 도침치료 하지 않게 주의합니다.

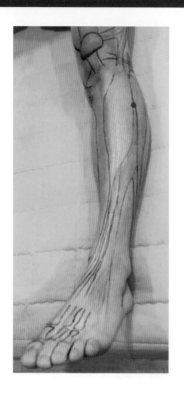
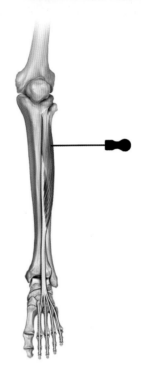

→ 장지신근(Extensor digitorum longus) 압통점 도침치료

📋 **촉진**	• 전경골근과 장비골근 사이에서 비골로 힘껏 누르듯 촉진합니다. • 압통점은 주로 그림과 같이 족삼리 레벨인 경골조면 하단 레벨에 존재합니다.
📋 **기시**	• 비골 내측 상부 1/2 • 경골 외측 관절 융기 • 하퇴 골간막(interosseus membrane)
📋 **종지**	• 제2–5족지의 배측을 따라 내려와 두개의 힘줄로 나뉘어 중간, 원위부 족지절 (medial and distal phalange) 기저부에 종지
📋 **도침치료**	• 칼날 방향: 인체 종방향 • 자입 깊이: 2–3 cm • 자극 횟수: 2–3회 • 주의 사항: 신경이 손상되지 않게 아주 천천히 자입하며, 찌릿한 감각이 나타나면 바로 발침합니다.

참고문헌

1. Li S, Shen T, Liang Y, Zhang Y, Bai B. Miniscalpel-needle versus steroid injection for plantar fasciitis: a randomized controlled trial with a 12-month follow-up. Evid Based Complement Alternat Med 2014;2014:164714

2. Myhrvold, S. B., Brouwer, E. F., Andresen, T. K., Rydevik, K., Amundsen, M., Grün, W., Hoelsbrekken, S. E., et al. Nonoperative or Surgical Treatment of Acute Achilles' Tendon Rupture. N Eng J Med 2022;386:1409-20.

3. Murinova N, Chiu SC, Krashin D, Karl HW, Common Peroneal nerve entrapment. In: Trescot AM. Peripheral nerve entrapments: clinical diagnosis and management. Springer; 2016.

저자 윤상훈

현재 강남 청연한의원 대표원장으로서 진료와 경영을 함께하고 있다. 원광대학교 한의학과를 졸업한 이후 경희대학교 한의학 박사과정 중이며 대한도침의학회 이사를 맡았다. 이긴목원리힌방병원 진료과장으로 일히며 도침을 배우기 시작하고 이후 바로스한의원, 청연한방병원, 청연중앙연구소에서 근무했다. 임상 기간 동안 연구 도침 및 각종 질환에 대해 20편의 SCI 논문과 18편의 KCI 논문을 발표했으며, 각종 국제학술대회 발표 및 국내외에서 보수교육을 진행했다. 대표적인 저서로는 '윤상훈 권병조의 알짜근육학', '상지질환의 한의학적 진단과 치료 ARM?! 앎!'이 있다.

은지와 시윤에게

최소침습
도침치료

첫째판 1쇄 인쇄 | 2022년 09월 16일
첫째판 1쇄 발행 | 2022년 10월 07일
첫째판 2쇄 발행 | 2022년 11월 07일
첫째판 3쇄 발행 | 2024년 01월 31일

지 은 이 윤상훈
발 행 인 장주연
출 판 기 획 김도성
출 판 편 집 이민지, 김형준
편 집 디 자 인 김영준
표 지 디 자 인 김재욱
일 러 스 트 이호현
제 작 담 당 황인우
발 행 처 군자출판사(주)
　　　　　등록 제4-139호(1991. 6. 24)
　　　　　본사 (10881) 파주출판단지 경기도 파주시 회동길 338(서패동 474-1)
　　　　　전화 (031) 943-1888   팩스 (031) 955-9545
　　　　　홈페이지 | www.koonja.co.kr

ISBN 979-11-5955-920-4
정가 110,000원

Minimally Invasive Acupotomy

First Edition

최소침습 도침치료

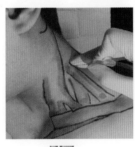

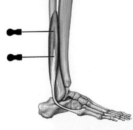
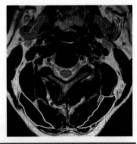

찾아보기

| 찾아보기